# Szkarłatna
# lilia

Tej samej autorki polecamy:

*Klucz światła*
*Klucz wiedzy*
*Klucz odwagi*
*Skarby przeszłości*
*Błękitna dalia*
*Czarna róża*
*Szczypta magii*

15,00

# NORA ROBERTS

# Szkarłatna lilia

Przełożyła
Katarzyna Kasterka

Prószyński i S-ka

Tytuł oryginału
RED LILY

Projekt okładki
Elżbieta Chojna

Redakcja
Ewa Witan

Redakcja techniczna
Jolanta Trzcińska-Wykrota

Korekta
Mariola Będkowska

Łamanie
Ewa Wójcik

ISBN 83-7469-336-3

Wydawca
Prószyński i S-ka SA
02-651 Warszawa, ul. Garażowa 7
www.proszynski.pl

Druk i oprawa
Drukarnia Naukowo-Techniczna
Oddział Polskiej Agencji Prasowej SA
03-828 Warszawa, ul. Mińska 65

*Dla Kayli, dziecka mojego dziecka,*
*oraz tych wszystkich maleństw,*
*które narodzą się w czasie powstawania tej powieści*

Szczepienie polega na połączeniu dwóch oddzielnych roślin tak,
że zaczynają funkcjonować jako jeden organizm,
co w efekcie daje silną, zdrową roślinę,
o najlepszych cechach roślin wyjściowych.

AMERYKAŃSKIE TOWARZYSTWO OGRODNICZE
ROZMNAŻANIE ROŚLIN


Młodość blednie, miłość więdnie, przyjaźń obumiera
Wiecznie żyje tylko matczyna nadzieja.

OLIVER WENDELL HOLMES

# PROLOG

*B*yła zdesperowana, szalona z rozpaczy i nie miała środków do życia.

Swego czasu należała do najpiękniejszych kobiet w Memphis, a jej życiem rządziło jedno, przemożne pragnienie – pławić się w luksusie. Osiągnęła cel dzięki swoim wdziękom i zimnemu wyrachowaniu. Została metresą jednego z najbogatszych i najpotężniejszych ludzi w Tennessee.

Mieszkała w okazałym domu urządzonym z przepychem według jej kaprysów za pieniądze Reginalda. Miała sprawną służbę i garderobę, której mogłyby jej pozazdrościć najbardziej wzięte kurtyzany Paryża. A do tego wielu przyjaciół, kosztowności i własny powóz.

Wydawała huczne przyjęcia. Była obiektem zazdrości i pożądania.

Ona, córka marnej służącej, miała wszystko, czego mogła tylko zapragnąć.

A potem urodziła syna.

To dziecko, chociaż z początku go nie chciała, całkowicie ją odmieniło. Stało się centrum jej świata, jedyną istotą, którą pokochała bardziej niż siebie samą. Miała wobec niego wielkie plany, śniła o nim, śpiewała mu cicho, gdy jeszcze spało słodko w jej łonie.

Rodziła w bólach – wielkich bólach – ale i z niewypowiedzianą radością, bo wiedziała, że gdy jej najdroższy chłopczyk znajdzie się na tym świecie, będzie go mogła wreszcie wziąć w ramiona.

Powiedzieli jej, że urodziła martwą dziewczynkę.

Ale skłamali.

Wiedziała, że ją oszukali – miała tego świadomość nawet wtedy, gdy żal odbierał jej rozum, gdy pogrążała się w mroczne otchłanie rozpaczy. I chociaż w końcu naprawdę popadła w obłęd, w jedno nigdy nie zwątpiła – jej synek żyje.

Ukradli jej dziecko, odebrali siłą. Ale nie zrobili tego doktor czy też akuszerka. To Reginald wydarł jej najcenniejszy skarb, innym zaś hojnie zapłacił za milczenie.

Dobrze pamiętała, jak stał w jej salonie, gdy przyszedł ją odwiedzić dopiero po kilku miesiącach bólu i żałoby. Skończył z nią, zerwał brutalnie znajomość, gdy już dostał to, czego pragnął: syna i dziedzica, którego nie mogła mu dać jego lodowata żona.

Wykorzystał ją, podstępnie wydarł jej dziecko, jakby miał do tego prawo. W zamian zaoferował sfinansowanie wyjazdu do Europy i gotówkę.

Wkrótce będzie musiał za to zapłacić. Słono zapłacić, bardzo słono, powtarzała w myślach, gdy szykowała się do wyjścia. Lecz nie pieniędzmi. Nie tym razem.

Ona sama była teraz bez grosza przy duszy, ale jakoś sobie poradzi. Los się z pewnością odmieni, gdy tylko odzyska Jamesa, swojego najukochańszego synka.

Służący ją opuścili – pouciekali jak szczury z tonącego okrętu – kradnąc co cenniejszą biżuterię. Resztę kosztowności musiała sprzedać i to dużo poniżej rzeczywistej wartości. Została oszukana i wykorzystana, ale czegóż innego mogła się spodziewać po chciwym, bezdusznym jubilerze? Ostatecznie, był przecież mężczyzną.

Każdy mężczyzna to oszust, kłamca i złodziej. Każdy, bez wyjątku.

Wkrótce wszystkim im przyjdzie zapłacić za jej krzywdę.

Teraz nie mogła znaleźć rubinowo-brylantowej bransoletki – o krwistych kamieniach w kształcie serc, otoczonych lodowymi kroplami diamentów – którą podarował jej Reginald, kiedy się dowiedział, że jego kochanka jest w ciąży.

To była zaledwie zabawna błyskotka. Zbyt delikatna i niepozorna jak na jej gust. Ale teraz potrzebowała tych rubinów, więc zaczęła gorączkowo przedzierać się przez bałagan panujący w sypialni i gotowalni.

Rozpłakała się jak dziecko, gdy w zamian znalazła broszę z szafirami. Jednak kiedy już obeschły łzy, a dłoń kurczowo zacisnęła się na broszy, Amelia całkowicie zapomniała o bransoletce. Zapomniała nawet, czego tak pilnie poszukiwała. Uśmiechnęła się na widok błękitnych, iskrzących kamieni. Pieniądze, jakie za nie otrzyma, wystarczą na skromny początek dla niej i Jamesa. Zabierze go z tego przeklętego miasta. Wyjadą razem na wieś. Zostaną tam, póki ona nie poczuje się lepiej i nie nabierze sił.

Jakże to wszystko w gruncie rzeczy proste, pomyślała, patrząc w lustro i wykrzywiając usta w upiornym uśmiechu. Szara suknia, którą zapinała drżącymi rękami, była stonowana i poważna – idealna dla matki. Wisiała na niej luźno, szczególnie na biuście, ale teraz nie da się temu zaradzić. Nie miała pod ręką krawcowej czy choćby pokojówki, która dokonałaby poprawek. Ale co tam. Gdy tylko wraz z Jamesem znajdzie się w wymarzonym domku na wsi, szybko odzyska dawną, ponętną figurę.

Upięła blond loki na czubku głowy i, choć z dużym żalem, zrezygnowała z pociągnięcia policzków różem. Doszła do wniosku, że skromny wygląd podziała bardziej kojąco na dziecko.

Bo zamierzała za chwilę pojechać do Harper House, żeby odzyskać Jamesa – odebrać, co do niej należało.

Wyprawa do leżącej poza miastem rezydencji Harperów była długa i kosztowna. Amelia nie posiadała już własnego powozu, a za chwilę w jej domu mieli się pojawić słudzy Reginalda, by ją stamtąd wyeksmitować.

Niemniej warto było wynająć powóz, jeżeli dzięki temu mogłaby zabrać Jamesa do Memphis, zanieść do pięknie urządzonego pokoju dziecięcego i ułożyć w kołysce do snu.

– „Błękitna lawenda, fa-la-la" – nuciła cicho, zaciskając nerwowo palce, podczas gdy przed jej oczami przesuwały się zimowe, ogołocone z liści drzewa, porastające obie strony traktu.

Zabrała ze sobą błękitny kocyk, który przed kilkoma miesiącami sprowadziła dla synka z Paryża, a także niebieską pelerynkę i buciki w tym samym kolorze. W jej wyobraźni James był nadal noworodkiem – zaburzony umysł nie przyjmował do wiadomości, że od narodzin synka minęło już ponad sześć miesięcy.

Powóz jechał szybko i ani Amelia się obejrzała, a jej oczom ukazał się Harper House w całym swoim majestacie.

Kremowe, kamienne ściany i białe trymowania wydawały się ciepłe i pełne uroku na tle zimnego, szarego nieba. Rezydencja wystrzeliwała dumnie na dwa piętra w górę, a jej eleganckie linie podkreślały umiejętnie rozmieszczone drzewa, krzewy i rozległe trawniki.

Podobno swego czasu po ogrodach Harper House przechadzały się stada pawi rozkładających swoje połyskliwe, wielobarwne ogony, ale Reginald nie znosił ich krzyków, więc pozbył się ptaków, gdy tylko został panem tego domu.

A rządził w nim jak udzielny władca. Ona zaś dała mu młodego księcia – dziedzica. Pewnego dnia jej syn obali ojca i zajmie jego miejsce. Wówczas Amelia będzie rządzić Harper House razem ze swoim najukochańszym, najsłodszym Jamesem.

Chociaż okna rezydencji wydawały się martwe i beznamiętnie odbijały blade promienie słońca, mogła sobie wyobrazić życie w tym domu razem z Jamesem. Oczyma duszy widziała, jak bawią się wspólnie w ogrodach, w uszach dźwięczał jej jego radosny śmiech.

Gdy James odziedziczy rezydencję, będą tu mieszkać tylko we dwoje – bezpieczni i szczęśliwi.

Chwilę później wysiadła z powozu – blada, chuda kobieta w za luźnej szarej sukni – i skierowała się ku frontowemu wejściu. Serce waliło jej z całej siły, bo za tym progiem czekał na nią James.

Zapukała nerwowo. Drzwi otworzył mężczyzna w dystyngowanej czerni. Obrzucił ją uważnym wzrokiem, ale jego twarz pozostała bez wyrazu.

– Czym mogę służyć, madame?

– Przyszłam po Jamesa.

Kamerdyner nieznacznie uniósł brew.

– Przykro mi, madame, ale w rezydencji nie przebywa obecnie nikt o tym imieniu. Jeżeli interesuje panią ktoś ze służby, proszę się pofatygować do tylnego wejścia.

– James nie jest służącym. – Cóż za impertynenckie przypuszczenie! – Jest moim synem. Paniczem. – Zdecydowanym krokiem weszła do holu. – Proszę go natychmiast przynieść.

– Obawiam się, że trafiła pani do niewłaściwego domu. Być może, madame...

– Nie uda się wam go dłużej przede mną ukrywać. James! James! Mama po ciebie przyszła. – Rzuciła się w stronę schodów, a gdy kamerdyner próbował ją zatrzymać, zaczęła drapać go i gryźć.

– Danby, co się tutaj dzieje? – Do szerokiego holu energicznie wkroczyła kobieta, również ubrana w typową dla służby czerń.

– Ta... pani. Zdaje się wzburzona.

– Delikatnie rzecz ujmując. Panienko? Panienko. Nazywam się Havers, jestem tu ochmistrzynią. Proszę się uspokoić i powiedzieć mi, o co chodzi.

– Przyszłam po Jamesa. – Ręce jej drżały, gdy uniosła je, by poprawić loki. – Musicie go natychmiast tu znieść. Zbliża się czas jego popołudniowej drzemki.

Havers miała dobroduszną twarz, a teraz jeszcze uśmiechała się serdecznie.

– Rozumiem. Może jednak zechce pani usiąść na chwilę i trochę ochłonąć?

– I wówczas przyniesiecie Jamesa? Oddacie mi mojego synka?

– Może w bawialni. Właśnie napalono tam w kominku. Dziś mamy taki zimny dzień, prawda? – Posłała Danby'emu znaczące spojrzenie i kamerdyner puścił ramię kobiety. – Już dobrze. Pozwoli pani, że wskażę drogę.

– To podstęp. Kolejny podstęp. – Amelia raz jeszcze rzuciła się w stronę schodów, głośno wołając Jamesa. Zanim nogi odmówiły jej posłuszeństwa, zdążyła dotrzeć do pierwszego piętra.

W tej samej chwili otworzyły się jedne z drzwi i w progu stanęła pani na Harper House. Amelia od razu poznała żonę Reginalda, Beatrice – widywała ją bowiem w eleganckich magazynach, a raz nawet ujrzała w teatrze.

Była to atrakcyjna kobieta o chłodnej, wyniosłej urodzie: oczy koloru zimnego błękitu, wąski nos i pełne wargi, teraz wygięte w grymasie odrazy. Miała na sobie niezobowiązującą suknię z ciemnoróżowego jedwabiu, z wysokim kołnierzykiem, mocno ściśniętą w talii.

– Kim jest ta dziewka?

– Proszę o wybaczenie, madame. – Havers, zwinniejsza od kamerdynera, pierwsza znalazła się przy drzwiach saloniku. – Nie podała swojego nazwiska. – Instynktownie przyklęknęła i objęła Amelię ramieniem. – Jest jednak, biedactwo, bardzo wzburzona i przemarznięta do szpiku kości.

– James. – Amelia wyciągnęła przed siebie rękę, a pani Harper ostentacyjnie zgarnęła fałdy spódnicy. – Przyszłam po Jamesa, po mojego synka.

W oczach Beatrice pojawił się dziwny błysk, szybko jednak zacisnęła mocno usta.

– Wprowadź ją do środka. – Odwróciła się i weszła do bawialni. – A sama zaczekaj pod drzwiami.

– Panienko. – Havers pomogła drżącej kobiecie podnieść się na nogi. – Proszę się nie bać. Nikt pani nie skrzywdzi.

– Przynieście mi moje dziecko. – Amelia z całej siły ścisnęła ochmistrzynię za rękę. – Błagam, przynieście mi Jamesa.

– Proszę teraz wejść do saloniku i porozmawiać z panią Harper. Czy mam podać herbatę, madame?

– W żadnym razie – żachnęła się Beatrice. – Zamknij drzwi.

Podeszła do pięknego granitowego kominka, i choć w palenisku trzaskały płomienie, jej oczy pozostały lodowato zimne.

– Jesteś... byłaś... – poprawiła się natychmiast – ...jedną z kochanic mojego męża.

– Nazywam się Amelia Connor. Przyszłam, żeby...

– Nie interesuje mnie, jak się nazywasz. Twoja osoba w ogóle mnie nie interesuje. Do tej pory jednak uważałam, że kobiety twojej proweniencji – uważające się raczej za wyrafinowane metresy niż tanie ladacznice – wiedzą doskonale, że w żadnym razie nie powinny pokazywać się w rodzinnych domach swoich protektorów.

– Reginald! Czy zastałam Reginalda? – Rozejrzała się gorączkowo wokół, nie zwracając uwagi na elegancki pokój, pełen lamp o artystycznie malowanych abażurach i atłasowych poduch. W tej chwili nawet dobrze nie pamiętała, czemu w ogóle znalazła się w tym miejscu. Nagle opuściła ją wściekłość i gorączka, pozostało zaś tylko odrętwienie i pomieszanie.

– Nie ma go, co powinnaś uznać za łaskę niebios. Doskonale wiem, jaki łączył was związek i wiem też, że mój mąż już zakończył tę nieprzystojną znajomość, ty natomiast zostałaś hojnie wynagrodzona za swe usługi.

– Reginaldzie?

Pojawił się nagle przed jej oczami, gdy stał przed kominkiem – ale nie tym tutaj, granitowym, tylko zupełnie innym – w jej własnym domu.

„Czy doprawdy przypuszczałaś, że pozwoliłbym, aby kobieta twojego pokroju wychowywała mojego syna?".

Syna. Jej syna. Jamesa.

– James. Przyszłam po Jamesa. Mam dla niego kocyk w powozie. Zabieram go natychmiast do domu.

– Jeżeli sądzisz, że dam ci pieniądze, by zapewnić sobie twoją dyskrecję w tej nieszczęsnej sprawie, to się grubo mylisz.

– Ja... przyszłam po Jamesa. – Usta jej drżały, gdy ruszyła przed siebie z wyciągniętymi ramionami. – On zapewne tęskni za swoją mamą.

– Bastard, którego powiłaś, a którego obecność mi narzucono, ma na imię Reginald, tak jak jego ojciec.

– Nie, nie! Ja nazwałam go James. Powiedzieli mi, że umarł, ale wyraźnie słyszałam jego płacz. – Na twarzy Amelii pojawił się wyraz zatroskania. – Słyszysz jego płacz? Muszę go natychmiast odnaleźć i utulić do snu.

– Jesteś kompletnie szalona. Powinnaś zostać zamknięta w domu dla obłąkanych. Przyznaję, że niemal ci współczuję. W tej sprawie żadna z nas nie miała wyboru. Ja jednak jestem niewinna. Jestem małżonką Reginalda. Urodziłam mu dzieci – dzieci z prawego łoża. Kilkoro z nich straciłam w połogu. Niemniej moje zachowanie było zawsze bez zarzutu. Znosiłam wybryki mojego męża, udając, że ich nie dostrzegam i nigdy nie dałam mu najmniejszego powodu do narzekań. Jednak nie urodziłam mu upragnionego syna i to okazało się moim śmiertelnym grzechem.

Na policzkach Beatrice wykwitły ciemne rumieńce gniewu.

– Czy sądzisz, że chciałam mieć w tym domu bastarda? Ten pomiot zrodzony z ladacznicy, który będzie nazywał mnie matką? Który odziedziczy całą fortunę Harperów? – Powiodła dłonią po pokoju. – Który stanie się panem tych wszystkich dóbr? Żałuję, że nie sczezł w twoim łonie, i że ty nie sczezłaś razem z nim.

– W takim razie mi go oddaj. Oddaj mojego syna. Zawinę go w kocyk i odjedziemy.

– Co się stało, to się nie odstanie. Obie znalazłyśmy się w tej samej pułapce, tyle tylko że ty sobie na to zasłużyłaś. Ja natomiast nie zrobiłam nic złego.

– Nie wolno ci go zatrzymywać, tym bardziej że nie chcesz tego dziecka. – Amelia rzuciła się przed siebie z dzikim wzrokiem i odsłoniętymi zębami. Potężny policzek odrzucił ją jednak w tył i ciężko upadła na podłogę.

– Natychmiast opuścisz ten dom. – Beatrice mówiła cicho i spokojnie, jakby wydawała służącej nieistotne polecenie. – I nigdy więcej nie będziesz wspominała o swoim synu albo już ja się postaram, abyś wylądowała w zakładzie dla szaleńców. Nie pozwolę, żeby ktoś taki jaki ty narażał na szwank moją reputację. Nigdy więcej nie pokażesz się w tym domu ani na terenie posiadłości. I nigdy w życiu nie zobaczysz swojego dziecka, taka będzie twoja kara, chociaż jak dla mnie jest ona i tak za łagodna.

– James. Pewnego dnia zamieszkam tu z Jamesem.

– Cóż za szaleństwo – powiedziała Beatrice z nieznacznym rozbawieniem w głosie. – Wracaj, skąd przyszłaś i nadal sprzedawaj swoje ciało. Z pewnością wkrótce spotkasz kolejnego mężczyznę, który z przyjemnością uczyni cię brzemienną. Będziesz więc miała okazję powić kolejnego bastarda.

Zdecydowanym krokiem podeszła do drzwi i otworzyła je na oścież.

– Havers! – wykrzyknęła, ignorując skowyczące łkanie dobiegające zza jej pleców. – Niech Danby usunie tę kreaturę z mojego domu!

Wynieśli ją, szamoczącą się, z rezydencji i kazali woźnicy odwieźć z powrotem do miasta. Amelia jednak wróciła. Wróciła jeszcze tej nocy. Choć sama dobrze nie wiedziała, co robi, przyjechała skradzionym wozem, smagana lodowatym deszczem, jedynie w białej, przemoczonej koszuli nocnej przylegającej do jej ciała.

Chciała ich zabić. Wymordować wszystkich. Pokroić na kawałki, posiekać na miazgę. A potem wynieść Jamesa w zakrwawionych ramionach.

W innym wypadku nigdy więcej nie weźmie synka na ręce. Nawet nie pozwolą jej spojrzeć na jego słodką twarzyczkę.

Zsiadła z wozu, gdy blask księżyca i nocne cienie przemykały po fasadzie Harper House, a mroczne okna wskazywały, że wszyscy domownicy są pogrążeni w głębokim śnie.

Deszcz ustał, chmury zniknęły. Nad ziemią snuły się zimne opary, niczym szare węże umykające spod jej bosych stóp. Szła przed siebie, nucąc pod nosem starą kołysankę, a brzeg koszuli wlókł się po błotnistej ziemi.

Tej nocy jej zapłacą. Zapłacą – i to słono.

Amelia była u królowej wudu i dowiedziała się, co powinna uczynić. Co zrobić, żeby spełniły się jej pragnienia. Żeby syn pozostał przy niej na zawsze.

Kierowała się do powozowni, by tam znaleźć to, czego potrzebowała.

Potem, gdy miała już wszystko, czego szukała, ruszyła w stronę wielkiego domu z żółtego kamienia połyskującego w zimnym świetle księżyca.

– Lawenda błękitna, fa-la-la – nuciła cicho. – Lawenda zielona...

# 1

*H*ayley ziewała szeroko, śmiertelnie zmordowana. Lily zwisała jej ciężko na ramieniu, ale ilekroć Hayley przestawała kołysać córeczkę, mała zaczynała kręcić się, kwilić, kurczowo ściskając w łapkach t-shirt matki.

Hayley marzyła o chwili spokojnego snu, nie miała jednak wyjścia – musiała szeptać uspokajające słowa do dziecka i huśtać się z małą w starym, bujanym fotelu.

Dochodziła czwarta nad ranem, a ona już po raz trzeci wstała do Lily. Około drugiej próbowała wziąć córeczkę do swojego łóżka, przytulić ją i uśpić, ale dziewczynka przestawała płakać jedynie w skrzypiącym bujaku.

Hayley kołysała się więc w fotelu i drzemała, kołysała się i ziewała, zastanawiając się przy tym, czy jeszcze kiedykolwiek w życiu uda jej się przespać bez przerwy całych osiem godzin.

Zupełnie nie mogła pojąć, jak sobie na co dzień radziły inne samotne matki. Skąd czerpały siły fizyczne, psychiczną moc i jak udawało im się wiązać koniec z końcem?

Czy ona by sobie poradziła, gdyby została sama jedna z Lily? Jak wyglądałoby ich życie, gdyby nie miała z kim dzielić trosk, radości i codziennego wysiłku związanego z opieką nad dzieckiem? Na samą myśl o tym zdjęła ją trwoga.

Dopiero teraz uświadomiła sobie, jak bardzo była kiedyś niefrasobliwa, zadufana w sobie i najzwyczajniej w świecie głupia. W szóstym miesiącu ciąży rzuciła pracę, sprzedała niemal wszystko, co posiadała, i ruszyła przed siebie starym, rozklekotanym samochodem.

Wielki Boże! Gdyby wtedy miała tę wiedzę, co teraz, nigdy by się nie odważyła na tak lekkomyślny krok.

Może więc dobrze, że okazała się tak wielką ignorantką. Bo dzięki temu nie jest samotna. Przymknęła oczy i oparła policzek na ciemnych, miękkich włoskach Lily. Obie mają teraz przyjaciół – a właściwie prawdziwą rodzinę – są otoczone ludźmi, których obchodził ich los, i którzy w każdej chwili byli gotowi do wszelkiej pomocy.

Ona i Lily miały dach nad głową – i to jaki dach! A do tego u ich boku stała Roz, daleka powinowata, która zapewniła Hayley dom, pracę i dała szansę na nowe życie. No i była jeszcze Stella, najlepsza, najserdeczniejsza przyjaciółka, której można się ze wszystkiego zwierzyć, pośmiać się razem, wyrzucić z siebie najgorsze emocje.

Stella i Roz też były samotnymi matkami i obie świetnie sobie poradziły, upomniała się w duchu Hayley. Wprost niewiarygodnie. Stella wychowała dwóch chłopców. Roz natomiast aż trzech.

A tymczasem ona roztkliwiała się nad sobą i martwiła, jak sobie poradzi z jedną drobinką i to przy wielkiej pomocy tak wielu bliskich osób.

Przede wszystkim był tu David – prowadził cały ten dom, zajmował się rozlicznymi codziennymi sprawami i przygotowywał posiłki dla wszystkich. Jakby wyglądało jej życie, gdyby Hayley sama musiała gotować obiady po pracy? Gdyby musiała robić zakupy, sprzątać, prać, zajmować się tysiącem banalnych drobiazgów, a jednocześnie dawać z siebie jak najwięcej zawodowo i przy tym wychowywać czternastomiesięczną córkę?

Bogu dzięki, że nie musiała tego sprawdzać.

Logan, zabójczo przystojny, świeżo poślubiony mąż Stelli, zawsze chętnie pomagał, gdy Hayley miała problemy z samochodem. A synkowie przyjaciółki, Gavin i Luke, nie tylko ochoczo bawili się z Lily, ale pozwalali Hayley uświadomić sobie, jak będzie wyglądać za kilka lat jej życie.

Mądry, uroczy Mitch też chętnie zajmował się małą. Teraz Mitch zamieszka tu na stałe, gdy wrócą wraz z Roz z podróży poślubnej.

Hayley z zainteresowaniem i wielką radością patrzyła, jak Stella, a potem Roz zakochują się w swoich obecnych mężach. Czuła się częścią czegoś ważnego i cieszyła się, że jej nowa rodzina wzbogaca się o nowych członków.

Oczywiście, małżeństwo Roz oznaczało, że Hayley będzie wreszcie musiała się rozejrzeć za własnym domem. Nowożeńcom należało się przecież trochę prywatności.

Najbardziej pragnęłaby przeprowadzić się gdzieś niedaleko. Najchętniej nie ruszałaby się z terenu posiadłości. Cudownie byłoby zamieszkać na przykład w dawnej powozowni. Ale tam znajdowało się królestwo Harpera. Hayley westchnęła cicho i zaczęła delikatnie masować plecki Lily.

Harper Ashby. Pierworodny syn Rosalind, wyjątkowo przystojny, seksowny młody mężczyzna. Oczywiście, nie myślała o nim w takich kategoriach. W każdym razie nieczęsto. Ostatecznie był jej przyjacielem i pierwszą prawdziwą miłością jej malutkiej córeczki. Wszystkie znaki na niebie i ziemi wskazywały zresztą, że uczucie to jest w pełni odwzajemnione.

Harper cudownie potrafił zająć się Lily. Okazywał jej niesamowicie dużo cierpliwości i ciepła. W cichości ducha Hayley uważała go za zastępczego tatę Lily – tatę, który nigdy nie kochał się z jej matką.

Niekiedy jednak puszczała wodze fantazji – bo i co w tym złego? – a wówczas wyobrażała sobie, że kochają się z Harperem. Ostatecznie była zdrową, młodą kobietą, spragnioną seksu, dziwne byłoby więc, gdyby nie fantazjowała na temat wysokiego, ciemnowłosego, obłędnie przystojnego faceta o zabójczym uśmiechu.

Na dodatek inteligentnego i mądrego. Harper wiedział wszystko na temat kwiatów i roślin. Hayley bardzo lubiła patrzeć na niego, gdy pracował w cieplarni: długimi palcami wiązał kawałki rafii i sprawnie posługiwał się nożem.

Od jakiegoś czasu uczył ją szczepić rośliny i była mu za to wdzięczna. Tak wdzięczna, że nie wyobrażała sobie, by mogła to zniszczyć, zaczynając go uwodzić.

Ale pomarzyć zawsze mogła.

Przestała się bujać i zamarła w bezruchu. Lily oddychała równo i miarowo.

Dzięki Bogu.

Hayley wstała powoli i zaczęła się skradać w stronę kołyski z ostrożnością i determinacją kobiety umykającej z więzienia. Ręce jej omdlewały, w głowie mąciło jej się ze zmęczenia, gdy pochyliła się nad kołyską i powolutku ułożyła córeczkę na poduszce.

Ale ledwo zaczęła otulać małą kocykiem, Lily podniosła główkę i zaczęła popłakiwać.

– Och, skarbie, uspokój się proszę. – Hayley zaczęła głaskać maleństwo, chwiejąc się na nogach ze zmęczenia. – Szsz...szsz... No już dobrze. Daj mamie choć chwilę wytchnienia.

Głaskanie i delikatne poklepywanie przyniosło pożądany efekt, maleńka główka opadła na poduszkę. Hayley nie miała wyjścia – przysiadła na podłodze i wsunęła dłoń przez szczebelki kołyski, po czym głaskała i głaskała córeczkę.

Aż w końcu sama zapadła w sen.

Obudził ją cichy śpiew i otworzyła powoli oczy. W pokoju panował chłód, podłoga na której siedziała, wydawała się bryłą lodu. Ramię jej ścierpło, a gdy się poruszyła, poczuła ostre mrowienie w całej ręce aż do ramienia.

Siedząca na fotelu postać w szarej sukni śpiewała starą kołysankę. Oczy obu kobiet się spotkały, Amelia jednak śpiewała nadal i nie przestawała się bujać.

Szok natychmiast rozbudził Hayley. Serce podeszło jej do gardła.

Co ma powiedzieć duchowi, którego nie widziała od kilku tygodni? Hej, jak się miewasz? Witaj w domu? Jak zareagować na widok zjawy, na dodatek kompletnie obłąkanej?

Ciało Hayley pokryła gęsia skórka. Dziewczyna podniosła się z podłogi, by stanąć pomiędzy kołyską a fotelem. Tak na wszelki wypadek. Ponieważ mrowienie w ramieniu nie ustawało, przycisnęła rękę do ciała i zaczęła energicznie masować.

Zapamiętaj wszystkie szczegóły, powtarzała sobie w duchu. Mitch będzie chciał je poznać.

Jak na psychotyczną zjawę, Amelia zachowywała się nad wyraz spokojnie. Była smutna i cicha – tak samo jak wtedy, gdy Hayley ujrzała ją pierwszy raz w życiu. Później jednak miała okazję widywać Oblubienicę z dzikim wzrokiem i wykrzywionymi spazmatycznie ustami.

– Lily dostała dzisiaj kilka zastrzyków. To były kolejne szczepienia. Po nich zawsze jest trochę rozkapryszona. Ale teraz już chyba doszła do siebie. Za kilka godzin będziemy musiały wstać, więc do czasu południowej drzemki opiekunkę czekają ciężkie chwile. Teraz... teraz jednak będzie spała spokojnie. Możesz już odejść.

Postać zaczęła blednąć i zniknęła, zanim wybrzmiały ostatnie dźwięki kołysanki.

David krzątał się po kuchni, szykując śniadanie. Nie zważał na prośby Hayley, by nie gotował dla niej i Lily pod nieobecność Roz i Mitcha, i teraz właśnie smażył naleśniki z jagodami. A ponieważ wyglądał niezwykle seksownie, gdy kręcił się po kuchni, Hayley jakoś szczególnie go do tego nie zniechęcała.

– Wyglądasz na wymęczoną. – David uszczypnął ją delikatnie w policzek, po czym powtórzył ten gest wobec Lily, która natychmiast zaczęła radośnie chichotać.

– Marnie spałam. Poza tym miałam w nocy gościa.

Uniósł brew i uśmiechnął się znacząco.

– Nie, nie. Niestety nie był to żaden facet. To Amelia.

Rozbawienie natychmiast zniknęło z twarzy Davida, a w jego miejsce pojawiła się troska.

– Nie sprawiła problemów? Wszystko w porządku? – spytał, sadowiąc się naprzeciwko Hayley.

– Siedziała w bujanym fotelu i śpiewała kołysankę. A kiedy powiedziałam jej, że z Lily już wszystko w porządku i może odejść, posłuchała od razu.

– Może znowu się wyciszyła. Miejmy taką nadzieję. Przestraszyłaś się na jej widok? – Obrzucił dziewczynę uważnym spojrzeniem, zauważył sińce pod oczami i bladość cery pod starannie nałożonym różem. – Czy dlatego właśnie nie mogłaś spać?

– Po części dlatego. Przez kilka ostatnich miesięcy panowało tu istne szaleństwo. Wszyscy nieustannie oglądaliśmy się przez ramię. A teraz ta kołysanka. To było raczej upiorne.

– Pamiętaj, że wujek David jest zawsze pod ręką. – Chwycił jej dłoń swoimi długimi palcami pianisty. – No i dzisiaj Roz wraz z Mitchem wracają z Karaibów. Dom nie będzie już się wydawał taki wielki i pusty.

– A więc ty też miałeś takie wrażenie. Nie chciałam się do tego przyznać, abyś nie pomyślał, że nie uważam cię za dobrego towarzysza. Bo nim jesteś.

– Ty też, skarbie. Tylko że oboje zostaliśmy bardzo rozpaskudzeni. Przez cały rok w domu roiło się od ludzi. – Rzucił okiem na puste miejsca przy stole. – Tęsknię za chłopakami.

– Ach, ty sentymentalna duszo. Wciąż ich przecież widujemy, ale fakt, że gdy nie ma ich na co dzień, jest tutaj strasznie cicho.

Lily, jakby rozumiejąc sens rozmowy, uniosła w górę swój plastikowy kubek i rzuciła przed siebie, aż uderzył o kuchenkę i z głośnym trzaskiem wylądował na podłodze.

– Zuch dziewczynka – stwierdził David.

– Wiesz co? – Hayley wstała z krzesła, żeby podnieść kubeczek. Była wysoką, szczupłą dziewczyną o piersiach, które – ku jej rozczarowaniu – wróciły już do niewielkich rozmiarów sprzed okresu ciąży. Minus A, tak o nich myślała. – Czuję się ostatnio nie najfajniej. Nie wiem właściwie dlaczego, bo przecież uwielbiam pracę w „Edenie", a do tego – myślałam o tym wczoraj w nocy, gdy Lily obudziła się po raz milion sto pięćdziesiąty – mam wokół siebie cudownych ludzi. Mimo to, Davidzie... – rozłożyła bezradnie ramiona – czuję się jakaś taka... wyprana z radości życia.

– Musisz się wybrać na zakupy. To najlepsza terapia.

Uśmiechnęła się i sięgnęła po ściereczkę, żeby wytrzeć lepką buzię córki.

– Zazwyczaj to dobre lekarstwo. Ja jednak czuję, że potrzeba mi większej zmiany. Czegoś poważniejszego niż nowa para butów.

David w teatralny sposób wytrzeszczył oczy.

– A może być coś poważniejszego?

– Myślę, że wybiorę się do fryzjera. Jak sądzisz, powinnam się ostrzyc?

– Mmm. – Przekrzywił głowę i wpatrywał się w nią przez chwilę intensywnie. – Masz piękne włosy o cudownym, mahoniowym odcieniu. Mnie jednak wyjątkowo podobała się fryzura, którą miałaś, gdy się u nas zjawiłaś.

– Naprawdę?

– To wyrafinowane wycieniowanie. Na luzie, cholernie seksowne.

– No cóż... – Powiodła dłonią po grubych pasmach, które teraz już sięgały ramion. Wygodna długość – mogła zawsze szybko związać włosy w pracy czy też gdy zajmowała się Lily. Może właśnie w tym tkwił problem. Może poszła na łatwiznę i przestała myśleć o sobie, o swoim wyglądzie.

Raz jeszcze wytarła buzię małej, po czym wyjęła córeczkę z wysokiego krzesła, by mogła swobodnie pokręcić się po kuchni.

– W takim razie chyba pójdę je obciąć.

– A przy okazji nie zapomnij o butach. To zawsze pomaga.

W środku lata w „Edenie" nigdy nie było tłoku. Oczywiście, klienci zawsze przychodzili, ale lipcowy ruch nie miał nic wspólnego z bożonarodzeniową czy wiosenną gorączką. W zachodnim Tennessee panowała wilgotna duchota i tylko najzagorzalsi miłośnicy ogrodnictwa mieli ochotę na dodatkową pracę przy rabatach i grządkach.

Korzystając z sytuacji, Hayley zamówiła wizytę w salonie fryzjerskim i uzgodniła ze Stellą, że przerwę na lunch przedłuży o dodatkową godzinę.

Kiedy wróciła do „Edenu", miała nową fryzurę, dwie pary nowych butów i była w o wiele lepszym nastroju.

David jednak wie najlepiej, co może pomóc kobiecie, przyznała w duchu.

Hayley kochała „Eden". Kiedy tu przyjeżdżała, rzadko miała poczucie, że idzie do pracy. Nawet w najśmielszych marzeniach nie mogłaby sobie wymyślić lepszego zajęcia.

Humor poprawiał jej się już na sam widok białego bungalowu, który – otoczony rabatami i z donicami kwiatowymi na ganku – bardziej przypominał zadbany dom mieszkalny niż pawilon handlowy.

Zawsze z przyjemnością patrzyła na szerokie, wysypane żwirem alejki, sterty bali, stosy torfu i piramidy ściółki, a przede wszystkim szklarnie pełne najrozmaitszych roślin.

Kiedy w alejkach, szklarniach i w sklepie roiło się od klientów ciągnących wózki załadowane doniczkami i kwiatami, „Eden" bardziej przypominał małą wioskę niż centrum handlowe.

Hayley wbiegła do środka i okręciła się na pięcie przed Ruby, siwowłosą sprzedawczynią stojącą za ladą.

– Wyglądasz wystrzałowo – uznała Ruby.

– I czuję się wystrzałowo. – Hayley przesunęła dłonią po krótkiej, lekko strzępiastej fryzurze. – Od ponad roku nic nie robiłam z włosami. Już niemal zapominałam, jak to jest, gdy ktoś dookoła mnie skacze.

– Przy pierwszym dziecku niemal każda kobieta się trochę zaniedbuje. A tak à propos, jak się miewa nasza ślicznotka?

– Marudziła dziś w nocy po szczepieniach. Ale od rana jest już jak skowronek. Ja za to czułam się zdechła, na szczęście po fryzjerze przybyło mi energii. – Na potwierdzenie swoich słów zgięła rękę w łokciu i zaprezentowała biceps.

– To się świetnie składa, ponieważ Stella chce, żebyś podlała sadzonki. Dosłownie wszystkie. Poza tym czekamy na dostawę nowych skrzynek. Trzeba będzie od razu nakleić ceny i poustawiać je na półkach.

– Jestem gotowa do działania.

Hayley wyszła na zewnątrz w lepki, senny upał i zaczęła podlewać jednoroczne i wieloletnie rośliny, które jeszcze nie znalazły nowego domu. Przyszły jej na myśl dzieciaki, których koledzy nigdy nie wybierali do swoich sportowych drużyn. Wzruszyła się natychmiast i ogarnęło ją pragnienie, żeby zabrać te wszystkie flance, wsadzić do ziemi i pozwolić, by rozkwitły i objawiły cały swój potencjał.

Pewnego dnia będzie miała własny dom. I ogród. Będzie tam hodować mnóstwo roślin, wykorzystując całą wiedzę zdobytą w „Edenie". Przede wszystkim zajmie się uprawą lilii. Wielkich, szkarłatnych – takich samych, jakie przyniósł Harper do szpitala, kiedy rodziła się Lily. Będzie zawsze miała dużą rabatę tych pachnących, zuchwałych w kształcie i barwie kwiatów, żeby co roku jej przypominały, jak wiele szczęścia spotkało ją w życiu.

Pot spływał jej wąską strużką po plecach, a woda z węża moczyła płócienne pantofle. Rozproszony strumień rozdrażnił stado pszczół siedzących na rozchodniku. Wróćcie, kiedy skończę, pomyślała Hayley, gdy poderwały się z gniewnym brzęczeniem.

Pogrążona w myślach, przesuwała się powoli wzdłuż stołu zastawionego skrzynkami pełnymi roślin.

A więc będzie miała ogród. Oczyma duszy zobaczyła Lily bawiącą się na soczystej trawie. A obok niej – szczeniaczka. Pulchnego, miękkiego i żwawego. Jeżeli jednak stworzyła tak sielski obrazek, czy dla dopełnienia całości nie powinna dodać jeszcze mężczyzny? Kogoś, kto kochałby i ją, i Lily. Kogoś inteligentnego, z poczuciem humoru, kto jednym spojrzeniem przyprawiałby Hayley o mocniejsze bicie serca.

Ów mężczyzna musi być bardzo przystojny. Co za sens snuć fantazje, jeżeli nie miałby się w nich pojawić zabójczo urodziwy facet? A więc przystojny, wysoki, barczysty i z długimi nogami. O brązowych oczach w ciepłym odcieniu bursztynu, i gęstych, ciemnych włosach, w które mogłaby wsunąć dłonie, oraz wysokich kościach policzkowych i wyrazistych, seksownych ustach. Wprost stworzonych, by je całować...

– Jezu, Hayley, utopisz te nachyłki!

Drgnęła gwałtownie, wąż zatańczył w jej ręku i zanim nad nim zapanowała, zdążyła oblać ostrym strumieniem Harpera.

Ale mam cela, pomyślała, zmieszana i rozbawiona zarazem. Tymczasem Harper spojrzał z ponurą rezygnacją na mokrą koszulę i dżinsy.

– Masz pozwolenie na korzystanie z tego urządzenia?

– Przepraszam. Naprawdę mi przykro! – powiedziała, z trudem tłumiąc chichot. – Ale nie powinieneś się tak skradać za moimi plecami.

– Nigdzie się nie skradałem. Szedłem najnormalniejszym krokiem. – W jego głosie pojawiła się nuta rozdrażnienia, która od razu pogłębiła nosowy akcent.

– W takim razie następnym razem musisz stąpać głośniej. Niemniej, raz jeszcze przepraszam. Musiałam się zamyślić.

– W takim upale rozum często zapada w sen. – Harper szarpnął koszulę, by nie lepiła mu się do brzucha, po czym spojrzał na Hayley, mrużąc lekko oczy. – Coś ty zrobiła z włosami?

– Słucham? – Instynktownie uniosła dłoń i przeczesała kosmyki palcami. – Ach, poszłam się ostrzyc. Podoba ci się?

– Uhm, jasne. Niezła fryzura.

Hayley z trudem się powstrzymała, by ponownie nie skierować strumienia wody w jego stronę.

– Rety, Harper, nie przesadzaj z tymi komplementami, bo jeszcze chwila, a zakręci mi się od nich w głowie.

Uśmiechnął się do niej tym swoim uroczym, leniwym uśmiechem, roziskrzającym brązowe oczy – i Hayley od razu wszystko mu wybaczyła.

– Urywam się do domu. Przynajmniej na jakiś czas. Mama wróciła.

– Wrócili? Jak się miewają? Czy dobrze się bawili? Pewnie nie wiesz, bo jeszcze się z nimi nie widziałeś. Powiedz, że już nie mogę się doczekać, kiedy ich znów zobaczę, i że w „Edenie" wszystko w jak najlepszym porządku, Roz nie musi się martwić i tu przychodzić, gdy ledwie przekroczyła próg własnego domu. Poza tym...

Harper wsunął ręce w kieszenie sfatygowanych dżinsów.

– Czy mam sporządzić notatki? – zapytał.

– O, nie, nie. Leć już. Sama im wszystko powiem.

– To na razie.

Mężczyzna z jej marzeń machnął ręką i ruszył przed siebie, lekko ociekając wodą.

Doprawdy musi przestać tak myśleć o Harperze, upomniała się w duchu Hayley. Musi trzymać się od niego z daleka. Ten facet nie jest jej przeznaczony, dobrze o tym wiedziała. Przeszła na drugą stronę, żeby solidnie podlać rosnące w doniczkach krzewinki i pnącza.

Tak naprawdę wcale nie była pewna, czy w gruncie rzeczy chciała spotkać mężczyznę jej przeznaczonego – w każdym razie akurat w tym momencie. Musiała myśleć przede wszystkim o Lily i o swojej pracy. Pragnęła, by jej córeczka cieszyła się zdrowiem i poczuciem bezpieczeństwa. Poza tym chciała zgłębiać różne tajniki ogrodnictwa i wdrażać się w coraz to nowe obowiązki w „Edenie".

Hierarchia była więc ściśle określona: Lily, praca, jej cudowna, przybrana rodzina, a zaraz potem fascynujące i przejmujące dreszczem emocji zadanie odkrycia tożsamości Amelii – ducha z rezydencji Harperów – i tym samym zapewnienie jej wiecznego spoczynku.

Gros zadań związanych z odnalezieniem Amelii spadnie na barki Mitcha. To on jest genealogiem i, oprócz Stelli, najbardziej zorganizowanym członkiem ich małego klanu. Jak wspaniale, że on i Roz się spotkali i zakochali wkrótce po tym, gdy Rosalind go zatrudniła, aby ustalił, kim naprawdę była Amelia. Chociaż akurat ta romansowa historia nie przypadła zjawie do gustu. Jezu, prawdę powiedziawszy, Oblubienica zachowywała się z tego powodu jak najwredniejsza wiedźma.

Niewykluczone, że znowu coś wyzwoli w niej najgorsze emocje, pomyślała Hayley. Szczególnie teraz, gdy po ślubie z Roz Mitch zamieszka w Harper House. Co prawda, od dłuższego czasu Amelia zachowywała się przykładnie, nie oznaczało to jednak, że tak już pozostanie.

Na wszelki wypadek, należy się przygotować na wszystkie możliwe nieprzyjemności.

# 2

Z córeczką na ręku Hayley weszła do wielkiego holu Harper House – jakże cudowny panował tu chłód. Postawiła Lily na podłodze, po czym rzuciła torebkę i paczkę pieluch na dolny stopień schodów, żeby miała je pod ręką, gdy będzie szła na górę. A tak naprawdę teraz tylko o tym marzyła. Miała ochotę stanąć pod prysznicem – dwa, trzy dni powinny wystarczyć, żeby znów poczuła się świeża i wypoczęta – a potem duszkiem wypić butelkę lodowatego piwa.

Jednak przede wszystkim chciała się zobaczyć z Roz.

Ledwo o tym pomyślała, Roz, jak na zawołanie, wyszła z saloniku. Obie – i ona, i Lily – wykrzyknęły z zachwytu. Lily natychmiast zmieniła kierunek, ruszyła w stronę Rosalind, by chwilę później znaleźć się w jej ramionach.

– Tutaj jest mój najsłodszy skarb. – Roz mocno uścisnęła i ucałowała małą, a potem spojrzała na nią z zachwytem. Lily wydawała z siebie mnóstwo zabawnych dźwięków. – Co ty powiesz! Nigdy bym nie zgadła, że aż tyle wydarzyło się w przeciągu zaledwie tygodnia. Nie wiem, co bym zrobiła, gdybyś mi nie opowiedziała tych wszystkich rozkosznych ploteczek. – Roz posłała Hayley szelmowski uśmiech. – A jak się miewa twoja mama?

– Cudownie. Wspaniale. – Hayley w dwóch susach znalazła się u boku Roz i porwała ją oraz dziecko w ramiona. – Witaj w domu. Bardzo za tobą tęskniliśmy.

– Świetnie. Uwielbiam, jak ktoś za mną tęskni... Jakże szykowne – dorzuciła, przesuwając palcami po włosach Hayley.

– Dopiero co byłam u fryzjera. Dosłownie parę godzin temu. Obudziłam się w kiepskim nastroju i musiałam poprawić sobie humor. Rany, ale ty to dopiero pięknie wyglądasz!

– Coś takiego?

To była jednak najszczersza prawda. Tygodniowa podróż poślubna na Karaiby dodała szczególnego blasku tej już i tak niezwykłej urodzie. Słońce wyzłociło skórę Roz, nadając jej ciemnym, podłużnym oczom jeszcze większą głębię. Krótkie, czarne włosy okalały twarz o ponadczasowej piękności, której Hayley mogła tylko zazdrościć.

– Podoba mi się to ostrzyżenie – zawyrokowała Roz. – Jest bardzo swobodne i młodzieńcze.

– Od razu podreperowało moje ego. Ja i Lily miałyśmy ciężką noc. Wczoraj dostała kolejne szczepionki.

– Mm... – Roz raz jeszcze uścisnęła małą. – To zapewne nie było przyjemne. Zobaczmy, jak zdołamy ci to wynagrodzić, skarbie. No chodźmy. – Roz mocniej przytuliła Lily i z dzieckiem na ręku skierowała się w stronę saloniku. – Zobacz, co ci przywieźliśmy.

Pierwszą rzeczą, jaka rzucała się w oczy, była wielka lalka z szopą rudych włosów i słodkim, zawadiackim uśmiechem na twarzy.

– Och, ale śliczna! I niemal tak duża jak Lily!

– O to właśnie chodziło. Mitch wypatrzył tę lalkę i uparł się, żeby ją kupić dla małej. No i jak ci się podoba nowa lala, mój skarbie?

Lily dźgnęła lalkę kilka razy w oko, wyrwała jej kępkę włosów, po czym rozsiadła się z nią na podłodze, żeby zawrzeć bliższą znajomość.

– Jestem pewna, że za rok czy dwa Lily nada jej imię, a potem aż do czasu studiów będzie trzymać w pokoju na półce. Bardzo ci dziękuję, Roz.

– Na tym nie koniec. Znaleźliśmy sklepik, w którym sprzedawali prześliczne sukieneczki. – Zaczęła wyjmować ubranka z walizki. Miękkie dzianiny, bawełniane koronki, haftowany dżins. – Tylko popatrz na te ogrodniczki. Któż mógłby im się oprzeć?

– Są prześliczne. Przecudne. Rozpuścisz ją do reszty.

– Oczywiście.

– Doprawdy, nie wiem, co... Lily nie ma żadnej bab... nie ma nikogo, kto mógłby ją tak rozpieszczać.

Rosalind ironicznie uniosła brew.

– Możesz swobodnie wypowiedzieć to straszne słowo na „B", Hayley. Nie zemdleję z wrażenia. Sama myślę o sobie jak o zastępczej babce Lily.

– Mam tak niewiarygodne szczęście.

– Dlaczego więc ryczysz?

– Sama nie wiem. Ostatnio, kiedy myślę o swoim życiu, nieustannie się wzruszam. – Pociągnęła nosem i otarła dłonią oczy. – Wciąż się zastanawiam, jak by nam było ciężko i smutno, gdybyśmy były z Lily same na świecie.

– Gdybanie nigdy nie prowadzi do sensownych wniosków.

– Wiem. I tak bardzo się cieszę, że trafiłam pod twój dach. Wczoraj jednak doszłam do wniosku, że czas, abym się zaczęła rozglądać za własnym kątem.

– Kątem do czego?

– Do mieszkania.

– A co jest nie tak z tym domem?

– To najbardziej zachwycające miejsce, jakie widziałam w życiu.

Do tej pory wprost nie mogła uwierzyć, że oto ona, Hayley Philips z Little Rock, mieszka w tak wspaniałych wnętrzach, pełnych pięknych antyków – w rezydencji otoczonej wielkimi, buchającymi kolorem ogrodami.

– Pomyślałam, że wkrótce będę musiała poszukać dla siebie domu, chociaż tak naprawdę nie mam na to ochoty. Przynajmniej na razie. – Przeniosła wzrok na Lily, z trudem ciągnącą dużą lalkę przez pokój. – Prosiłabym cię jednak, żebyś mi powiedziała, kiedy powinnam zacząć szukać.

– OK. Powiem. Czy możemy uznać sprawę za załatwioną?

– Jasne.

– Może więc teraz miałabyś ochotę zobaczyć, co przywieźliśmy dla ciebie?

– Ja też dostanę prezent? – Błękitne oczy Hayley aż rozbłysły z radości. – Uwielbiam prezenty. I wcale się tego nie wstydzę.

– Mam nadzieję, że ten przypadnie ci gustu. – Roz wyjęła z torby podłużne pudełko, a Hayley od razu poderwała do góry wieczko.

– Och, jakie cudne! Jakie śliczne!

– Pomyślałam, że czerwony koral będzie dla ciebie najbardziej odpowiedni.

– Już je kocham!

Wyjęła kolczyki z pudełka i, przykładając do uszu, podskoczyła do wiekowego lustra, by sprawdzić, jak się prezentują. Z delikatnego srebrnego trójkąta zwieszały się trzy czerwone kuleczki.

– Są wspaniałe. O, rety, mam teraz coś prosto z Aruby. Wprost nie mogę w to uwierzyć!

Podbiegła do Roz i raz jeszcze uściskała ją z całych sił.

– Dziękuję! Dziękuję! Już nie mogę się doczekać, kiedy je włożę.

– Możesz zrobić uroczystą inaugurację dziś wieczorem. Przyjdą do nas Stella i Logan z chłopcami. David wydaje powitalny obiad.

– Och, wy pewnie jesteście zmęczeni.

– Ja? Zmęczona? Za kogo ty mnie uważasz? Za staruszkę po osiemdziesiątce? Przecież właśnie wróciłam z wakacji.

– Z podróży poślubnej – poprawiła ją Hayley z szelmowskim uśmiechem. – Założę się, że za wiele nie wypoczęłaś.

– Co dzień spaliśmy do późnego rana, mądralo.

– A więc dziś będziemy świętować. W związku z tym ja i Lily pójdziemy na górę, żeby się pięknie wyszykować.

– Pomogę ci zanieść na górę te wszystkie rzeczy.

– Dzięki. I... Roz? Naprawdę bardzo się cieszę, że już jesteś z powrotem.

Z wielką radością wystroiła Lily w jedną z nowych sukienek, a potem wsunęła nowe kolczyki w uszy i potrząsnęła głową, tylko po to, żeby zobaczyć, jak pięknie się kołyszą na wszystkie strony.

Super, pomyślała. Teraz już nie czuła się zgnębiona i pozbawiona energii. Ponieważ była w doskonałym nastroju, postanowiła jeszcze włożyć nowe buty: delikatne sandały na cienkim, wysokim obcasie, beznadziejnie bezużyteczne i niepraktyczne – a więc wprost wymarzone, by poprawić kobiecie samopoczucie.

– A na dodatek były przecenione – poinformowała z dumą córeczkę. – Muszę przyznać, że działają skuteczniej od prozacu.

Cudownie było znowu włożyć krótką sukienkę i wsunąć stopy w seksowne buty. Do tego całkiem nowa fryzura. I czerwona szminka.

Obróciła się przed lustrem, po czym stanęła w pozie modelki. Może rzeczywiście jest chuda, ale nic nie może na to poradzić. Za to ubrania prezentowały się na niej doskonale. A kolczyki cudnie współgrały z kolorem sukienki.

– Panie i panowie – mruknęła Hayley pod nosem. – Ogłaszam, że od dzisiaj wracam do gry.

W saloniku na dole, rozparty w fotelu, Harper popijał piwo i przyglądał się, jak Mitch opowiada Loganowi i Stelli o podróży poślubnej, co rusz czule dotykając Roz – jej dłoni, włosów, ramienia.

Harper nie wsłuchiwał się w opowieści, których większość zdążył już poznać, gdy wpadł wcześniej do domu. Przede wszystkim cieszył się, że wreszcie matka ma przy sobie prawdziwie jej oddanego mężczyznę.

Czuł też wielką ulgę. Mama co prawda umiała zadbać o siebie jak mało która kobieta, niemniej świadomość, że stoi przy niej ktoś mądry i odpowiedzialny zdecydowanie poprawiała Harperowi humor.

Gdyby Mitch nie wprowadził się do rezydencji po wydarzeniach zeszłej wiosny, Harper zrezygnowałby z własnej niezależności i sam by to zrobił. Nawet nie zważając na fakt, że obecność Hayley mogłaby w pewnym sensie skomplikować sytuację. Ostatecznie więc dobrze się stało, że mógł nadal mieszkać w dawnej powozowni, zachowując fizyczny dystans wobec swojej dalekiej kuzynki.

– Mówiłam mu, że to szaleństwo. – Roz potrząsała kieliszkiem w dłoni, drugą ręką poklepując Mitcha po udzie. – Windsurfing? Któż przy zdrowych zmysłach chciałby dobrowolnie przemierzać fale na kawałku drewna z żaglem? Ale cóż, musieliśmy tego spróbować.

– Kiedyś pływałam na surfingu – przyznała Stella, odrzucając rude loki do tyłu. – W czasie wiosennych ferii w college'u. To super zabawa, jak już się pojmie, w czym rzecz.

– Też tak słyszałem – mruknął Mitch, wywołując szeroki uśmiech na twarzy Roz.

– Ledwo udało mu się wdrapać na deskę, a od razu lądował w wodzie. Wypływał, znów wchodził na deskę, i gdy już się wydawało, że wreszcie zrozumiał, na czym polega ta zabawa... chlup!

– Mój sprzęt miał jakiś ukryty defekt – oznajmił Mitch, lekko szturchając żonę w bok.

– Och, naturalnie. – Roz teatralnie przewróciła oczami. – Niewątpliwie jedno trzeba przyznać Mitchellowi: jest nad wyraz ambitny. Nie mogłam już nawet zliczyć, ile razy lądował w wodzie i wdrapywał się z powrotem.

– Sześćset pięćdziesiąt dwa.

– A jak tobie szło? – Wysoki, potężnie zbudowany Logan, kiwnął butelką piwa w stronę Roz.

– Hm... Osobiście nie lubię się przechwalać.

– Nie wierz jej, wprost to uwielbia. – Mitch pociągnął potężny łyk wody i wyciągnął przed siebie długie nogi. – Uwielbia.

– Muszę jednak przyznać, że surfing przypadł mi do gustu.

– Ona... po prostu stanęła na tym cholerstwie i jak strzała pomknęła przed siebie. – Mitch płynnym ruchem ręki zilustrował swoje słowa.

– My, Harperowie, mamy wyjątkowo dobrze rozwinięty zmysł równowagi.

– Jak widzicie, ona w żadnym razie nie lubi się przechwalać – rzucił Mitch, po czym odwrócił się w stronę drzwi, gdy rozległ się stukot obcasów.

Harper poszedł za jego wzrokiem i natychmiast utracił wspomnianą przed chwilą rodzinną równowagę.

Hayley wyglądała oszałamiająco w krótkiej, czerwonej sukience i sandałach na wysokich szpilkach, sprawiających, że jej nogi wydawały się niebotycznie długie. Do tego ta cholernie seksowna fryzura i namiętne, karminowe wargi.

Trzymała na biodrze Lily, więc, na Boga, w żadnym razie nie powinien myśleć w ten sposób o jej ciele i ustach. To nie w porządku patrzeć tak na matkę z dzieckiem na ręku.

Tymczasem Logan gwizdnął przeciągle, a Hayley, słysząc to, cała się rozpromieniła.

– Witaj piękna. Wyglądasz tak słodko, że można by cię schrupać. Ty również wyglądasz nie najgorzej, Hayley.

Hayley się roześmiała i niemal rzuciła mu Lily na kolana.

– Za karę będziesz miał ją pod opieką.

– Napijesz się wina? – zaproponowała Roz.

– Szczerze mówiąc, marzę o zimnym piwie.

– Ja przyniosę! – Harper zerwał się na równe nogi i ruszył w stronę drzwi, zanim Hayley zdążyła zareagować. Miał nadzieję, że wyprawa do kuchni obniży jego ciśnienie do normalnego poziomu.

Przecież ta kobieta jest kimś w rodzaju kuzynki, napominał się w duchu. Na dodatek to pracownica matki i gość w jej domu. No i do tego wychowuje małe dziecko. Każdy z tych czynników z osobna już oznaczał, że Harper powinien się trzymać od niej z daleka. Tym bardziej że z pewnością nie patrzyła na niego jak na obiekt pożądania.

Jeżeli w takich okolicznościach facet próbował podrywać kobietę, kończyło się to zawsze tylko w jeden jedyny sposób – zniszczeniem dobrej przyjaźni.

Kiedy nalewał piwo do szklanki, usłyszał pisk, a zaraz potem szybki stukot obcasów. Odwrócił się i ujrzał Lily biegnącą w jego stronę oraz goniącą za nią Hayley.

– Ona też chce małe jasne?

Hayley ze śmiechem próbowała chwycić małą w ramiona, ale Lily natychmiast zaczęła się prężyć i wyrywać.

– Jak widzi ciebie, cały świat przestaje dla niej istnieć.

– Wie, co dobre. – Harper uniósł dziecko i podrzucił w górę. Nachmurzoną buzię Lily natychmiast rozjaśnił promienny uśmiech.

– Pokazuje mi, gdzie moje miejsce w szeregu. – Hayley teatralnie wydęła usta i chwyciła za szklankę.

– Ty masz piwo, ja dziewczynę.

Lily objęła Harpera za szyję i oparła główkę o jego policzek. Hayley tymczasem podniosła do ust szklankę.

– Na to wygląda – odparła.


Jak to cudownie, że wreszcie wszyscy zasiedli razem przy stole, pomyślała Hayley, wbijając widelec w kawałek szynki glazurowanej miodem, popisowego dania Davida.

Zachwycała ją koncepcja dużej rodziny, bo dorastała, mając jedynie ojca. Nie czuła się z tego powodu jakaś upośledzona – w żadnym razie – tym bardziej że tata był najserdeczniejszym, najzabawniejszym, najcieplejszym człowiekiem i tworzyli razem wspaniałą, zgraną drużynę.

Niekiedy jednak marzyła o posiłkach przy wielkim, pełnym ludzi stole – i nie miałaby nawet nic przeciwko drobnym sprzeczkom i dramatom, które nieodłącznie wiązały się z życiem w dużej gromadzie.

Dobrze, że Lily będzie dorastała wśród wielu kochających osób, dzięki temu, że Roz przyjęła je pod swój dach. Dziewczynkę czekało więc wiele lat podobnych posiłków – w towarzystwie ciotek, wujów i kuzynów. Oraz dziadków, pomyślała Hayley, zerkając spod oka na Roz i Mitcha. A gdy do tego z wizytą zjawią się pozostali synowie Rosalind oraz syn Mitcha – najprostszy posiłek będzie przypominał wielkie przyjęcie.

Pewnego dnia synowie Roz oraz syn Mitcha, Josh, pożenią się i zapewne urodzą im się dzieci.

Hayley spojrzała na Harpera, próbując zlekceważyć drobne ukłucie serca na myśl, że pewnego dnia on też znajdzie sobie żonę – będzie kochał kobietę, której twarzy nie mogła sobie wyobrazić.

Oczywiście, zwiąże się z niebywałą pięknością. Najprawdopodobniej z wysoką nobliwą blondynką z jakiejś arystokratycznej rodziny Południa.

A Hayley zrobi wszystko, żeby się zaprzyjaźnić z przyszłą żoną Harpera, bez względu na to, jak będzie wyglądać i skąd pochodzić. Nawet jeśli miałoby ją to bardzo drogo kosztować.

– Coś nie tak z ziemniakami? – mruknął jej David do ucha.

– Są super.

– To czemu masz taką minę, jakbyś przełykała wyjątkowo ohydne lekarstwo, skarbie?

– Przypomniałam sobie o czymś, co muszę zrobić, a na co nie mam ochoty. Cóż, życie to nie bajka. Ale nie ma to nic wspólnego z ziemniakami. Prawdę powiedziawszy, zastanawiałam się ostatnio, czy nie zechciałbyś mi udzielić paru lekcji gotowania. Kiedyś całkiem nieźle radziłam sobie z podstawowymi daniami – pichciliśmy z tatą na zmianę – a nawet od czasu do czasu udawało mi się przygotować coś nieco bardziej wyszukanego. Ale Lily wychowuje się na twojej kuchni, chętnie więc podpatrzyłabym kilka sztuczek.

– Hm... czeladnik u mojego boku, ktoś, kogo mógłbym ulepić na obraz i podobieństwo swoje... Doskonały pomysł.

Kiedy Lily zaczęła rzucać kawałki jedzenia na ziemię, Hayley poderwała się od stołu.

– Zdaje się, że ktoś już się najadł.

– Gavin, może byście z Lukiem zabrali Lily na dwór i trochę się z nią pobawili?

– Och, nie. – Hayley zwróciła się w stronę Stelli. – Nie chciałabym ich obarczać opieką nad małą.

– Możemy się z nią pobawić – zgodził się łaskawie Gavin. – Lily lubi biegać za piłką i frisbee.

Gavin był wysoki jak na dziesięciolatka, a ośmioletni Luke szybko go gonił. Zawsze bardzo ładnie bawili się z Lily na trawniku za domem.

– Hm... Jeżeli naprawdę nie macie nic przeciwko temu... Ale jak tylko będziecie mieli jej dosyć, od razu przyprowadźcie ją z powrotem.

– W nagrodę dostaniecie wielkie lody.

Ta obietnica Davida spotkała się z entuzjastycznym przyjęciem.

Kiedy czas zabawy dobiegł końca, a lody zostały pochłonięte do ostatniej łyżeczki, Hayley zabrała Lily na górę, by ułożyć ją do snu, Stella zaś usadziła chłopców w ich dawnym pokoju, żeby pooglądali telewizję.

– Roz i Mitch chcą porozmawiać o Amelii – poinformowała Stella Hayley.

– W porządku. Zejdę na dół, jak tylko mała zaśnie.

– Pomóc ci w czymś?

– Nie, dziękuję. Małej kleją się już oczy.

Układając córeczkę do snu, Hayley z przyjemnością wsłuchiwała się w dźwięki dochodzące z pokoju z telewizorem: wybuchy i huki jakiejś gwiezdnej wojny oraz radosne trajkotanie chłopców komentujących akcję. Jakże brakowało jej tych odgłosów!

Otuliła śpiącą Lily kocykiem, włączyła monitor głosu i zapaliła nocną lampkę. Po czym, zostawiwszy uchylone drzwi, zeszła z powrotem na dół.

Wszyscy siedzieli w bibliotece – tam, gdzie zazwyczaj prowadzili rozmowy o rezydującym w Harper House duchu. Słońce jeszcze nie skryło się za horyzont, pokój był więc skąpany w złoto-różowym świetle. Za oknami rozpościerał się ogród – bogaty i dojrzały w u schyłku lata. Wyniosłe, lawendowe naparstnice tańczyły nad kępami białych niecierpków, a całość ożywiały zwieszające się wdzięcznie, ostro różowe kwiaty fuksji.

Hayley dostrzegła również pierzastą, zieloną bukwicę, woskowe begonie i purpurowe jeżówki o pierzastych, brązowych środkach.

Odruchowo usiadła tuż przy monitorze, ustawionym przy wazonie pełnym intensywnie czerwonych lilii. Kiedy się upewniła, że urządzenie jest włączone, wreszcie odprężona zwróciła się w stronę pozostałych osób zgromadzonych w pokoju.

– Teraz, gdy już się wszyscy zebraliśmy, wprowadzę was w najnowsze ustalenia – zaczął Mitch.

– Chyba nie zamierzacie nam powiedzieć, że w trakcie podróży poślubnej zajmowaliście się pracą? To złamałoby mi serce – wtrącił David.

– Twojemu sercu nic nie grozi, ale rzeczywiście znaleźliśmy trochę czasu na przedyskutowanie paru teorii. Przede wszystkim, dostałem kilka mejli z Bostonu – od praprawnuczki ochmistrzyni Harperów z okresu rządów Beatrice.

– Udało jej się coś odkryć? – Harper, który wcześniej wyciągnął się na podłodze, po słowach Mitcha usiadł gwałtownie.

– Poinformowałem ją o naszych niektórych ustaleniach i podałem jej parę faktów na temat twojego pradziadka Harpera. Wyjawiłem, że tak naprawdę nie był synem Beatrice, ale dzieckiem Reginalda i jednej z jego metres – najprawdopodobniej o imieniu Amelia. Do tej pory naszej prawniczce z Bostonu nie udało się odnaleźć żadnych listów czy innych zapisków Mary Havers, tej prababki – ochmistrzyni. Natknęła się natomiast na jakieś fotografie i obiecała, że prześle odbitki.

Hayley powędrowała wzrokiem w stronę antresoli bibliotecznej, gdzie znajdował się duży stół zawalony książkami, a obok niego wisiała korkowa tablica pełna kopii listów, wycinków prasowych, szkiców i zdjęć.

– I co nam one dadzą? – zapytała.

– Im więcej materiałów wizualnych, tym lepiej – odparł Mitch. – Poza tym nasza bostońska znajoma ma porozmawiać ze swoją babką. Co prawda staruszka cierpi na demencję, ale zdarzają jej się jeszcze przebłyski świadomości. Pamięta, co jej matka i kuzynka, które tutaj pracowały za czasów Beatrice, opowiadały jej o Harperach. Przede wszystkim o przyjęciach, ale i codziennym życiu w rezydencji. Przypomina też sobie, że kuzynka często wspominała o młodym paniczu, bo tak się wówczas zwracano do Reginalda juniora. Mawiała, że bocian, który przyniósł to dziecko, niebywale się wzbogacił. Wówczas prababka naszej znajomej zawsze dodawała, że nie wolno tego nikomu powtarzać. Że to pieniądze splamione krwią i obłożone klątwą, ale przecież dziecko nie jest niczemu winne. Nigdy nie chciała jednak wyjaśnić, co mają oznaczać jej słowa. Mówiła, że wiernie służyła Harperom i do końca swoich dni będzie musiała żyć z przykrymi wspomnieniami. Najszczęśliwsza na świecie była w dniu, gdy wreszcie odeszła z tego domu.

– Wiedziała więc, że mój dziadek został odebrany rodzonej matce. – Roz położyła dłoń Harperowi na ramieniu. – I jeżeli tej kobiety pamięć nie myli, możemy uznać, iż Amelia nie oddała dobrowolnie syna.

– Pieniądze splamione krwią i obłożone klątwą – powtórzyła Stella. – Ciekawe, komu zapłacono i czego dotyczyła ta klątwa.

– Poród Amelii musiał przyjmować jakiś lekarz czy akuszerka, a najprawdopodobniej oboje naraz – powiedział Mitch. – Niemal na pewno dostali za to niezłe pieniądze. Niewykluczone też, że trzeba było przekupić przynajmniej cześć służby.

– Wiem, że to okropne – wtrąciła Hayley – mimo wszystko trudno taką zapłatę nazwać pieniędzmi splamionymi krwią.

– Słusznie – zgodził się Mitch. – Jeżeli więc były splamione krwią, to czyją?

– Amelii. – Logan pochylił się w przód. – Nawiedza ten dom, co sugeruje, że tutaj straciła życie. W rodzinnych archiwach nie znaleźliście żadnej wzmianki na ten temat, nie ma też żadnego oficjalnego dokumentu stwierdzającego jej zgon, możemy więc śmiało założyć, że zatajono okoliczności jej śmierci. Najprostszy sposób na zapewnienie dyskrecji to sowita zapłata.

– Zgadzam się. – Stella pokiwała głową. – Pytanie jednak, jak Amelia się tu dostała? Nie ma o tym ani słowa w pamiętnikach Beatrice. W swoich zapiskach nie podaje imienia kochanki Reginalda, nie wspomina nic na temat jakiejkolwiek wizyty Amelii w Harper House. Beatrice dużo pisze o swoich odczuciach, kiedy Reginald przyniósł do domu nieślubnego syna, a wcześniej nakazał jej udawać, że jest w ciąży. Czy nie byłaby równie wytrącona z równowagi, gdyby jej mąż na dodatek zainstalował w domu Amelię? Czyżby o czymś takim nie napisała?

– Reginald nigdy nie przyprowadziłby tutaj Amelii – oświadczyła stanowczo Hayley. – Z tego, co o nim wiemy, jasno wynika, że nie pozwoliłby przestąpić progu swojej rodowej rezydencji kobiecie pokroju Amelii. Nigdy by nie dopuścił, żeby znalazła się w pobliżu jego syna – szczególnie, że przed całym światem przedstawiał go jako prawowitego dziedzica.

– Racja. – Harper wyciągnął nogi i skrzyżował je w kostkach. – Ale skoro jesteśmy przekonani, że Amelia właśnie w tym domu skończyła życie, musimy założyć, że jednak tu przybyła.

– Może zatrudniła się pod zmienionym nazwiskiem jako służąca – podsunęła Stella. – Jeżeli Beatrice jej nie znała, Amelia mogła dostać pracę w Harper House, i w ten sposób znaleźć się bliżej syna. Śpiewa wszystkim dzieciom, które mieszkają w tym domu, właściwie to ma nawet obsesję na punkcie dzieci mieszkających w rezydencji. Czy w stosunku do własnego syna nie byłaby co najmniej tak samo opiekuńcza?

– To możliwe – zgodził się Mitch. – Co prawda nie znaleźliśmy żadnych wzmianek o służącej podobnej do Amelii, ale nie należy wykluczać podobnego scenariusza.

– Albo zjawiła się tutaj, żeby odebrać dziecko. – Roz spojrzała znacząco na Stellę, potem zaś na Hayley. – Zrozpaczona matka, niezrównoważona psychicznie, bo przecież z pewnością nie postradała zmysłów dopiero po śmierci. Chyba z dużym prawdopodobieństwem możemy założyć, że tutaj przyjechała, a wówczas sprawy przybrały tragiczny obrót. Niewykluczone, że jeżeli pojawiła się w Harper House, została zamordowana. Pieniądze splamione krwią miałyby zatuszować zbrodnię.

– A na dom spadła klątwa – dorzucił Harper. – I Amelia będzie nawiedzać rezydencję – jak długo? Aż zostanie pomszczona? Przez kogo?

– Może wystarczy, gdy zwróci się jej tożsamość – powiedziała Hayley. – Ty jesteś krwią z jej krwi, Harper. Może to właśnie jakiś potomek ma zapewnić jej wieczny spokój.

– Dla mnie to logiczne – wtrącił David. – I dość upiorne.

– Widziałam ją ostatniej nocy – oznajmiła Hayley i wszystkie oczy zwróciły się w jej stronę.

– I nikomu o tym nie powiedziałaś? – zirytował się Harper.

– Powiedziałam rano Davidowi – odparła. – A teraz mówię wam wszystkim. Nie chciałam opowiadać o Amelii w obecności dzieci.

– Zajmijmy się tym od razu – zdecydował Mitch i wstał, by sięgnąć po magnetofon.

– To nic wielkiego.

– Po burzliwych wydarzeniach ubiegłej wiosny zdecydowaliśmy, że wszystko rejestrujemy. – Mitch ustawił magnetofon na stole. – Opowiadaj.

Choć Hayley czuła się trochę nieswojo naprzeciw mikrofonu, zdała szczegółową relację z nocnych wydarzeń.

– Niekiedy dobiega mnie jej śpiew, ale gdy wchodzę do pokoju Lily, Amelii już tam nie ma. Nierzadko też słyszę ją w dawnym pokoju Gavina i Luke'a. Czasami Amelia szlocha. A kilka dni temu wydawało mi się...

– Co takiego? – zainteresował się Mitch.

– Wydawało mi się, że widzę ją w ogrodzie. W dniu waszego ślubu, wkrótce po tym, jak wyjechaliście na Karaiby. W środku nocy obudził mnie lekki ból głowy – chyba tego dnia wypiłam za dużo wina – wzięłam więc aspirynę i zajrzałam do Lily. Wówczas wydało mi się, że widzę jakąś postać w ogrodzie. Podeszłam do okna, księżyc świecił jasno, i zobaczyłam blondynkę w białym stroju. Wydawało się, że zmierza w stronę powozowni. Kiedy jednak otworzyłam drzwi, żeby wyjść na taras i przyjrzeć się uważniej kobiecie – już jej nie było.

– Czy nie umówiliśmy się, tuż po tym jak mama nieomal została utopiona w wannie, że o każdym pojawieniu się Amelii natychmiast informujemy innych domowników? – W głosie Harpera pobrzmiewał gniew. – A w każdym razie nie czekamy aż cały tydzień, żeby opowiedzieć o swojej przygodzie.

– Harper, opanuj się – rzuciła Roz ostro.

– Tak się umawialiśmy.

– Nie byłam pewna, kogo lub co widziałam. – Hayley spiorunowała go wzrokiem. – Do tej pory tego nie wiem. Wydawało mi się, że widzę kobietę idącą w stronę twojego domku, jednak to wcale nie musiała być zjawa. Nawet z większym prawdopodobieństwem byłabym gotowa założyć, że to istota z krwi i kości. Co właściwie miałam zrobić, Harper? Zapukać do twoich drzwi i zapytać, czy to Amelia, czy też może zamówiłeś sobie na wieczór panienkę?

– Jezu Chryste!

– Sam widzisz. – Pokiwała z zadowoleniem głową. – I nie próbuj opowiadać, że nigdy nie zapraszałeś do siebie żadnych kobiet.

– W porządku. Ale dla twojej informacji, owej nocy nie było u mnie żadnej kobiety. Następnym razem postępuj więc, jak uzgodniliśmy.

– Dzieci, dzieci, spokojnie... – wtrącił łagodnie Mitch, po czym na profesorską modłę postukał ołówkiem w notes. – Hayley, czy możesz nam opowiedzieć dokładniej, co właściwie widziałaś?

– Prawdę mówiąc, trwało to zaledwie parę sekund. Stałam przy oknie, czekając, aż zacznie działać aspiryna, i kątem oka pochwyciłam jakiś ruch. Spojrzałam uważniej i zobaczyłam kobietę z burzą jasnych włosów, ubraną w coś białego. W pierwszej chwili pomyślałam, że Harperowi tego wieczoru dopisało szczęście.

– O, rety – mruknął Harper.

– Potem przyszła mi na myśl Oblubienica, ale zanim zdążyłam wyjść na taras, żeby lepiej przyjrzeć się kobiecie, ona już zniknęła. Wspominam o tym tylko dlatego, że jeżeli to naprawdę była Amelia, to znaczy, że widziałam ją dwa razy w ciągu tygodnia. Do tej pory mojej skromnej osoby nie zaszczycała tak często swoją obecnością.

– Byłaś jedyną kobietą przebywającą wtedy w domu – zauważył przytomnie Logan. – A ona pokazuje się jedynie kobietom i dzieciom.

– Zapewne masz rację. – Hayley od razu poczuła się lepiej.

– Poza tym wydarzyło się to zaraz po moim ślubie z Mitchem. Amelia z pewnością była wkurzona – wtrąciła Roz.

– A więc już po raz drugi naoczny świadek widział naszą zjawę zmierzającą w stronę powozowni. Tam musi się znajdować coś istotnego – powiedział Mitch, spoglądając na Harpera.

– Jak do tej pory Oblubienica nie zechciała mnie oświecić w tej sprawie.

– Musimy więc kontynuować nasze poszukiwania. Wiemy, że Amelia mieszkała w tej okolicy, a więc zapewne Reginald umieścił ją w jednym z należących doń domów. – Mitch uniósł dłoń, żeby powstrzymać wszelkie komentarze. – Wciąż jeszcze badam ten trop.

– A jeżeli poznamy jej nazwisko, czy będziesz mógł prześledzić jej przeszłość, tak jak prześledziłeś przeszłość rodziny Harperów? – zainteresowała się Hayley.

– Nazwisko z pewnością ułatwiłoby mi zadanie.

– Może ona sama nam je wyjawi, jeżeli tylko wpadniemy na pomysł, jak ją odpowiednio zapytać. Może... – urwała nagle, bo z monitora popłynęły dźwięki kołysanki. – Wyjątkowo wcześnie przyszła dziś do Lily. Pójdę na górę i sprawdzę, co się tam dzieje.

– Idę z tobą. – Harper poderwał się z podłogi.

Nawet nie próbowała protestować. Chociaż miała okazję słuchać śpiewu Amelii od ponad roku, ta melodia i cichy głos wciąż budziły w niej niepokój. Gdy tylko wyszła z biblioteki zaczęła, jak zwykle, włączać wszystkie światła po drodze, żeby nie wracać po ciemku. Światła dawały jej poczucie pewności siebie, a teraz dodatkowo umacniały je głosy Gavina i Luke'a, bawiących się w pokoju na górze.

– Jeżeli czujesz się nieswojo sama jedna w tym skrzydle, możesz się przenieść bliżej mamy i Mitcha.

– No, jasne. Tylko tego trzeba do szczęścia nowożeńcom – mnie i małego dziecka w sąsiedztwie. Poza tym, niemal już przywykłam do tej sytuacji. Słuchaj, ona nie przestaje śpiewać. – Hayley zniżyła głos do szeptu. – Zazwyczaj zanim dochodzę do pokoju, Amelia milknie i znika.

Instynktownie chwyciła Harpera za rękę i dopiero potem pchnęła uchylone drzwi.

W pokoju panował chłód, ale to było normalne. Nawet po odejściu Amelii niska temperatura utrzymywała się jeszcze przez kilka minut. Hayley jednak aż zabrakło tchu w piersi, gdy usłyszała charakterystyczny skrzyp bujaka.

To coś nowego, pomyślała.

Amelia siedziała w fotelu, odziana w swoją szarą suknię, z rękami splecionymi na kolanach. Śpiewała cicho przyjemnym głosem – nieszkolonym, ale ciepłym i melodyjnym. Kojącym – takim, jakim powinno się śpiewać dzieciom kołysanki.

Kiedy jednak Oblubienica odwróciła głowę w stronę drzwi, Hayley poczuła, że krew zastyga jej w żyłach. Na twarzy Amelii nie widniał uśmiech, tylko straszny grymas. Oczy miała wytrzeszczone, okolone krwistą obwódką.

*Tak zawsze postępują. Do tego nas doprowadzają.*

Ledwo wypowiedziała te słowa, a kontury jej ciała zaczęły stopniowo zanikać, aż w końcu na fotelu siedział jedynie szkielet obleczony w szare łachmany.

Po chwili i on zniknął.

– Błagam, powiedz, że ty też to widziałeś. – Hayley nie była w stanie zapanować nad drżeniem głosu. – Że też słyszałeś jej słowa.

– Owszem. Widziałem i słyszałem. – Ściskając mocno dłoń Hayley, Harper pociągnął dziewczynę w stronę kołyski. – Tutaj jest dużo cieplej. Zauważyłaś? Wokół dziecka nie czuje się chłodu.

– Oblubienica nigdy niczym nie przestraszyła Lily. Mimo to nie chcę zostawiać małej samej. Nie zejdę już na dół, zostanę w jej pokoju. Możesz pójść do biblioteki i opowiedzieć wszystkim, co się stało?

– Chętnie przekimam tu dzisiejszą noc, jeśli zechcesz. Położę się w którymś z wolnych pokoi.

– Nie ma potrzeby. – Hayley szczelniej otuliła kocykiem córeczkę. – Damy sobie same radę.

Harper szarpnął Hayley delikatnie za rękę, żeby wyszła z nim na chwilę do holu.

– Coś podobnego wydarzyło się po raz pierwszy?

– Absolutnie. Obawiam się, że będą mnie teraz męczyć koszmary.

– Jesteś pewna, że możesz zostać tutaj sama z Lily? – Dotknął delikatnie dłonią jej policzka.

Hayley miała ochotę wykrzyknąć: Nie, w żadnym razie nie jestem pewna, zostań ze mną!

Ale co potem? Jednym głupim posunięciem mogłaby zrujnować wszystko, co dla niej najdroższe.

– Jasne. Przecież Amelia nie jest na mnie wściekła, czy coś w tym rodzaju. Nie ma ku temu najmniejszych powodów. Ja i Lily świetnie sobie poradzimy. Ty natomiast idź na dół i zdaj relację z tego, co widziałeś.

– Jeśli coś cię w nocy przestraszy, zadzwoń do mnie. Natychmiast się zjawię.

– Dobrze wiedzieć. Dzięki.

Wysunęła rękę z jego dłoni i wślizgnęła się do swojego pokoju.

Nie, Amelia nie ma najmniejszych powodów, by się na mnie wściekać, powtórzyła sobie Hayley. Nie znalazłam sobie chłopaka, czy kochanka. A jedyny mężczyzna, jakiego pragnę, jest absolutnie poza moim zasięgiem.

– Możesz wyluzować, Oblubienico – mruknęła Hayley pod nosem. – Wszystko wskazuje na to, że jeszcze przez długi czas będę szła przez życie solo.

# 3

*U*dało mu się ją dopaść nazajutrz późnym rankiem. Wiedział, że będzie przy tym musiał sprytnie zamydlić jej oczy. Znał tę dziewczynę już dość dobrze, by wiedzieć, że jeśli Hayley wyczuje, iż on chce jej pomóc – oderwać jej myśli od przykrych wydarzeń – natychmiast go ofuknie.

Hayley Philips była bowiem wzorcowym okazem zosi-samosi.

Pod wieloma względami to cecha godna pochwały. Na jej miejscu wiele kobiet ochoczo nadużywałoby hojności i życzliwości bogatej kuzynki, a przynajmniej uważało, że im się to święcie należy. Hayley nigdy nie zachowywała się w taki sposób. I za to Harper ją szanował. Często jednak ta obsesja samodzielności sprowadzała się, przynajmniej w jego mniemaniu, do oślego, tępego uporu.

Toteż, mimo że szukał Hayley po cieplarniach, szklarniach i w centrum handlowym, gdy ją zobaczył ustawiającą nową ekspozycję, udał, że spotykają się przez czysty przypadek.

Miała na sobie firmowy fartuch – przypominający urocze kuchenne fartuszki – a pod nim czarne szorty i koszulkę z dekoltem w serek. Tylko tłumione od dłuższego czasu pożądanie mogło sprawić, że uznał ten strój za wyjątkowo seksowny.

– Hej, jak leci?

– Nie najgorzej. Musiałyśmy przygotować kilka doniczkowych kompozycji. Wpadła jedna z klientek i błagała o pięć – potrzebowała ich do dekoracji stołów. Organizuje jakiś uroczysty lunch byłych absolwentek swojego college'u. Przy okazji namówiłam ją, żeby kupiła palmę sagową do przydomowej oranżerii.

– Wspaniale. A więc jesteś bardzo zajęta?

– Nie tak bardzo. Stella chciała, żebyśmy zaprojektowały parę dodatkowych aranżacji roślinnych, ale teraz siedzi w biurze z Loganem, i to bynajmniej nie w romantycznym celu. Przyszło jakieś duże zlecenie i Logan nie wyjdzie z jej pokoju, póki nie poda wszelkich szczegółów związanych z zamówieniem. Gdy ostatnio miałam okazję rzucić na niego okiem, miał nietęgą minę.

– To z pewnością jeszcze długo potrwa. Ja natomiast zamierzałem zająć się szczepieniem. Przydałby mi się ktoś do pomocy, ale...

– Naprawdę? A czy ja mogłabym ci pomóc? Wzięłabym ze sobą radiotelefon, na wypadek gdyby Ruby czy Stella mnie potrzebowały.

– Nie pogardziłbym żadną dodatkową parą rąk.

– Możesz więc dysponować moimi. Zaczekaj tylko chwilę.

Wypadła przez szklane drzwi i zjawiła się z powrotem w niecałe pół minuty. Zrzuciła fartuch, po czym przymocowała walkie-talkie do paska.

– Czytałam ostatnio sporo o szczepieniu, ale nie wiem, czy wystarczająco dużo zapamiętałam.

– Dzisiaj zajmiemy się starą metodą, teraz już rzadziej używaną. Wciąż jednak doskonałą w przypadku roślin ozdobnych. Połowa lata to najlepszy okres na wykonywanie tego zabiegu.

Kiedy wyszli na zewnątrz, uderzył ich w twarz wilgotny upał.

– Na początek zabierzemy się do magnolii. – Harper chwycił wiadro z wodą, które zostawił przed drzwiami. – One nigdy nie wychodzą z mody.

Przeszli żwirową ścieżką pomiędzy szklarniami i skierowali się w stronę drzewek.

– Czy noc minęła spokojnie? – spytał.

– Po drobnym przedstawieniu na nasz użytek Amelia nie pokazała się już w żadnej postaci. Mam nadzieję, że nie szykuje się na bis. To było straszne.

– Jednego nie można jej odmówić: świetnie wie, jak zwrócić na siebie uwagę. No dobrze, bierzmy się do pracy. – Zatrzymał się przed wysoką, bogatą w listowie magnolią. – Zetnę kilka dojrzałych, tegorocznych pędów. Nie mogą być grubsze od standardowego ołówka i powinny mieć dobrze uformowane oczka. Jak ta, widzisz?

Wyciągnął rękę w górę i delikatnie przychylił gałązkę.

– Dobrze. I co teraz?

– Teraz odetnę pęd. – Wyjął z torby sekator. – Widzisz to miejsce u podstawy, które wyraźnie już zdrewniało? Tego właśnie szukamy. Zielone pędy są jeszcze za słabe, by je szczepić.

Po odcięciu gałązki Harper umieścił ją w wiadrze z wodą.

– Muszą mieć dużo wilgoci. Jeżeli wyschną, szczep się nie przyjmie. Teraz ty wyszukaj odpowiedni pęd.

Zaczęła obchodzić drzewko dookoła, ale Harper złapał ją za rękę.

– Nie. Należy pobierać od słonecznej strony.

– OK. – Hayley przez chwilę z namysłem oglądała pędy. – Co powiesz na ten? – zapytała w końcu.

– Doskonały. Teraz go zetnij.

Kiedy brała od niego sekator, Harper poczuł jej aromat – zawsze delikatny, a jednocześnie dziwnie intrygujący.

– Ile potrzebujemy?

– Około tuzina. – Włożył ręce w kieszenie i napawał się jej widokiem oraz aromatem. Cóż, ostatecznie cierpiał w dobrej sprawie. – Wybierz kolejny.

– Rzadko tu przychodzę. – Chwyciła kolejny pęd, spojrzała na Harpera, a on zaaprobował jej wybór skinieniem głowy. – A te uprawy tak bardzo się różnią od działu sprzedaży.

– Przecież doskonale radzisz sobie z klientami.

– To prawda. Ale tutaj naprawdę można się czegoś nauczyć. Stella zna się na ogrodnictwie, a Roz wie o roślinach dosłownie wszystko. Ja lubię zdobywać nowe umiejętności. Poza tym, im więcej się wie na temat towaru, tym więcej można go sprzedać.

– Osobiście wolałbym sobie wsadzić jeden z tych pędów w oko niż na co dzień zajmować się sprzedażą.

– Bo w głębi serca jesteś samotnikiem – powiedziała Hayley z uśmiechem. – Ja chyba bym oszalała, gdybym całe dnie musiała spędzać samotnie, zamknięta w cieplarni. Lubię rozmawiać z ludźmi, dowiadywać się, czego potrzebują. Lubię namawiać ich do zakupów. „Proszę koniecznie wziąć to małe cudo i zostawić mi pieniądze w kasie".

Zaśmiała się, wkładając do wiadra kolejną gałązkę.

– Dlatego ty i Roz potrzebujecie kogoś takiego jak ja, żebyście sami mogli się zaszyć w swoich jaskiniach i godzinami pracować nad roślinami, dla których ja potem znajdę troskliwych opiekunów.

– Ten układ dobrze się sprawdza.

– Jest już cały tuzin. Co dalej?

– Tutaj mamy ukorzenione pędy wzięte z rozsady piennej.

– Wiem, co to jest. – Spojrzała na rząd młodych roślin. – Stymuluje się ukorzenianie, następnie mocno przycina pędy zimą, a potem wyjmuje z korzeniami z tej, jak ją się tam nazywa, rośliny matecznej, i sadzi do gruntu.

– Widzę, że rzeczywiście czytałaś na ten temat.

– Lubię się uczyć.

– To widać. – To był kolejny wabik. Jeszcze nigdy przedtem nie spotkał kobiety, która pociągałaby go emocjonalnie i fizycznie, a jednocześnie dzieliła jego zamiłowanie do ogrodnictwa. – Dobra. Potrzebujemy czystego, ostrego noża. Usuniemy wszystkie liście z pędów, które właśnie ścięliśmy. Zostawimy jednak paromilimetrowy kawałek ogonka liścia.

Hayley przyglądała się bacznie, jak Harper demonstrował po kolei wszystkie czynności.

– Teraz należy uciąć miękką końcówkę ze szczytu. Widzisz? – Odsunął się, by mogła uważnie prześledzić jego ruchy, a wówczas ich głowy się zetknęły. – Na wysokości pierwszego oczka przetniemy pęd. Patrz uważnie, bo trzeba to zrobić pod odpowiednim kątem, a potem wykonać jeszcze jedno cięcie, niżej.

– Będę umiała to zrobić.

– No to do dzieła.

Wykonywała wszystkie ruchy powoli i starannie, co przypadło Harperowi do gustu. Cały też czas pod nosem powtarzała jego instrukcje.

– Udało mi się!

– Nieźle się spisałaś. Zabierzemy się więc do pozostałych.

Następnie Harper pokazał Hayley, jak się najlepiej ustawić, żeby szybko i bez szkody dla rośliny usunąć boczne pędy i liście.

Wiedziała, że później będą ją gnębić wyrzuty sumienia, z rozmysłem jednak udawała, że nie bardzo wie, o co chodzi.

– Nie, nie. Musisz trzymać pęd między nogami, bardziej w tę stronę.

Zgodnie z jej oczekiwaniami stanął tuż za nią, objął ją ramionami i chwycił w dłonie jej ręce, by je odpowiednio poprowadzić.

– Pochyl się trochę, rozluźnij kolana. Tak jest. Teraz zaś... – Trzymając rękę Hayley, wykonał cięcie. – Trzeba usunąć tylko kawałeczek kory – mruknął. – Zobacz, to jest miazga. Zostaw kawałek u podstawy.

Pachniał jak drzewa – ziemią i słońcem. Miał takie umięśnione, wspaniałe ciało. Hayley marzyła, żeby się odwrócić i z całej siły do niego przylgnąć. Wystarczy, że potem wspięłaby się na palce, a sięgnęłaby wargami do jego ust.

Bezwstydnie wykręciła głowę i spojrzała Harperowi prosto w oczy.

– Tak lepiej?

– Uhm. Dużo lepiej.

Miała nadzieję, że spojrzy na jej usta i właśnie tak zrobił. Klasyczny manewr. Klasyczne rezultaty.

– Pokażę ci... pokażę, co robić dalej.

Przez chwilę wyglądał jak człowiek, który w trakcie pracy nagle zapomniał, czym właściwie się zajmuje, i Hayley poczuła się usatysfakcjonowana.

Zaraz jednak Harper się otrząsnął i sięgnął do torby po samoprzylepną taśmę.

Wiedziona potrzebą pokuty za swoje sztuczki, Hayley zachowywała się już przyzwoicie i odgrywała pilną uczennicę, gdy przykładała pędy jeden do drugiego, obnażonymi kawałkami miazgi, a potem okręcała miejsce styku taśmą, zgodnie z instrukcjami.

– Świetnie. Doskonale. – Harper miał wrażenie, że brakuje mu tchu w piersiach, a do tego niespodziewanie zaczęły mu wilgotnieć dłonie, aż musiał je w końcu wytrzeć o dżinsy. – Za sześć tygodni, może dwa miesiące, pędy się zrosną i wtedy usuniemy taśmę.

– To super zajęcie. Bierze się mały kawałek jednego, potem drugiego i otrzymuje się nową, piękną roślinę.

– Na tym to polega.

– Czy kiedyś, przy okazji, pokażesz mi też inne metody szczepienia? Roz i Stella nauczyły mnie, jak robić rozmaite rozsady. Samodzielnie rozmnożyłam już kilka skrzynek roślin. Za jakiś czas chętnie spróbowałabym też pracy w cieplarni.

Sam na sam z tą dziewczyną w gorącym, parnym wnętrzu! Harper poczuł, jak ogarnia go podniecenie.

– Jasne. Nie ma sprawy.

– Harper? Czy jak twoja mama zakładała to miejsce, wiedziałeś, że będzie tak tętnić życiem?

Przede wszystkim musi się skoncentrować na jej słowach. Może wówczas łatwiej mu przyjdzie opanować reakcje własnego ciała.

To mama Lily, powtarzał sobie w duchu. Gość w ich domu. Pracownica matki. Sytuacja nie mogła być już bardziej skomplikowana.

Jezu Chryste. Pomocy!

– Harper?

– Przepraszam, zamyśliłem się. Owszem, tego właśnie się spodziewałem. – Powiódł wzrokiem po szklarniach, rabatach i wiatach. – Pewnie dlatego, że sam o tym marzyłem. Wiedziałem też, że jeżeli mama się na coś zdecyduje, zrobi wszystko, by to wyglądało i działało idealnie.

– A gdyby tego nie chciała? Lub nie zdecydowała się na stworzenie tego centrum? Co byś wówczas robił?

– To samo, co teraz, jak sądzę. Gdyby ona nie założyła firmy, ja bym to zrobił. A ponieważ byłoby to moje marzenie, mama natychmiast zdecydowałaby się mi pomóc, więc ostatecznie wszystko wyglądałoby mniej więcej tak samo jak teraz.

– Roz jest wspaniała. Dobrze, że zdajesz sobie sprawę z własnego szczęścia. Widzę, jak dużo was łączy. Mam nadzieję, że kiedyś między mną a Lily też wytworzy się podobna więź.

– Już się wytworzyła.

– Czy myślisz, że takie dobre układy Roz z tobą i twoimi braćmi wzięły się stąd, że przez większość życia nie było przy was ojca? To znaczy, mnie się wydaje, że gdybyśmy z tatą nie zostali sami, to może nie czulibyśmy się tak bardzo ze sobą związani. Często na ten temat rozmyślałam.

– To możliwe. – Gdy Harper się pochylał, gęste, czarne włosy opadały mu na oczy. Odgarniał je natychmiast do tyłu, wyraźnie zirytowany, że zapomniał włożyć czapkę. – Chociaż ja dobrze pamiętam ich razem, pamiętam jak się odnosili do siebie nawzajem. Ich związek był bardzo szczególny. Coś podobnego powstało teraz między mamą a Mitchem. Oczywiście to nie to samo – ale ostatecznie nikt nigdy nie wchodzi dwa razy do tej samej rzeki. Najważniejsze, że mama jest z nim szczęśliwa. I cieszę się, bo bardzo zasługuje na szczęście.

– A czy ty wierzysz, że pewnego dnia spotkasz tę jedyną, wymarzoną drugą połowę?

– Ja? – Drgnął gwałtownie i niewiele brakowało, a paskudnie zaciąłby się w palec. – Nie. Bo ja wiem? W końcu pewnie tak. A ty?

Dobiegło go ciężkie westchnienie Hayley.

– W końcu pewnie tak.

Kiedy skończyli i Hayley wróciła do sklepu, Harper skierował się nad staw. Opróżnił kieszenie, rzucił okulary przeciwsłoneczne na trawę, po czym wskoczył do zimnej wody.

Pływał tutaj od czasów wczesnego dzieciństwa – czasami nago, czasami w ubraniu – bo też nie było lepszej ochłody w upalne, lepkie od duchoty dni.

Niewiele brakowało, a pocałowałbym Hayley, pomyślał, dając nura pomiędzy lilie wodne i żółte tataraki. Marzył o tym pocałunku już od dłuższego czasu – o pocałunku gorącym i namiętnym.

Tymczasem nie wolno mu było oddawać się podobnym marzeniom – powtarzał to sobie już od ponad roku. Hayley widziała w nim przyjaciela. Zapewne, na Boga, myślała o nim jak o kimś w rodzaju brata.

Musi więc za wszelką cenę okiełznać swoje – dalekie od braterskich – uczucia. A najlepiej – wyplenić je siłą.

Powinien więc znowu rzucić się w wir życia towarzyskiego. Zbyt wiele czasu spędzał ostatnio samotnie w domu. Może więc dzisiaj pojedzie do miasta, podzwoni do przyjaciół, umówi się z nimi na spotkanie. Albo jeszcze lepiej – wybierze się na randkę. Na romantyczną kolację przy świecach i muzyce. A potem oczaruje swoją towarzyszkę i subtelnie wprosi się do jej łóżka.

Problem w tym, że nie przychodziła mu na myśl żadna kobieta, z którą miałby ochotę zjeść kolację, słuchać muzyki czy uprawiać seks. Co dobitnie ilustrowało, jak żałosne stało się jego życie.

Nie chciało mu się zmuszać do jakiejś randki, do wykonywania tych wszystkich rytualnych działań, kiedy dziewczyna, której naprawdę pragnął, spała niedaleko stąd, w jego rodzinnym domu.

I była dla niego równie niedostępna jak gwiazdka z nieba.

Wyszedł ze stawu i otrząsnął się jak wodołaz. Może więc jednak wybierze się do miasta. Pozbierał z trawy wszystkie swoje rzeczy i wcisnął do ociekających wodą kieszeni. Ciekawe, czy ktoś z jego przyjaciół miałby ochotę na wypad do kina, na barbecue, czy włóczęgę po klubach. Wszystko byłoby dobre, jeśli tylko pomogłoby mu oderwać się tego wieczoru od niespokojnych myśli.

Kiedy jednak wrócił do domu, odechciało mu się wypadu do miasta. Zaczął sam przed sobą wynajdować różnorakie wymówki. Na dworze panował zbyt nieznośny upał, a on sam jest zbyt zmęczony po całym dniu pracy. Nie chciało mu się siadać za kierownicą. Tym, na co naprawdę miał ochotę, był chłodny prysznic, a po nim – zimne piwo. W zamrażalniku leżała jeszcze zapewne pizza, zakopana gdzieś wśród dań, które zawsze dostarczał mu David. A w telewizji będzie dziś mecz baseballowy.

Czegóż jeszcze człowiekowi potrzeba do szczęścia?

Miękkiego, ciepłego ciała, niebotycznie długich nóg, gładkiej skóry, wilgotnych, ponętnych warg i wielkich, niebieskich oczu.

Ponieważ jednak tego dania nie oferowano dziś w menu, zdecydował się wziąć prysznic nie chłodny, a lodowaty.

Z mokrymi włosami, ubrany jedynie w stare dżinsy obcięte na szorty, poszedł do kuchni po wymarzone piwo.

Podobnie jak reszta domu, kuchnia była niewielka. On jednak nie potrzebował żadnych ogromnych pomieszczeń, choć w takich się wychował. Może i dlatego teraz zachwycał go urok niewielkich pokoików. O starej powozowni, przerobionej na domek, myślał zawsze jak o wiejskiej chacie. Stała pośrodku ogrodu, pośród krętych alejek, ocieniona gałęziami starych drzew. Dawała mu poczucie prywatności i odizolowania. A jednocześnie znajdowała się dość blisko rezydencji, by Harper mógł się tam znaleźć w parę chwil, gdyby Roz go potrzebowała.

Jeżeli pragnął towarzystwa, wystarczyła krótka przechadzka do domu. Jeżeli chciał być sam – nie ruszał się z powozowni.

Przypomniał sobie moment, gdy zdecydował się tu wprowadzić. Wówczas zamierzał jedynie pomalować ściany na biało i na tym skończyć dekorację wnętrz. Jednak mama i David rzucili się na niego z cała zawziętością i zarządzili inaczej.

Musiał przyznać, że mieli rację. Podobały mu się srebrzyste ściany w kuchni, kamienne blaty i szafki ze starego drewna. Zapewne te barwy go zainspirowały, gdy postanowił ściągnąć do domu trochę starych fajansów i naczyń z porcelany oraz poustawiać na parapecie doniczki z ziołami.

Teraz było to przyjemne, przytulne miejsce, nawet jeśli zazwyczaj przychodził tu, żeby zjeść kanapkę z serem, stojąc nad zlewem, przy oknie, wpatrzony w swoją małą cieplarnię i eksplozję kolorów w letnim ogrodzie.

W tym roku hortensje były wielkie jak piłki futbolowe, a bogata w żelazo pożywka, którą je karmił, nadała im intensywną, nieziemsko błękitną barwę. Może zetnie kilka z nich i wstawi do wazonu.

Nad rabatami fruwały roje motyli, tak bowiem dobrali z mamą rośliny, żeby właśnie wabić tu motyle. Kolorowe skrzydełka trzepotały nad purpurowymi jeżówkami, słonecznymi nachyłkami, aromatyczną werbeną i kolorowymi astrami. Tuż za nimi tańczyły elegancko wysmukłe liliowce.

Może i zetnie kilka, żeby zanieść je do domu, do pokoju Lily. Mała lubiła kwiaty i cieszyła się, gdy zabierał ją na spacery po ogrodzie, gdzie mogła dotykać delikatnych płatków i listków.

Jej oczy, niebieskie jak oczy Hayley, otwierały się szeroko i patrzyły z powagą, gdy recytował jej wszystkie nazwy mijanych roślin. Jakby pilnie chłonęła jego słowa i odkładała w pamięci na później.

Chryste, kto by pomyślał, że kiedykolwiek zauroczy go taki mały szkrab?

Nie mógł się jednak jej oprzeć, gdy chwytała jego dłoń swoimi małymi paluszkami i patrzyła na niego rozpromieniona, bo wiedziała, że za chwilę weźmie ją na ręce. Uwielbiał, jak obejmowała go za szyję lub głaskała po włosach.

Niesamowita była taka prosta i nieskomplikowana miłość.

Pociągnął łyk piwa, po czym otworzył zamrażarkę, żeby odnaleźć pizzę. Chwilę później usłyszał pukanie, i zaraz potem skrzyp otwieranych drzwi.

– Mam nadzieję, że przerywam ci dziką orgię! – wykrzyknął David od progu. Wszedł zamaszystym krokiem do kuchni i spojrzał znacząco na przyjaciela. – Co takiego? Ani śladu egzotycznych tancerek?

– Wyszły zaledwie przed minutą.

– Widzę, że przedtem zdarły z ciebie ubranie.

– Wiesz, jak to bywa z egzotycznymi tancerkami. Chcesz piwa?

– Brzmi kusząco, ale nie, dzięki. Szykuję się już na wyjątkowe, pyszne martini. Wybieram się do Memphis, żeby zaszaleć. Może więc okryjesz czymś swoją męską pierś i pojedziesz ze mną?

– Jest za gorąco.

– Ja będę prowadził. Więc zbieraj się, wsuwaj stopy w jakieś lakierki i ruszamy. Zobaczymy, co słychać w najmodniejszych klubach.

– Ilekroć sprawdzam z tobą, co się dzieje w klubach, zawsze ktoś się do mnie przystawia. I niekoniecznie jest to osoba płci przeciwnej.

– Jesteś cholernie przystojny i nikt nie może ci się oprzeć. Obiecuję jednak, że będę cię chronił. Rzucę się z pięściami na każdego, kto spróbuje uszczypnąć cię w tyłek. Co masz zamiar robić tutaj, Harp? Kisić się z butelką piwa nad kanapką z serem?

– Kanapka z serem to posiłek czempionów. Dzisiaj jednak szykuję się na mrożoną pizzę. Poza tym będzie transmisja meczu.

– Harper, łamiesz mi serce, przyjacielu. Jesteśmy młodzi, jesteśmy seksowni. Ty jesteś hetero, ja homo, co oznacza, że podwajamy szansę załapania się na niezłą imprezę. Pamiętasz, jak urzędowaliśmy razem na Beale Street? – David chwycił Harpera za ramię i zaczął nim dramatycznie potrząsać. – Pamiętasz, jak rządziliśmy na mieście?

Harper nie mógł się powstrzymać od uśmiechu.

– To były piękne dni.

– One jeszcze nie przeminęły.

– Pamiętasz, jak kiedyś godzinę rzygaliśmy do rynsztoka?

– Słodkie, cudne wspomnienia. – David przysiadł na najbliższym blacie, chwycił butelkę z piwem Harpera i pociągnął spory łyk. – Czy powinienem się o ciebie martwić? – zapytał.

– Skądże. Co ci przyszło do głowy?

– Kiedy ostatni raz przeleciałeś dziewczynę?

– Jezu, David. – Tym razem Harper złapał za butelkę.

– Swego czasu kobiety tłoczyły się na ścieżce wiodącej do twojej chatki. Teraz ekwiwalentem cielesnej rozkoszy jest w twoim wypadku rozmrażanie pizzy w mikrofalówce.

David w gruncie rzeczy miał rację, co nie poprawiło humoru Harperowi.

– Wziąłem sobie wolne. Chyba zmęczył mnie taki styl bycia – odparł wzruszając ramionami. – Poza tym, ostatnio wiele się tutaj działo. Cała ta historia z Oblubienicą, odkrycie, że była moją praprababką. Ktoś nieźle z nią poigrał, spaprał jej życie. Ja też swego czasu zachowywałem się lekkomyślnie i z wyrachowaniem. Nie chcę się dłużej tak zabawiać.

– Nigdy nie byłeś ani wyrachowany, ani lekkomyślny. – David teraz już poważny, zeskoczył z blatu. – Słuchaj, Harp, jak długo się przyjaźnimy? Bo mam wrażenie, że, do cholery, od zawsze. I w tym czasie nigdy nie widziałem, żebyś kogoś paskudnie potraktował. Jeżeli masz na myśli swoje erotyczne ekscesy, to wiedz, że jesteś jedyną znaną mi osobą, która przyjaźni się z byłymi kochankami – bez względu na to, kiedy zakończył się romans. To, że Reginald był zimnym sukinsynem, nie oznacza, że ty musisz się stać do niego podobny.

– Wiem. Oczywiście. I nie myśl, że na tym punkcie popadłem w jakąś obsesję. Po prostu potrzebuję chwili wyciszenia, żeby zdecydować, jak ma wyglądać następna faza mojego życia.

– Jeżeli masz ochotę na towarzystwo, posiedzę z tobą nad tym piwem i nawet upichcę ci coś zdecydowanie smaczniejszego od mrożonej pizzy.

– Lubię mrożoną pizzę. – On by to zrobił, pomyślał Harper. Bez wahania zrezygnowałby z własnych planów, żeby posiedzieć z przyjacielem i poprawić mu humor. – Jedź do miasta, to martini już nie może się ciebie doczekać. – Poklepał Davida przyjaźnie po ramieniu. – Jedź, swawol, tańcz i pij.

– Jakbyś zmienił zdanie, daj mi znać na komórkę.

– Dzięki. – Harper otworzył drzwi i oparł się o framugę. – A kiedy ty będziesz się smażył na Beale Street, ja sobie usiądę w miłym chłodzie i obejrzę niezły mecz.

– Żałosne, chłopcze. Po prostu żałosne.

– Popijając przy tym piwo… – Urwał i poczuł jak ściska go w dołku na widok Hayley i Lily wychodzących zza zakrętu ścieżki.

– Co za piękny widok – zauważył David.

– Uhm. Wyglądają nieźle.

Mała miała na sobie coś w rodzaju ogrodniczek w biało-różowe paski i do tego różową kokardę we włosach – równie ciemnych jak włosy jej mamy. Wyglądała słodko, jak cukiereczek.

A mama – niebieskie szorty, podkreślające niesamowicie długie nogi, bose stopy. Do tego kusa, biała koszulka i modne okulary przeciwsłoneczne. Też miało ochotę się ją schrupać. Byłaby zapewne słodka i cholernie pikantna zarazem.

Przyłożył butelkę z piwem do szyi, żeby nieco ochłonąć, i w tym momencie zauważyła go Lily. Wydała z siebie pisk zachwytu, wyrwała łapkę z ręki Hayley i biegiem ruszyła w stronę powozowni.

– Zwolnij trochę, moja ty słodka. – David chwycił małą w ramiona i podrzucił wysoko w górę. Lily poklepała go po policzkach, zagaworzyła, po czym wyciągnęła ręce w stronę Harpera.

– Jak jesteś w pobliżu, ja zawsze muszę grać drugie skrzypce.

– Daj mi ją. – Harper usadził Lily na biodrze, a dziewczynka natychmiast zaczęła machać nóżkami z radości. – Witaj, ślicznotko.

W odpowiedzi Lily położyła mu główkę na ramieniu.

– Co za flirciara – zauważyła Hayley, podchodząc do drzwi powozowni. – Poszłyśmy sobie na spacer, żeby pogadać jak kobieta z kobietą, a tymczasem ona dostrzega dwóch przystojnych facetów i natychmiast wystawia mnie do wiatru.

– Może więc zostawisz ją z Harperem, włożysz jakąś seksowną sukienkę i pojedziesz ze mną do Memphis?

– Och, ja…

– Świetny pomysł. – Harper bardzo się starał, żeby jego głos brzmiał nonszalancko i naturalnie. – Chętnie zajmę się Lily. Możesz przynieść tu jej leżaczek, jak mała się zmęczy, ułożę ją do snu.

– To miło z twojej strony. Dzięki za propozycję. Ale to był długi, męczący dzień, więc chyba nie czuję się na siłach, żeby jechać do miasta.

– Nudziarze i malkontenci, Lily. – David nachylił się i pocałował dziecko. – Otaczają mnie sami nudziarze i malkontenci. W takim razie lecę do Memphis solo. Do zobaczenia.

– Z przyjemnością popilnuję Lily, jeżeli jednak miałabyś ochotę się wyrwać.

– Nie, dziękuję. Wkrótce Lily musi iść spać, ja sama zresztą też się położę. Czemu jednak ty się nie wybierzesz z Davidem?

– Za gorąco. – Harper uznał, że to najbezpieczniejsza wymówka.

– Rzeczywiście, straszny upał. A przez te otwarte drzwi ucieka z twojego domu cenny chłód. Chodź, Lily. Zbieramy się.

Kiedy jednak Hayley próbowała wziąć na ręce małą, Lily zaczęła się prężyć i przylgnęła do Harpera jak bluszcz. Powtarzała przy tym w kółko: „Da-da".

Hayley zmusiła się do śmiechu, czuła jednak, że się rumieni.

– To tylko nic nieznaczące dźwięki. Głoska „d" jest jedną z najłatwiejszych do wymówienia, i tyle. No, chodź do mnie, Lily.

W efekcie dziewczynka jeszcze mocniej przywarła do Harpera, a do tego zaniosła się głośnym łkaniem.

– Wejdziesz na chwilę?

– Nie, nie – rzuciła gorączkowo Hayley. – Wybrałyśmy się na krótki spacer, właśnie miałyśmy wracać do domu, muszę jeszcze wykąpać Lily.

– W takim razem pójdę z wami. – Odwrócił się, cmoknął małą w policzek i szepnął jej coś do ucha, na co dziewczynka zareagowała radosnym chichotem.

– Musi się nauczyć, że nie zawsze może dostać to, czego chce.

– Wkrótce życie ją tego nauczy – odparł Harper, po czym sięgnął za siebie i zamknął drzwi.

Wykąpała Lily, ułożyła ją w kołysce i w końcu uśpiła. Była tak pochłonięta zajmowaniem się małą, że szczęśliwie nie miała czasu na myślenie.

Potem próbowała czytać, a jeszcze później – oglądać telewizję. Nie mogła się jednak na niczym skupić, postanowiła więc włączyć kasetę z ćwiczeniami jogi. Po wyczerpującej gimnastyce zeszła do kuchni po herbatnika. Wróciła na górę, nastawiła muzykę, szybko ją jednak wyłączyła.

O północy wciąż czuła się roztrzęsiona, wyszła więc na taras, by owiało ją ciepłe, nocne powietrze.

W powozowni paliło się światło. Zapewne w sypialni Harpera. Hayley nigdy nie była na piętrze jego domku. W pokoju, gdzie sypiał. Gdzie zapewne leżał właśnie w tym momencie i czytał książkę. Kompletnie nagi.

Nie powinna była kierować się w tamtą stronę, gdy wybrała się na spacer z Lily. Tyle rozmaitych ścieżek wokół, a ona musiała wybrać właśnie tę wiodącą do powozowni. Żałosne. I symptomatyczne – ona sama, Hayley, była tak samo zadurzona w tym facecie jak jej córka.

Jezu! Aż ugięły się pod nią kolana, gdy wyszła zza zakrętu i ujrzała go w drzwiach.

Miał na sobie tylko te ucięte dżinsy i opierał się leniwie o framugę drzwi, pociągając z butelki piwo. Z szeroką piersią i ciemnymi, lekko kręconymi, jeszcze mokrymi włosami wyglądał jak ucieleśnienie seksu. Hayley dziwiła się, że zdołała w końcu wydusić z siebie kilka sensownych słów, bo na widok tego faceta wszystko w niej zadrżało.

A w żadnym razie nie powinno! Ta paranoja musi się wreszcie skończyć. Nie wolno jej myśleć w podobny sposób o Harperze. Czemu, na Boga, wszystko nie mogło wrócić do sytuacji sprzed roku? Kiedy była w ciąży, czuła się w jego towarzystwie najzupełniej swobodnie. Nawet kilka miesięcy po urodzeniu Lily nigdy nie przychodziły jej do głowy idiotyczne myśli. Kiedy to zaczęło się zmieniać?

Nie wiedziała. Nie umiała wskazać tego szczególnego momentu. Po prostu w pewnej chwili wszystko stanęło na głowie.

Czas, by powrócić do rzeczywistości. Nie tylko Lily nie może mieć wszystkiego, na co ma ochotę.

# 4

*N*azajutrz w pracy czuła się fatalnie. Głowa jej ciążyła, a skóra jakby się kurczyła na całym ciele. Zapewne, jak na nowicjuszkę, zbyt intensywnie ćwiczyła jogę poprzedniego wieczoru. Poza tym za dużo pracowała, i zbyt krótko spała. Może więc powinna wybrać się na krótkie wakacje – pojechać na kilka dni do Little Rock, odwiedzić starych znajomych i przyjaciół. Pochwalić się Lily.

Problem w tym, że takie wakacje naruszyłyby specjalny fundusz, który gromadziła, by po trzecich urodzinach zabrać Lily do Disneylandu. Z drugiej strony, ile wydałaby na krótki wypad do rodzinnego miasta? Zaledwie kilka setek, a zmiana otoczenia zapewne dobrze by jej zrobiła.

Otarła czoło wierzchem dłoni. Powietrze w szklarni wydawało się gęste i duszne, a jej własne palce, którymi utykała ziemię wokół sadzonych do doniczek roślin, grube i niezdarne. W tej chwili Hayley zupełnie nie mogła zrozumieć, czemu akurat jej przypadła w udziale ta niewdzięczna praca. Równie dobrze mogły się tym zająć Ruby czy Stella. A wówczas ona, Hayley, znowu stanęłaby za ladą – o tej porze roku nawet nieszkolony szympans poradziłby sobie z klientami, pomyślała zirytowana.

Powinna wziąć sobie tego dnia wolne. Ostatecznie nie była tu dziś niezbędna. Mogłaby posiedzieć w domu i relaksować się w przyjemnym chłodzie. Tymczasem tkwiła w tej szklarni, zgrzana, zlana potem i brudna od ziemi, tylko dlatego, że Stella tak sobie wymyśliła. Nakazy, polecenia, rozkazy. Kiedy wreszcie będzie mogła robić to, na co ma ochotę?

Wszyscy patrzą na nią z góry, ponieważ nie ma odpowiedniego wykształcenia i nie pochodzi z arystokratycznej rodziny, jak reszta tych cholernych ważniaków. A przecież tak naprawdę jest równie dobra, jak oni. A właściwie dużo od nich lepsza. Lepsza, bo sama doszła do wszystkiego. Zbudowała swoje życie z niczego, dlatego że...

– Ejże! Hola! Miażdżysz korzenie tej hemarii.

– Co takiego? – Hayley zerknęła w dół, na swoje palce, spod których Stella wyrwała nieszczęsną roślinę. – Przepraszam. Czy ją zamordowałam? Zupełnie nie wiem, co mnie opętało.

– Nie ma o czym mówić. Nie wyglądasz najlepiej. Czy coś się stało?

– Nic takiego. Chociaż... sama nie wiem. – Zarumieniła się na wspomnienie niedawnych, nienawistnych myśli. – Ten upał mnie wykańcza. Wciąż jestem rozdrażniona. Przepraszam, że jeszcze nie skończyłam obsadzać tych donic. Jakoś nie mogę się skoncentrować.

– W porządku. Właśnie przyszłam ci pomóc.

– Poradzę sobie, nie musisz brudzić rąk.

– Hayley, przecież wiesz, że uwielbiam grzebać w ziemi i zawsze się za to łapię, gdy tylko mam trochę czasu. – Stella sięgnęła do małej lodówki i wyjęła dwie butelki z wodą. – Proszę. Czas na małą przerwę.

Czemu chwilę temu przyszły jej do głowy równie paskudne myśli, zastanawiała się Hayley, pociągając mineralną. Jak mogła być tak małostkowa? Przecież w gruncie rzeczy lubiła zarówno Stellę, jak i swoją pracę. A tymczasem opadły ją na moment złe uczucia i sprawiły, że w tej chwili Hayley nabrała do siebie obrzydzenia.

– Nie mam pojęcia, co się ze mną dzieje, Stello.

Ze zmarszczonym czołem, w typowo matczynym geście, Stella przyłożyła dłoń do czoła Hayley.

– Może przyplątał się do ciebie jakiś wirus?

– Nie. Raczej paskudna deprecha. Ostatnio dopadają mnie złe nastroje i zupełnie nie pojmuję dlaczego. Mam przecież najcudniejszą córeczkę na świecie. Mam pracę, którą uwielbiam. Mam serdecznych, bliskich przyjaciół.

– Można mieć to wszystko i cierpieć na depresję. – Stella zdjęła z wieszaka fartuch, nie spuszczając przy tym wzroku z Hayley. – Od ponad roku nie byłaś na randce.

– Prawie od dwóch lat. I nawet niedawno się nad tym zastanawiałam. Nie mogę powiedzieć, żeby mnie nikt nigdzie nie zapraszał. Znasz syna pani Bentley, Wyatta? Przyszedł tu parę tygodni temu, flirtował ze mną jak najęty, a potem zapytał, czy w najbliższym czasie nie wybrałabym się z nim na kolację.

– To cholernie przystojny facet.

– Tak, ma w sobie coś z seksownego futbolisty, i przez moment nawet bawiłam się tą myślą, w końcu jednak doszłam do wniosku, że nie mam ochoty się wysilać, więc odmówiłam.

– Dobrze pamiętam, że kiedy mnie się nie chciało wysilać i nie miałam ochoty umawiać się z Loganem, ty niemal siłą wypychałaś mnie za drzwi.

– To prawda. – Hayley uśmiechnęła się smętnie. – Niekiedy nie potrafię się powstrzymać, by się nie mieszać w cudze życie.

Stella ściągnęła mocniej gumkę podtrzymującą jej kręcone, rude włosy, po czym zabrała się do wybierania roślin do kompozycji.

– Może to trema? No wiesz, przed rzuceniem się na nowo w wir randek i flirtów.

– Randki nigdy mnie nie peszyły. Zawsze doskonale sobie radziłam w tym względzie. Uwielbiam imprezy. Wiem też, że gdybym tylko poprosiła, ty, Roz lub David zajęlibyście się Lily. – Ta świadomość po raz kolejny wzbudziła w niej poczucie winy z powodu niedawnych, paskudnych myśli. – I nie mam najmniejszych wątpliwości, że pod taką opieką mała czułaby się doskonale. Więc w moim wypadku dziecko nie może być żadną wymówką. Po prostu jakoś nie jestem w stanie zmusić się do działania.

– Może nie spotkałaś jeszcze nikogo, kto by cię zmobilizował do akcji.

– Uhm... to możliwe... – Hayley wypiła kolejny łyk wody, po czym zebrała się w sobie. – Widzisz, rzecz w tym, że...

Kiedy milczenie się przedłużało, Stella podniosła wzrok znad doniczki i wbiła w Hayley uważne spojrzenie.

– W czym?

– Przede wszystkim musisz mi obiecać, że nikomu nie piśniesz na ten temat ani słowa. Nawet Loganowi.

– W porządku.

– Przysięgasz na wszystko?

– Nie zamierzam, zgodnie z uświęconym rytuałem Południa, napluć ci na dłoń, Hayley. Ale daję ci moje uczciwe słowo.

– W porządku. – Hayley zaczęła nerwowo spacerować pomiędzy długimi stołami. – Widzisz, rzecz w tym, że bardzo lubię Harpera.

Stella energicznie pokiwała głową.

– Naturalnie. Wszyscy bardzo go lubimy.

– Nie! – Zakłopotana, zawstydzona własnymi słowami, Hayley ukryła twarz w dłoniach. – O, Boże.

Stella potrzebowała kilku chwil, by pojąć, co właściwie zamierzała jej powiedzieć przyjaciółka.

– Ach, tak – mruknęła w końcu, i spojrzała na nią rozszerzonymi ze zdumienia oczami. – Ach. Ach, tak – powtórzyła, jakby nie była w stanie wykrztusić nic, poza tymi paroma sylabami. – Ach, tak.

– Czy tylko na tyle cię stać?

– Próbuję przyswoić sobic tę myśl.

– To z mojej strony szaleństwo. Kompletne szaleństwo. Mam tego pełną świadomość. – Hayley bezradnie zwiesiła ręce. – Wiem, że to nie w porządku. Wiem, że nic podobnego nie wchodzi w grę. Ale... Och, proszę, zapomnij, co ci powiedziałam. Po prostu wykasuj moje słowa z pamięci.

– Nie uznałam, że to szaleństwo. Po prostu mnie zaskoczyłaś. Natomiast zupełnie nie pojmuję, czemu uważasz, że twoje uczucia są nie na miejscu.

– Harper jest przecież synem Roz. A to właśnie Roz przygarnęła mnie pod swój dach.

– Masz na myśli, że cię przygarnęła, gdy byłaś bez grosza przy duszy, naga i bosa i cierpiałaś na postępującą, degenerującą chorobę? Jakie to wspaniałomyślne z jej strony, że wzięła cię do siebie, odziała i kurowała rosołem.

– Ktoś, komu odbija tak jak mnie, ma prawo do przesady – warknęła Hayley. – Faktem jest, że dała mi dach nad głową i pracę. Otoczyła mnie i Lily opieką. A tymczasem ja w swoich fantazjach uprawiam gorący seks z jej pierworodnym.

– Jeżeli pociąga cię Harper...

– Miałabym ochotę zedrzeć z niego ubranie. Oblać go miodem, który potem zlizywałabym powoli z każdego kawałeczka jego ciała. Miałabym ochotę...

– Dobrze, dobrze. – Stella wyciągnęła przed siebie dłoń. – Proszę, nie nabijaj mi głowy równie dzikimi fantazjami. Zakończmy na stwierdzeniu, że Harper cię strasznie kręci.

– Niebywale. I nie mogę nic z tym zrobić, bo jesteśmy przyjaciółmi. Tylko przypomnij sobie, jak wszystko się pogmatwało pomiędzy Rossem a Rachel. Oczywiście, Chandler i Monica to inna para kaloszy...

– Hayley, zlituj się!

– No dobra, wiem, że to jedynie serial telewizyjny. Ale sama przecież wiesz, jak często fikcja i życie idą ze sobą w parze. Poza tym, Harper w ogóle nie myśli o mnie w tych kategoriach.

– Chodzi ci o tę ochotę na zlizywanie miodu?

Hayley spojrzała na Stellę półprzytomnym wzrokiem.

– O, Jezu! Teraz ten obraz będzie mnie prześladował.

– Dobrze ci tak. Swoją drogą, skąd wiesz, że on o tobie nie myśli, jak to określiłaś, „w tych kategoriach"?

– Nigdy nie próbował mnie podrywać. A przecież nie brakowało mu okazji. Gdybym wykonała pierwszy krok, a jego to przeraziło, co wówczas zrobię?

– A gdyby go nie przeraziło?

– To mogłoby być jeszcze gorsze. Uprawialibyśmy dziki, namiętny seks, a potem oboje... – Hayley zaczęła niezbornie wymachiwać rękami. – Doszlibyśmy do wniosku: „Na Boga, co też najlepszego zrobiliśmy!" i zaczęlibyśmy się czuć idiotycznie w swoim towarzystwie. W końcu nie miałabym wyjścia – musiałabym zabrać Lily i wynieść się do Georgii czy jeszcze dalej. A Roz już nigdy w życiu nie odezwałaby się do mnie słowem.

– Hayley – Stella poklepała przyjaciółkę po ramieniu – to co prawda jedynie moja skromna opinia, mam jednak wrażenie, że Roz doskonale wie, iż jej syn uprawia seks.

– Dobrze wiesz, o czym myślę. To zupełnie co innego, gdy jej syn uprawia seks z kobietami, których ona kompletnie nie zna.

– Jasne. Z pewnością Roz o niczym innym nie marzy, tylko o tym, by jej syn wiązał się z kimś jej kompletnie obcym. I niewątpliwie byłaby do głębi oburzona, gdyby się okazało, że Harper wybrał kobietę, którą ona świetnie zna i kocha. To rzeczywiście mogłoby być dla niej śmiertelnym ciosem.

– Mogłaby to uznać za swoistą zdradę.

– O czym ty opowiadasz, Hayley! Harper to dorosły mężczyzna, samodzielnie dokonujący wyborów w życiu. Roz pierwsza by ci to powiedziała, a potem dodałaby niewątpliwie, że nie życzy sobie być częścią tego wydumanego przez ciebie trójkąta.

– Cóż, to możliwe, jednak...

– Możliwe. Możliwe. Jednak. Jednak. – Stella zbijała argumenty Hayley z takim przekonaniem, że dziewczyna aż rozdziawiła usta ze zdumienia. – Jeżeli naprawdę jesteś zainteresowana Harperem, powinnaś dać mu to do zrozumienia. I zobaczyć, co z tego wyniknie. Poza tym, on się w tobie durzy od chwili, gdy pierwszy raz ujrzał cię na oczy.

– W żadnym razie.

Stella wzruszyła ramionami.

– Takie jest moje osobiste wrażenie.

– Naprawdę? – Ukłucie w sercu, które poczuła Hayley, było jednocześnie bolesne i przyjemne. – Do tej pory sądziłam, że jeżeli on ma do kogoś słabość, to tylko do Lily. Ale może rzeczywiście pokażę mu, co czuję, a potem zobaczymy.

– Pozytywne myślenie. Brawo, to pochwalam. A teraz zabierajmy się do sadzenia.

– Stello. – Hayley zaczęła dźgać palcem ziemię. – Obiecaj, że nie powiesz o tym Roz.

– Och, na Boga jedynego! – Stella wyciągnęła przez siebie rękę i udała, że na nią pluje w uświęconym rytuale. Potem wyciągnęła dłoń w stronę Hayley, ta jednak na ów widok jęknęła tylko: – Fuj!

Rozmowa ze Stellą od razu poprawiła humor Hayley i sprawiła, że wielki ciężar spadł jej z serca. Tym bardziej że Stella – rozsądna, uporządkowana Stella – wcale nie była zaszokowana jej słowami. Zaskoczona – owszem. Ale nie zbulwersowana.

Hayley postanowiła, że przemyśli spokojnie swoje uczucia i spróbuje się zdystansować do całej sprawy. Gdy tylko położyła Lily spać, rozciągnęła się na kanapie przed telewizorem i zaczęła leniwie skakać po kanałach.

Miło było pogrążyć się w bezczynności. Obrazy migały jej przed oczami. Sezon ogórkowy w pełni – powtórki i jeszcze raz powtórki oraz głupawe, typowe dla kanikuły programy rozrywkowe, na które nie miała najmniejszej ochoty.

W końcu natrafiła na stary, czarno-biały film, którego chyba nigdy wcześniej nie widziała. Wyglądało to na melodramat, w którym wszyscy nosili eleganckie, kosztowne stroje, chadzali do wykwintnych, modnych klubów, gdzie królowały jazz bandy i pięknie zbudowane piosenkarki.

I wszyscy popijali koktajle z wysokich szklanek.

Jak ona by się czuła, gdyby, mając na sobie jedną z tych niesamowitych kreacji, sunęła w tańcu po sali w stylu art deco? Mężczyzna trzymający ją w ramionach nosiłby, oczywiście, smoking. Hayley założyłaby się o wszystkie pieniądze, że Harper w smokingu wyglądałby zabójczo.

Tańczyliby ze sobą, niepomni na otaczający ich świat. Tak przynajmniej wyglądało to w czarno-białych filmach. Tam życie było nieskomplikowane, a wszystkie przeszkody dawało się pokonać. Na końcu pozostawała para zakochanych i wszystko inne wokół znikało z kadru.

Kochankowie trzymali się w ramionach, ich usta łączyły się w idealnym, namiętnym pocałunku, który sugerował, że on i ona pozostaną już ze sobą po wsze czasy.

Najpiękniejsze jednak chwile odbywały się już po tym, gdy obraz zniknął z ekranu. Wokół błyskały świece, kładące na ścianach migotliwe cienie. Pokój wypełniał aromat kwiatów. Lilii. To musiałyby być lilie. Takie, jak swego czasu dostała od Harpera – wielkie i krwistoczerwone. Jego oczy, jego ciemne, cudowne oczy, patrzyłyby na nią w taki sposób, że natychmiast wiedziałaby, że jest kochana – najpiękniejsza i najdroższa jego sercu.

Po chwili ich ubrania opadłyby na podłogę – jej biała suknia odcięłaby się ostro od czerni smokingu.

Aż w końcu zetknęłyby się ich nagie ciała. Gładkie i sprężyste. Wodziłaby rękami po jego plecach, czując, jak napinają się mięśnie, gdy narasta w nim pożądanie. Potem chwyciłby ją w ramiona i zaniósł na wielkie łoże o prześcieradłach miękkich niczym puch.

Wodziłby ustami po jej szyi i piersiach, aż – rozpalona – zaczęłaby wykrzykiwać jego imię.

Blask świec. Ogień w kominku. Kwiaty. Jednak nie lilie, a róże. Jego ręce – delikatne, o wyjątkowo gładkiej skórze. Ręce dżentelmena. Ręce bogacza. Wyginała się pod ich dotykiem, mrucząc przy tym jak kotka. Mężczyźni lubili, gdy ich kochanki wydawały z siebie takie dźwięki. Powiodła ręką po jego ciele. Jest już gotowy, całkiem gotowy, pomyślała. Postanowiła jednak jeszcze bardziej go rozpalić, intensywniej pieścić. Tylko żony leżały w łóżku jak kłody, biernie poddając się męskiej woli.

Dlatego ich mężowie przychodzili do niej. Dlatego jej potrzebowali. I słono płacili.

Uniosła głowę ze stosu poduszek, odchyliła szyję i odrzuciła do tyłu burzę jasnych loków. Potem obróciła się z nim na łóżku i zaczęła zsuwać się coraz niżej, całując go i pieszcząc językiem, by w końcu zrobić to, do czego jego zimna, pruderyjna żona nigdy by się nie posunęła.

Jego jęki były dla niej satysfakcją.

Wsunął dłonie w jej włosy, podczas gdy ona sprawiała mu rozkosz. Miał dość szczupłe sprężyste ciało, więc mogła czerpać z tego odrobinę przyjemności, jednak gdyby nawet był spasiony jak wieprz, i tak umiałaby go przekonać, że dla niej jest piękny jak młody bóg.

Usiadła na nim i spojrzała na jego napiętą twarz. Dojrzała zgłodniałą desperację i uśmiechnęła się leniwie. A potem sprawiła, by w nią wszedł – szybko i zdecydowanie. Nic nie dawało jej tak ekscytujących doznań, jak penis bogatego mężczyzny...

Hayley zerwała się z kanapy, jakby ją ktoś wystrzelił z procy. Serce łomotało jej szybkim rytmem. Piersi zdawały się ciężkie, jakby... na Boga, jakby ktoś je przed chwilą pieścił. W panice sięgnęła ręką włosów i niemal popłakała się z radości, gdy okazało się, że to jej własne – krótkie i strzępiaste.

W pokoju rozległ się śmiech i Hayley zatoczyła się przerażona na kanapę. Niewiele brakowało, a by upadła. W tym momencie jej wzrok padł na telewizor. A więc ten śmiech dochodził stamtąd, pomyślała, w obronnym geście krzyżując ramiona. To tylko telewizor i rozgrywający się na ekranie czarno--biały melodramat z dawnych lat.

Na Boga, co się z nią przed chwilą działo?

To nie był sen. A w każdym razie nie jej własny sen. To nie jej życie.

Zerwała się na równe nogi i pognała do pokoju Lily. Dziecko spało jak aniołek, przytulone do pluszowego pieska.

Nakazując sobie spokój, Hayley zeszła na dół. Kiedy jednak wśliznęła się do biblioteki, opadły ją wątpliwości. Mitch siedział przy stole i stukał w klawiaturę laptopa. Hayley nie chciała mu przeszkadzać, ale musiała przeanalizować swoje przeżycia. Musiała się komuś zwierzyć. Nie mogła czekać do rana.

– Mitch?

– Hm? Co takiego? Co się stało? – Spojrzał nieprzytomnym wzrokiem ponad okularami w rogowej oprawie. – O, witaj.

– Przepraszam. Widzę, że pracujesz.

– To nic ważnego. Wysyłam kilka mejli. W czym mogę ci pomóc?

– Ja... Chciałam tylko... – Nie była nieśmiała ani pruderyjna, nie wiedziała jednak, jak opowiedzieć o tym, czego doświadczyła, mężowi swojej pracodawczyni. – Hm... Czy Roz jest bardzo zajęta?

– Zadzwonię i sprawdzę, dobrze?

– Nie chciałabym zawracać jej głowy, jeżeli... Nie, nieprawda. Muszę z nią porozmawiać. Czy mógłbyś poprosić, żeby zeszła na dół?

– Naturalnie. – Podniósł słuchawkę i wykręcił wewnętrzny numer sypialni. – Coś się stało?

– Uhm. Tak mi się zdaje. Być może. – Żeby ustalić przynajmniej jeden fakt, weszła na antresolę, stanęła za stołem i zaczęła studiować zdjęcia przypięte do korkowej tablicy.

Od razu rzuciła jej się w oczy podobizna mężczyzny w eleganckim surducie – wyraziste rysy twarzy, ciemne włosy, chłodne spojrzenie.

– To Reginald Harper, prawda? Ten pierwszy Reginald.

– Owszem. Roz, czy mogłabyś przyjść do biblioteki? Hayley jest tutaj. Musi zamienić z tobą kilka słów. Tak jest. – Mitch odłożył słuchawkę. – Rosalind za chwilę do nas zejdzie. Czy tymczasem mógłbym ci coś podać? Może szklankę wody lub filiżankę kawy?

Hayley potrząsnęła stanowczo głową.

– Nie, dzięki. Nic mi nie jest, czuję się tylko trochę dziwnie. Mitch, kiedy Stella zamieszkała w tym domu, zaczęły ją nawiedzać szczególne sny. I wtedy to wszystko się rozpętało, prawda? To znaczy wcześniej... Oblubienica tylko ukazywała się od czasu do czasu. Nie zachowywała się gwałtownie – tak przynajmniej twierdzi Roz. Nie stanowiła dla nikogo zagrożenia.

– Owszem. Jednak gdy wprowadziła się tu Stella z chłopcami, Amelia zaczęła zachowywać się coraz bardziej nieprzewidywalnie.

– A ja się zjawiłam niewiele później. Tak więc w Harper House nagle zamieszkały trzy kobiety. – Hayley poczuła, jak ogarnia ją chłód. Zaczęła masować ramiona, żałując, że nie wzięła ze sobą bluzy. – Ja byłam w ciąży, Stella miała dwóch synków, no a Roz... Roz to jej praprawnuczka.

– Uhm... – Mitch pokiwał zachęcająco głową.

– I potem Stella zaczęła mieć te swoje sny. Bardzo plastyczne, alegoryczne sny, które w naszym mniemaniu były podsuwane jej podświadomości przez Amelię. To zapewne mało naukowe określenie...

– Bardzo adekwatne.

– A kiedy Stella i Logan... – Hayley urwała, bo w tym momencie Roz weszła do biblioteki. – Przepraszam, że cię tu ściągnęłam.

– Nie ma o czym mówić. Co się stało?

– Hayley, najpierw dokończ myśl – powiedział Mitch. – Bo zgubisz wątek.

– Racja. A więc Stella i Logan zakochali się w sobie, a to bardzo nie spodobało się Oblubienicy. Sny Stelli stawały się coraz makabryczniejsze, coraz bardziej przygnębiające, a jednocześnie nawiązywały do jej sytuacji. Kulminacja nastąpiła tego wieczoru, gdy Amelia nie chciała wpuścić Stelli do chłopców – tego wieczoru, kiedy przyszedłeś tu po raz pierwszy, Mitch.

– Nie zapomnę tamtych wydarzeń do końca moich dni.

– Wtedy też podała nam swoje imię – wtrąciła Roz. – Stella jakoś dotarła do jej uczuć i wówczas Oblubienica podsunęła nam trop.

– Rzeczywiście. I po tym Amelia zostawiła ją w spokoju, prawda? Stella powiedziałaby nam przecież, gdyby jeszcze później nawiedzały ją niepokojące sny, lub gdyby Oblubienica zaczepiła ją w jakiś inny sposób.

– Wówczas Amelia skoncentrowała się na Roz – zauważył Mitch.

– Uhm. – Hayley pokiwała głową, zadowolona, że Mitch pojął jej tok rozumowania. – I Roz została zaatakowana jeszcze gwałtowniej. Zaczęła mieć widzenia na jawie, czyż nie tak, Roz?

– Owszem. Nastąpiła też eskalacja przemocy.

– Im bardziej zbliżałaś się do Mitcha, tym bardziej jej odbijało. Niewiele brakowało, a by cię zabiła. Ostatecznie, przyszła ci z pomocą, gdy stanęłaś w obliczu innego zagrożenia, jednak przedtem sama cię atakowała. Ale od czasu, jak się zaręczyliście z Mitchem, kiedy się pobraliście, zostawiła was w spokoju.

– Przynajmniej na razie. – Roz podeszła do Hayley i zaczęła gładzić dziewczynę po ramieniu. – Teraz postanowiła zabrać się do ciebie, czy tak?

– Tak mi się zdaje. Sądzę, że obecność trzech kobiet w domu – ciebie, Stelli i mnie – z jakiegoś powodu wyprowadziła ją z równowagi. – Hayley zerknęła na Mitcha i uniosła dłonie do twarzy. – Nie wiem, jak to ująć lepiej, ale od tamtej pory wydarzenia zaczęły toczyć się coraz szybciej i z każdym dniem nabierają tempa.

– To interesujące spostrzeżenie. Trzy kobiety, na różnym etapie życia, wszystkie trzy samotne w momencie spotkania. Wasz związek w jakiś sposób pobudził Oblubienicę do działania. A gdy Stella, a potem Roz poddały się miłości, Amelia zaczęła popadać w coraz większe szaleństwo.

– Skarbie, czy ona cię w jakiś sposób skrzywdziła?

– Nie. – Hayley zacisnęła usta, po czym spojrzała na Roz, a następnie na Mitcha. – Rozumiem, że powinniśmy opowiadać o naszych przygodach z Oblubienicą, by Mitch mógł je wszystkie zarejestrować. Nie bardzo jednak wiem, jak mam opowiedzieć o tym, co właśnie mnie spotkało. A w każdym razie, jak zrobić to w subtelny sposób. To dość krępujące.

– Czy chciałabyś, żebym wyszedł? – spytał Mitch. – Wolałabyś porozmawiać z Roz w cztery oczy?

– Nie. To byłoby głupie z mojej strony. Przecież Roz i tak musiałaby ci wszystko opowiedzieć. – Hayley zaczerpnęła głęboki oddech. – No dobrze. Jak położyłam Lily spać, postanowiłam się zrelaksować, pooglądać telewizję w saloniku na górze. Trafiłam na jakiś stary, romantyczny film i zaczęłam fantazjować. Te piękne stroje, efektowne oświetlenie i eleganckie kluby, do których ludzie chodzili na tańce. Zaczęłam sobie wyobrażać, jak czułabym się w takiej fantastycznej sukni i z przystojnym mężczyzną u boku.

Urwała na moment. Przecież nie musiała mówić, że tym mężczyzną z jej marzeń był Harper. To nie miało znaczenia dla sprawy.

– W każdym razie, tańczyliśmy razem, zakochani, a potem zaczęliśmy się całować. Wiecie, jak wyglądają te namiętne, hollywoodzkie pocałunki?

– Oczywiście. – Roz uśmiechnęła się szeroko.

– Coraz bardziej zatapiałam się w marzeniach i zaczęłam sobie wyobrażać, jak się potoczą wydarzenia po zakończeniu filmu. Chyba miałam na myśli seks. – Nerwowo przełknęła ślinę. – Takie tam rojenia. Świece, kwiaty i olbrzymie łoże, a na nim dwoje kochających się ludzi. – Spuściła głowę, schowała twarz w dłoniach. – O, rany. Zaraz zapadnę się pod ziemię.

– Daj spokój, Hayley. Gdyby taka młoda, tryskająca życiem dziewczyna jak ty nie myślała o seksie, zaczęłabym się poważnie martwić. – Roz potrząsnęła delikatnie jej ramieniem.

– Cóż, było bardzo miło. Romantycznie i podniecająco. Aż nagle wszystko się zmieniło. Czy raczej – ja się zmieniłam. Stałam się zimna i wyrachowana. Zaczęłam się zastanawiać, jak wymyślnie podniecić mężczyznę. Czułam jego skórę na swojej skórze, wodziłam dłońmi po jego ciele, widziałam, jak bardzo go rozpalam. W pokoju stały róże. Wyraźnie czułam ich zapach. W moich fantazjach były lilie, a tymczasem teraz widziałam róże, a także blask ognia bijący od kominka. Ręce tego mężczyzny były mi całkiem obce – miękkie i wypielęgnowane. Ręce bogacza, tak pomyślałam. Cały czas też chodziło mi po głowie, że jego żona nigdy nie będzie z nim robić takich rzeczy jak ja, i dlatego on do mnie przychodzi. Dlatego tak dużo mi płaci. Kiedy potrząsnęłam głową, na twarz opadły mi włosy – długie, blond loki. Blond loki opadły mi na twarz! Zobaczyłam też wyraźnie tego mężczyznę. Rozpoznałam go od razu.

Hayley odwróciła się w stronę tablicy i wskazała na zdjęcie Reginalda.

– To on. Był już we mnie, patrzyłam na jego twarz. – Raz jeszcze wzięła głęboki oddech. – No więc tak przedstawiają się sprawy.

Na moment zapadło milczenie, szybko jednak przerwała je Roz.

– Nie ma nic dziwnego w fakcie, że twoja wyobraźnia wytworzyła taki obraz, Hayley. Wszyscy, od dłuższego czasu, myślimy i rozmawiamy o tamtych dwojgu, próbując dociec prawdy. Wiemy, że Amelia była kochanką Reginalda, wiemy, że urodziła mu dziecko, oczywiste więc, że uprawiali ze sobą seks. Możemy też śmiało założyć, że dla niej – przynajmniej w pewnym sensie – była to czysto handlowa transakcja.

– Wiesz, jak się czujesz tuż po miłosnych igraszkach? Jak reaguje twoje ciało? Mam na myśli czysto fizyczną reakcję, nie podniecenie biorące się z erotycznych fantazji. Wiesz, jak się czujesz tuż po tym, jak uprawiałaś seks? Cóż, ja co prawda dawno tego nie robiłam, ale jeszcze świetnie pamiętam to wrażenie. I tak się właśnie czułam, gdy się obudziłam, czy też wróciłam do rzeczywistości. I wyraźnie czułam zapach tych róż, Roz. Wiem dokładnie, jak wyglądało ciało Reginalda.

Odetchnęła głęboko i potrząsnęła głową.

– Czułam go w sobie. A raczej pewnie w ciele Amelii, ale zapewne w czasie tej wizji ja byłam nią. Oblubienica chętnie uprawiała seks z kimś przystojnym i wytrawnym w sztuce miłosnej. Ale nie przejmowałaby się ani trochę, gdyby obok niej leżał facet paskudniejszy od diabła i beznadziejny w łóżku. Uroda to tylko dodatkowy bonus. Najważniejsze, żeby mężczyzna był bogaty – reszta to jak słodki lukier na torcie. Wiem, bo czytałam w jej myślach. Lub też ona przekazywała mi swoje myśli. Nieważne. W każdym razie nie wymyśliłam sobie tego wszystkiego.

– Wierzę ci – powiedział Mitch.

– Oboje ci wierzymy – poprawiła go Roz. – Ty jesteś najbliższa jej wiekiem, o ile nie pomyliliśmy się w obliczeniach. Może dlatego właśnie przez ciebie próbuje nam coś powiedzieć, pokazać, co czuła.

– Niewykluczone. – Mitch odchylił się na krześle, a Roz spojrzała na niego ze zdumieniem. – Możliwe, że dzięki temu uda nam się poznać ją lepiej, dowiedzieć się, co się wydarzyło i dlaczego. Co jeszcze mogłabyś nam o niej powiedzieć, Hayley?

– Cóż, mam wrażenie, że seks jakoś szczególnie jej nie kręcił – satysfakcję dawało jej poczucie władzy i kontroli, ale nic poza tym. To jej zajęcie, w ten sposób zarabiała na życie, a sądząc... hm... po rekcjach Reginalda, była doskonała w swoim fachu. Miała dużo lepszą figurę ode mnie.

Z nieśmiałym uśmiechem pokazała ruchem dłoni duży biust.

– I przez cały czas była zimna i wyrachowana. Gdy się kochali, myślała tylko o tym, co od niego dostanie. Odczuwała też pogardę – to chyba najlepsze słowo – wobec żon mężczyzn takich jak Reginald. To chyba wszystko, co zapamiętałam.

– Nie pokazała się od najlepszej strony. A może właśnie tak – z jej punktu widzenia – zauważył Mitch. – Robiąc to, co robiła, czuła się wszechmocna. Była młoda i piękna, stała się obiektem pożądania bogatych mężczyzn. Kontrolowała ich poprzez seks. Interesujące.

– Dla mnie to raczej upiorne przeżycie – zdecydowała Hayley. – Jeżeli już mam się z kimś kochać, wolę to robić sama i na własne życzenie. Tak czy owak, czuję się dużo lepiej, gdy to wszystko z siebie wyrzuciłam. Pójdę teraz na górę, poćwiczę jogę. Nie sądzę, żeby Amelia zaczęła zawracać mi głowę, gdy będę medytowała w jakiejś wymyślnej pozie wojownika. Dzięki, że mnie wysłuchaliście.

– Jeżeli cokolwiek jeszcze się wydarzy, chcę natychmiast o tym wiedzieć – odezwała się Roz.

– OK. Obiecuję.

Roz poczekała, aż Hayley wyjdzie z biblioteki, po czym zwróciła się do Mitcha.

– Będziemy się musieli o nią martwić, prawda?

– Nie popadajmy w pesymizm. – Mitch chwycił ją za rękę. – Powiedzmy, że musimy mieć ją na oku.

# 5

*H*ayley stała w kuchni Stelli, przy oknie, z którego rozciągał się widok na ogrody, patio, pergolę i uroczy domek na drzewie, wybudowany przez Logana i chłopców w konarach jaworu.

Przyglądała się, jak Logan kołysze Lily na czerwonej huśtawce, zawieszonej na grubej gałęzi, a chłopcy rzucają piłkę Parkerowi, który gonił za nią z radosnym poszczekiwaniem.

Idealny obrazek letniego popołudnia. Chwila harmonii tuż przed tym, gdy dzieci zostaną przywołane na kolację, a na ganku rozbłyśnie latarnia, rzucająca ciepłe światło przyciągające ćmy i oznajmiające całemu światu: „Jesteśmy w domu".

Pamiętała jeszcze dobrze, jak to jest być dzieckiem w sierpniu – jak kocha się te gorące dni i biegnie przez umykający upał, by złapać ostatnie promienie przed zachodem słońca.

Teraz uczyła się, jak być matką. Jak wygląda świat z drugiej strony drzwi. Co się czuje, gdy jest się tą osobą, która zapala latarnię na ganku.

– Czy do tego można przywyknąć, czy bez przerwy, na widok podobnych scen, powtarzasz sobie w duchu: „Jestem najszczęśliwszą kobietą na świecie"? Stella podeszła do okna i uśmiechnęła się ciepło.

– I jedno, i drugie. Masz ochotę posiedzieć na patio ze szklanką lemoniady?

– Za chwilę. Słuchaj, Stello, nie chciałam o tym mówić w pracy. Nie dlatego, że to godziny służbowe, ale dlatego że „Eden" znajduje się na terenie posiadłości Harperów. A więc na terytorium Amelii. Tutaj natomiast Oblubienica nie może mnie dosięgnąć.

– Roz powiedziała mi, co cię spotkało. – Stella położyła dłoń na ramieniu przyjaciółki.

– Nie wyznałam jej, że chodziło o Harpera. To znaczy, że Harper był mężczyzną z moich fantazji. Nie mam zamiaru opowiadać Roz, że w marzeniach uprawiam namiętny seks z jej synem.

– Myślę, że na obecnym etapie ta cenzura była roztropna. Czy od tamtej pory coś jeszcze się wydarzyło?

– Nie. I prawdę mówiąc, sama nie wiem, czy pragnąć tego, czy wręcz przeciwnie. – Na trawniku Logan właśnie podniósł obślinioną przez Parkera piłkę, która poleciała w jego stronę, po czym rzucił ją daleko przed siebie. Chłopcy i pies rzucili się w dziką pogoń, natomiast Lily zaczęła podskakiwać na huśtawce i klaskać w rączki.

– Powiem ci tylko jedno. Jeżeli miałabym już odgrywać główną rolę w czyimś życiu, to wolałabym, żeby to było twoje życie, Stello.

– Hayley, osobiście naprawdę wierzę w gorącą, szczerą przyjaźń między kobietami, jednak w żadnym razie nie pozwolę ci uprawiać seksu z Loganem.

Hayley parsknęła śmiechem i dała Stelli lekkiego kuksańca.

– Popsułaś mi całą zabawę. Tym bardziej że, jak sądzę, Logan w tych sprawach...

Stella uśmiechnęła się i przeciągnęła leniwie jak kotka.

– Dobrze sądzisz – odparła.

– Tak czy owak, czasami się zastanawiam, jak bym się czuła, gdyby ktoś szalał za mną tak bardzo jak Logan za tobą. Dorzuć do tego dwójkę wspaniałych dzieci i piękny dom, który sami urządziliście zgodnie z waszymi upodobaniami. Komu w takiej sytuacji potrzebne fantazje?

– Pewnego dnia też znajdziesz to, czego szukasz.

– Jezu, tylko posłuchaj, co ja wygaduję. Ktoś mógłby pomyśleć, że jestem maltretowanym Kopciuszkiem bez szans na księcia. Nie mam pojęcia, co się ostatnio ze mną dzieje. – Poruszyła energicznie ramionami, jakby chciała zrzucić z pleców wielki ciężar. – Od jakiegoś czasu wciąż bezsensownie się nad sobą rozczulam. To do mnie zupełnie niepodobne, Stello. Przecież jestem szczęśliwa. A w chwilach kiedy nie jestem, staram się znaleźć coś, co mnie uszczęśliwi. Jęczenie i lamentowanie nie leżą w mojej naturze.

– Rzeczywiście, nie leżą.

– Być może jestem zadurzona w Harperze, ale drobna frustracja to jeszcze za mało, żeby popadać w tak depresyjne nastroje. Kiedy następnym razem usłyszysz, że się nad sobą użalam, stuknij mnie czymś ciężkim w głowę.

– Jasne. Ostatecznie, od czego ma się przyjaciół?

Hayley była szczera w tym, co mówiła. Nie należała do osób, dla których szklanka jest zawsze do połowy pusta. Jeżeli coś szło nie po jej myśli, jeżeli czegoś brakowało jej w życiu, zabierała się do działania. Załatwić problem i ruszać naprzód – tak brzmiała jej dewiza. A jeżeli problemu nie dało się załatwić, szybko znajdowała sposób, jak go zaakceptować i z nim żyć.

Kiedy mama odeszła, Hayley była smutna, przerażona i zraniona. Ale nie mogła nic zrobić, żeby sprowadzić matkę z powrotem. Poradziła więc sobie bez niej, i to poradziła cholernie dobrze, zdecydowała w duchu, skręcając na podjazd prowadzący do Harper House.

Nauczyła się, jak sprawić, by dom rodzinny był prawdziwym domem, i oboje z tatą wiedli szczęśliwe życie. Czuła się kochana i potrzebna.

W szkole szło jej bardzo dobrze. Dostała pracę, umożliwiającą jej dalszą naukę. Pracę, którą lubiła i w której radziła sobie świetnie. Chętnie uczyła się nowych rzeczy i czerpała wiele przyjemności ze sprzedawania ludziom książek, które wnosiły radość w ich życie.

Gdyby została w księgarni w Little Rock, do tej pory zostałaby tam już menedżerem.

A potem nagle tata zginął. To wstrząsnęło posadami jej egzystencji – jak nic przedtem ani potem. Ojciec był jej opoką. Wspierali się nawzajem. Od czasu jego śmierci nic już nie wydawało się trwałe i nieprzemijalne, ból po tej wielkiej stracie był niewyobrażalny – jak jątrząca się nieustannie rana.

Ukojenia szukała w ramionach przyjaciela – bo tak właśnie w gruncie rzeczy traktowała tamtego chłopaka. Był miły i dobry, pomagał jej zapomnieć o cierpieniu.

Owocem tego związku stała się Lily i Hayley wcale się tego nie wstydziła. Może ukojenie to nie to samo, co miłość, ale to akt dobrej woli, akt ofiarowania. Jak mogłaby w zamian za taką życzliwość zmusić chłopaka do małżeństwa, obarczyć odpowiedzialnością, szczególnie, że gdy się zorientowała, iż jest w ciąży, on był już emocjonalnie związany z kimś innym?

Nie użalała się nad sobą. Nie przeklinała Boga ani złego losu. Wzięła odpowiedzialność za swoje własne czyny, tak jak ją uczył tata, i dokonała przemyślanego wyboru.

Zdecydowała się urodzić dziecko i samodzielnie zająć się jego wychowaniem.

Nie wszystko potoczyło się zgodnie z przewidywaniami, pomyślała, parkując samochód przed rezydencją. Little Rock, księgarnia, dom, w którym mieszkała z ojcem – przestały być oazą, gdy ciąża stała się widoczna. Wówczas zaczęły się szepty, znaczące spojrzenia, dwuznaczne komentarze.

Postanowiła więc rozpocząć życie od nowa.

Sprzedała wszystko, co się dało sprzedać, resztę zaś zapakowała do bagażnika samochodu. To było dobre posunięcie, przejaw pozytywnego myślenia. Kiedy przyjechała do Roz, liczyła tylko na pomoc w znalezieniu pracy. Tymczasem otrzymała w darze prawdziwą rodzinę.

Był to, w jej mniemaniu, kolejny dowód, że dobre rzeczy dostaje się w życiu tylko wtedy, gdy się na nie zapracuje. A jeżeli ma się szczęście, spotyka się na dodatek ludzi, dzięki którym można wykorzystać wszystkie swoje talenty.

– Tak jest, córeczko. – Chwyciła małą w ramiona i pokryła jej policzki całusami. – Jesteśmy wielkimi szczęściarami, ot co.

Hayley przerzuciła torbę z pieluchami przez ramię i biodrem zatrzasnęła drzwiczki samochodu. A gdy ruszyła w stronę domu, przyszedł jej do głowy inny pomysł.

Może nadszedł czas, by sprawdzić, czy szczęście nadal jej dopisuje.

Bezczynnie siedzenie i czekanie, co zaoferuje los, nie przynosi zazwyczaj nic ekscytującego. Trzeba działać – i albo odnieść sukces, albo pogodzić się z porażką. Ale nawet przegrana jest lepsza od stanu permanentnego zawieszenia.

Minęła dom i powoli ruszyła dalej, próbując odwieść się w myślach od realizacji swojego zamiaru. Ale ponieważ zdążyła już podjąć postanowienie, teraz bardzo trudno było je sobie wyperswadować.

Może Harper będzie zaszokowany, a nawet oburzony. Cóż, to jego problem. Ona przynajmniej się czegoś dowie i wreszcie skończą się te cholerne, jałowe spekulacje.

Wyszły zza zakrętu ścieżki, i Hayley postawiła Lily na ziemię, by dziewczynka potruchtała do drzwi Harpera.

Może go nie zastaną. Może poszedł na randkę. A może, co gorsza, sprowadził jakąś kobietę do domu. OK. To nie będzie miłe doświadczenie, ale Hayley sobie poradzi.

Chociaż jeszcze na dobre nie zapadł zmrok, ścieżkę rozjaśniały zielone światełka wbite w jej obrzeże, wyznaczające drogę. Pojawiły się już także pierwsze świetliki – błyskały nad kwiatowymi rabatami, nad ciągnącymi się dalej trawnikami i gasły w cieniu zagajnika.

Wokół unosił się aromat heliotropu, pachnącego groszku i róż oraz ostrzejszy, wyrazisty zapach ziemi. Wszystkie te wonie, wszystkie te odcienie zieleni już do końca życia będą się jej kojarzyć z Harperem i z tym miejscem.

Dogoniła Lily i zapukała. A potem, instynktownie, cofnęła się i stanęła z boku, pozwalając, by córeczka biła łapkami w drzwi w blasku latarni zalewającej ganek ciepłym, żółtym światłem.

Otworzyły się drzwi i Lily wydała z siebie entuzjastyczne powitanie – jakiś dźwięk pomiędzy „hej" a piskiem radości.

– A któż to do mnie przydreptał?

Rączki Lily natychmiast powędrowały w górę, a Harper chwycił dziecko w ramiona. Mała patrzyła na niego z zachwytem, wyrzucając z siebie potok zabawnych dźwięków.

– Naprawdę? Pomyślałaś, że zajrzysz, żeby spytać, jak się miewam? Może w takim razie zechcesz wpaść na ciacho? Najpierw jednak, jak sądzę, powinniśmy znaleźć twoją mamę.

– Mama jest tuż obok. – Hayley, ze śmiechem, stanęła przed drzwiami. – Wybacz, ale nie mogłam sobie odmówić obejrzenia tej scenki. Wyglądaliście przeuroczo. Wiesz, że Lily nie przejdzie w pobliżu twojego domu, żeby się z tobą nie przywitać. Postanowiłam więc zapukać i pozwolić, żeby się tobą nacieszyła.

Hayley wyciągnęła ręce, żeby zabrać córkę z ramion Harpera, ale Lily – jak zwykle – pokręciła przecząco głową i jeszcze gwałtowniej przywarła do swojego ulubieńca.

– Już wymówiłem magiczne słowo na „C". Może więc wejdziecie, a ja znajdę dla Lily herbatnika?

– Nie będziemy przeszkadzać?

– W żadnym razie. Właśnie miałem wziąć sobie piwo i zabrać się do znienawidzonej papierkowej roboty. Chętnie wykorzystam pretekst, by się wywinąć od pracy.

– Zawsze z przyjemnością tu przychodzę. – Hayley rozejrzała się po saloniku, idąc za Harperem do kuchni. – Trzeba przyznać, że jak na wolnego faceta hetero jesteś wyjątkowo pedantyczny.

– Skutki wychowania mamy. – Trzymając Lily na biodrze, sięgnął do szafki i wyjął pudełko z herbatnikami w kształcie zwierzątek, które miał specjalnie dla dziecka. – Ciekawe, skąd się tu wzięły te ciasteczka?

Podniósł wieczko i pozwolił małej samodzielnie wybrać herbatnika.

– Chcesz piwo? – zwrócił się do Hayley.

– Poproszę. Wpadłam do Stelli po pracy, i skusiłam się na hamburgera z grilla. Zrezygnowałam jednak z wina, bo nie chcę pić, jak prowadzę – szczególnie gdy mam Lily w samochodzie.

Harper podał jej butelkę z piwem, drugą wyjął dla siebie.

– A jak twoje samopoczucie? – Gdy spojrzała na niego pytająco, wzruszył jedynie ramionami. – Wieści szybko się rozchodzą. Słyszałem, co cię spotkało. A skoro ta sprawa w pewnym sensie dotyczy nas wszystkich, to naturalne, że zostałem poinformowany.

– To trochę krępujące, że moje erotyczne sny stają się ogólnym tematem rozmów.

– Przekręcasz znaczenie moich słów. Poza tym, w erotycznych snach nie ma nic złego.

– Wolałabym jednak, żeby każdy następny był w całości wytworem mojej własnej wyobraźni. – Odchyliła dłoń z butelką i spojrzała na Harpera spod przymrużonych powiek. – Wiesz, widzę między wami podobieństwo.

– Słucham?

– Między tobą a Reginaldem. Mogę to stwierdzić, skoro widziałam go w... hm... bardziej intymnej sytuacji. Teraz już przestał być dla mnie jedynie twarzą ze starej fotografii. Taka sama karnacja, ten sam kształt twarzy i wykrój warg. On jednak nie był tak dobrze zbudowany jak ty.

– Och, no cóż. – Harper pociągnął spory łyk piwa.

– Należał do szczupłych mężczyzn, ale miał gładkie ciało. Podobnie jak ręce. Był od ciebie starszy, posiwiał już na skroniach. Wokół ust rysowały mu się ostre linie. Niemniej, wydawał się bardzo przystojny. Bardzo męski.

Hayley wyjęła z torby sok dla Lily i muzyczną kostkę. Kusząc córkę zabawką i sokiem, wzięła ją z rąk Harpera, i posadziła na podłodze.

– Twoje ramiona są o wiele szersze, no i nie masz tutaj ani krztyny tłuszczu. – Delikatnie szturchnęła Harpera palcem w brzuch.

– To dobrze.

Lily zajęła się swoją kostką. Kiedy zaczęła nią przekręcać, melodyjka zmieniła się z „This Old Man” na „Bingo”.

– Trudno, żebym tego wszystkiego nie zauważyła, gdy oboje byliśmy nadzy i zlani potem.

– Uhm.

– Szczególnie rzuciły mi się w oczy rodzinne podobieństwa i różnice, bo gdy zaczęłam fantazjować – póki jeszcze panowałam nad swoimi myślami – przed oczami miałam właśnie ciebie.

– Co... co takiego?!

Nieźle, pomyślała. Jest może trochę zaszokowany, ale przede wszystkim zaskoczony. Warto więc spróbować.

– Robiliśmy mniej więcej coś takiego.

Położyła dłoń na jego karku, wspięła się na palce. A potem przywarła ustami do jego ust.

Jego wargi były tak miękkie, jak sobie wyobrażała. Miękkie i ciepłe. Jego włosy – jedwabiste. A ciało – sprężyste i twarde.

Harper zamarł w bezruchu i tylko serce waliło mu jak młotem. Potem przesunął dłońmi po plecach Hayley, chwycił jej koszulę i zacisnął w palcach.

Muzyczna kostka Lily wciąż wygrywała jakieś skoczne rytmy.

Hayley odsunęła się od Harpera. Należy posuwać się małymi krokami, zdecydowała. Chociaż czuła rozkoszne łaskotanie w brzuchu, zdołała nonszalanckim ruchem unieść butelkę do ust. Harper wpatrywał się w nią intensywnie swoimi ciemnymi oczami.

– I co o tym sądzisz? – spytała.

Uniósł dłoń, zaraz jednak bezwładnie ją opuścił.

– Chwilowo zatraciłem zdolność logicznego myślenia.

– Jak ją odzyskasz, daj mi znać.

Odwróciła się, by zebrać drobiazgi należące do Lily.

– Hayley. – Harper chwycił ją za pasek dżinsów, przyciągnął do siebie. – Um-um.

Serce podskoczyło jej z radości. Spojrzała na niego przez ramię.

– Co chcesz przez to powiedzieć?

– W zwięzły sposób wyjaśniłem, że nie możesz wpadać tu, tak ot, całować mnie w sposób, w jaki właśnie mnie pocałowałaś, po czym wychodzić bez słowa. Poza tym, mam pytanie. Czy chciałaś mi zademonstrować, co się działo z Amelią, czy może coś zupełnie innego?

– Od dłuższego czasu się zastanawiałam, jak to będzie, więc postanowiłam sprawdzić.

– Aha. – Obrócił się, by sprawdzić, czy Lily nadal zajmuje się sama sobą, po czym oparł Hayley o blat.

Położył dłonie na jej biodrach i przycisnął usta do jej ust. Całował ją namiętnie, wodząc jednocześnie rękami po całym jej ciele, przyprawiając ją o dreszcz rozkoszy.

Potem postąpił krok w tył i przesunął palcem po jej ustach.

– Ja też się zastanawiałem, jak to będzie. A więc teraz oboje zaspokoiliśmy ciekawość.

– Na to wygląda – zdołała wykrztusić.

Lily podeszła i zaczęła ciągnąć Harpera za nogawkę, domagając się, by wziął ją na ręce.

– Sytuacja wydaje się skomplikowana – zauważył, podnosząc małą.

– Uhm. Nawet bardzo. Nie wolno nam działać pochopnie. Musimy dobrze się zastanowić.

– Jasne. Albo możemy powiedzieć, do diabła z tym wszystkim, i wtedy będę mógł przyjść tej nocy do twojego pokoju.

– Ja... Nawet nie wiesz, jak chciałabym powiedzieć „przyjdź" – wyrzuciła z siebie pospiesznie. – Pragnę tego z całego serca, a jednocześnie nie jestem w stanie tego wypowiedzieć.

– Rozumiem. – Pokiwał głową. – Powinniśmy uzbroić się w cierpliwość. Upewnić, że tego właśnie chcemy.

– Tak, musimy się upewnić – powtórzyła i zaczęła pospiesznie zbierać drobiazgi Lily. – Muszę zmykać, bo jeszcze chwila, a zapomnę o konieczności zachowania rozsądku. Rany, jak ty potrafisz całować! A tymczasem czas ułożyć Lily do snu. Tak bym nie chciała wszystkiego popsuć, Harperze. Tak bardzo bym tego nie chciała.

– Niczego nie popsujemy.

– Mam nadzieję. – Wzięła córeczkę na ręce, chociaż Lily zaczęła płakać rozdzierająco, gdy tylko została oderwana od Harpera. – Zobaczymy się jutro w pracy.

– Mogę was odprowadzić do domu.

– Nie. – Hayley szybkim krokiem ruszyła w stronę drzwi, chociaż mała wiła się i wyrywała z jej ramion. – Nic jej nie będzie.

Płacz przeszedł w najprawdziwszy atak histerii, z kopaniem, prężeniem się i ogłuszającymi wrzaskami.

– Och, na Boga, daj spokój, Lily. Jutro go zobaczysz. Ten facet nie wyrusza na wojnę.

Torba z pieluchami, która teraz jak gdyby ważyła tonę, osunęła jej się z ramienia na rękę, a Lily przechodziła gwałtowną metamorfozę – ze słodkiej dziewczynki zmieniała się w piekielnego demona o czerwonej twarzyczce. Małe, twarde buciki, uderzały w biodra Hayley, w jej brzuch i uda, gdy próbowała taszczyć w upale dziesięć kilogramów wcielonej furii.

– Ja również chętnie bym tam została. – Frustracja sprawiła, że jej ton nabrał gwałtownie ostrości. – Ale to niemożliwe, takie właśnie jest życie, i ty też musisz się z tym pogodzić.

Pot zalewał jej oczy, rozmazując widok, tak że przez chwilę Harper House zdawał się unosić w powietrzu niczym miraż. Iluzja, która na zawsze pozostanie poza jej zasięgiem.

Rezydencja zacznie odpływać coraz dalej i dalej, bo tak naprawdę nie jest rzeczywista. Przynajmniej dla Hayley. Ona nigdy nie miała prawa tam przebywać. Postąpiłaby najroztropniej, gdyby się spakowała i wyniosła stąd na zawsze. Zarówno ten wielki dom, jak i Harper, nigdy nie będą do niej należeć. Jeżeli dłużej tu zostanie, sama stanie się iluzją.

– A cóż to się dzieje?

Z rozedrganego od upału powietrza, z oparu zmierzchu, wyłoniła się Roz, i nagle Hayley znów zaczęła odzyskiwać ostrość widzenia. Poczuła, jak zbiera jej się na nudności. W tym samym momencie zapłakana Lily wyrwała jej się z objęć i rzuciła w ramiona Roz.

– Jest na mnie wściekła – wyjaśniła Hayley słabym głosem, a do oczu napłynęły jej łzy, gdy Lily chwyciła mocno Roz za szyję i zaczęła szlochać w jej ramię.

– Jeszcze nieraz cię to spotka. – Rosalind gładziła małą po pleckach i kołysała ją, nie spuszczając przy tym wzroku z Hayley. – Co ją tak rozdrażniło?

– Zobaczyła Harpera i nie chciała się od niego oderwać.

– Trudno zostawić swojego idola.

– Muszę ją wykąpać i ułożyć do snu. Powinnam to zrobić dawno temu. Przepraszam, że zakłóciłyśmy ci spokój. Założę się, że te wrzaski słychać było nawet w Memphis.

– Nic mi nie zakłóciłyście. Lily jest pierwszym dzieckiem, które widzę w stanie bliskim histerii, i zapewne nie ostatnim.

– Wezmę ją.

– Nie. Ja się nią zajmę. – Roz weszła na schody prowadzące na piętro. –

Obie jesteście wymęczone. Musicie chwilę od siebie odpocząć. Tak się zdarza, gdy maluch chce jednego, a jego matka życzy sobie czegoś zupełnie innego. Ogarnia ją wtedy straszne poczucie winy, bo dziecko szaleje, jakby właśnie nadszedł koniec świata, a ona ma wrażenie, że osobiście wywołała ten kataklizm.

Hayley otarła dłonią lecące po policzkach łzy.

– Okropnie się czuję, bo ją zawiodłam.

– Nie można zawieść dziecka, kiedy robi się tylko to, co dla niego najlepsze. Mała jest po prostu bardzo zmęczona. – Roz otworzyła drzwi do pokoju dziecinnego i zapaliła światło. – A na dodatek zgrzana. Potrzeba jej chłodnej kąpieli, świeżej koszulki i odrobiny spokoju. Idź, Hayley, nalewaj wodę, a ja tymczasem rozbiorę Lily.

– Nie ma o czym mówić. Już sobie poradzę...

– Skarbie, czas, abyś nauczyła się dzielić obowiązkami.

Roz zajęła się teraz już spokojniejszą Lily, więc Hayley nie pozostało nic innego, jak tylko iść do łazienki. Odkręciła wodę, dodała pachnącego płynu, bo córeczka uwielbiała się bawić pianą, potem wrzuciła do wanny gumową kaczkę i żabę. I przez cały czas połykała łzy.

– Mam już tutaj małego naguska – dobiegł ją głos Roz. – Tak, jest. Ślicznego naguska. Z brzuszkiem wprost stworzonym do łaskotek.

Kuzynka weszła do łazienki z rozchichotaną Lily na ręku.

– Hayley, myślę, że powinnaś wziąć szybki prysznic. Ty też jesteś zgrzana i do tego przygnębiona. Tymczasem ja i Lily urządzimy sobie niezłą zabawę w wannie.

– Nie musisz tego robić.

– Chyba jesteś tu już dość długo, by wiedzieć, że nie podejmuję się niczego, na co nie mam ochoty. Ruszaj, Hayley. Odśwież się i ochłoń trochę.

– W porządku. – Z obawy, że za chwilę wybuchnie płaczem, Hayley zakręciła się na pięcie i niemal biegiem wypadła z łazienki.

Kiedy wróciła do pokoju dziecinnego, była odświeżona, choć wciąż jeszcze rozedrgana. Roz właśnie wkładała świeżą nocną koszulkę sennej Lily.

Wokół unosił się zapach talku dla niemowląt i łagodnego mydła, a mała była już całkiem spokojna.

– Aha, przyszła mama, żeby cię ucałować na dobranoc. – Roz uniosła Lily w górę, a dziecko wyciągnęło ręce w stronę matki. – Jak już ją uśpisz, przyjdź do saloniku.

– Dobrze. – Hayley przycisnęła do piersi córeczkę, wdychając słodki zapach jej włosków i skóry. – Wielkie dzięki, Roz.

Stała chwilę bez ruchu, tuląc małą i gładząc ją po pleckach.

– Mama bardzo cię przeprasza, skarbie. Gdybym mogła, dałabym ci gwiazdkę z nieba. I srebrne puzderko na dodatek, żebyś miała gdzie ją schować.

Ułożyła dziecko w kołysce, obsypując je pocałunkami, i położyła obok ulubionego, pluszowego pieska. Zostawiwszy palącą się nocną lampkę, wysunęła się z pokoju i przeszła do pobliskiego saloniku.

– Przyniosłam wodę mineralną. – Roz wyciągnęła w stronę Hayley butelkę. – Może być?

– Super. Och, Roz, czuję się jak ostatnia idiotka. Zupełnie nie wiem, co bym bez ciebie zrobiła.

– Doskonale dałabyś sobie radę sama. Ze mną jest ci, oczywiście, lepiej, ale ze mną każdemu lepiej w życiu. – Roz ulokowała się wygodnie w fotelu i wyciągnęła przed siebie długie nogi. Miała bose stopy, a paznokcie pomalowane tym razem na jaskraworóżowy kolor. – Jeżeli będziesz się zamartwiać za każdym razem, gdy twoje dziecko wpadnie w histerię, jeszcze przed trzydziestką będziesz siwa jak gołąbek.

– Wiedziałam, że mała jest zmęczona. Powinnam przyjść z nią od razu do domu, a nie wstępować do Harpera.

– Założę się, że Lily była tak samo zachwycona wizytą jak Harper. Teraz dziecko śpi słodko w kołysce. Nic w gruncie rzeczy się nie stało.

– Czy przypadkiem nie jestem okropną matką?

– W żadnym razie. Mała jest zdrowa, szczęśliwa i otoczona miłością. Słodkie dziecko. No i dobrze wie, czego chce, a w mojej opinii to oznaka silnej osobowości. Poza tym, jak każdy człowiek na świecie, ma prawo do ataku złości, prawda?

– Rany, dzisiaj rzeczywiście dała mi do wiwatu. Nie mam pojęcia, co się ze mną dzieje, Roz. – Hayley odstawiła butelkę, nie wypiwszy z niej nawet łyku. – W jednej chwili popadam w rozdrażnienie i irytację, w następnej – w euforię. Można by pomyśleć, że znów jestem w ciąży, gdyby nie było to absolutnie wykluczone.

– Może właśnie przed chwilą sama odpowiedziałaś sobie na pytanie. Jesteś młoda i pełna życia. Masz potrzeby, które nie są zaspokajane. Seks jest dla każdego ważny.

– To fakt. Jednak trudno osiągalny w mojej sytuacji.

– Dobrze rozumiem, jak się czujesz. Ale przecież wiesz, że gdybyś chciała umawiać się na randki, zawsze znajdziesz kilkoro chętnych do opicki nad Lily.

– Tak. Wiem.

– Prawdę mówiąc, Hayley, wydaje mi się, że seks może być kluczem do rozwiązania zagadki Amelii.

– Wybacz, Roz, zrobiłabym wiele, żeby ci pomóc, ale seks z Amelią absolutnie nie wchodzi w grę. Duch, kobieta i wariatka. Jak dla mnie to jednak za wiele.

– Stara, dobra Hayley. – Roz parsknęła śmiechem. – Rozmawialiśmy z Mitchem na temat tego, co ci się przydarzyło wczorajszego wieczoru. Snuliśmy rozmaite teorie. Seks był narzędziem, które wykorzystywała Amelia, by dostać to, czego pragnęła. Stanowił jej kartę przetargową. Jedno też nie ulega wątpliwości: była kochanką Reginalda i zaszła z nim w ciążę.

– Może Amelia go kochała. Może ją uwiódł i kompletnie straciła dla niego głowę. Poznaliśmy jedynie punkt widzenia Beatrice w tej sprawie, a z przyczyn oczywistych nie można jej uznać za obiektywne źródło informacji.

– To prawda. – Roz w zamyśleniu upiła łyk wody. – Niemniej wszystko nadal kręci się wokół seksu. Reginald odwiedzał Amelię dla przyjemności i by osiągnąć zamierzony cel: spłodzić męskiego potomka. Myślę, że bardzo się nie pomylimy, jeżeli założymy, iż zapatrywania Amelii na kwestie seksu nie należały do najzdrowszych.

– Racja.

– Teraz dochodzimy do momentu, gdy wszystkie trzy znalazłyśmy się w tym domu. Stella często słyszy i widuje Oblubienicę – i nie ma w tym nic wyjątkowo dziwnego, jest bowiem matką małych dzieci. Potem jednak w jej życiu pojawia się Logan, zaczyna ich łączyć nie tylko emocjonalny, ale i erotyczny związek. Wówczas następuje eskalacja gwałtownych zachowań Amelii. Przejdźmy do mnie i Mitcha. Kolejny erotyczny związek i nasilenie agresji ze strony naszej zjawy. Teraz przyszła kolej na ciebie.

– Ja nie uprawiam z nikim seksu. – Przynajmniej na razie. O, rety.

– Ale dużo o nim myślisz. Rozważasz taką możliwość. Podobnie jak swego czasu Stella. Czy ja.

– A więc... sądzisz, że skupiła uwagę na mnie, bo magnesem jest dla niej energia seksualna. I myślisz że znów dojdzie do eskalacji złości.

– To niewykluczone. Szczególnie jeżeli twoja energia seksualna sprzęgnie się ze szczerym uczuciem. Z miłością.

– Więc jeżeli zaangażuję się emocjonalnie i seksualnie, Amelia może tego kogoś skrzywdzić. Lub skrzywdzić Lily czy też...

– Zaraz, zaraz. – Roz położyła rękę na dłoni Hayley. – Oblubienica nigdy, przenigdy nie skrzywdziła żadnego dziecka. Ani razu przez te wszystkie lata. Nie ma więc powodu, by przypuszczać, że mogłaby zrobić coś złego Lily. Ale nie wiadomo, jak zachowałaby się wobec ciebie.

– Mogłaby spróbować mnie skrzywdzić. Pojmuję. – Hayley zaczerpnęła głęboki oddech. – Powinnam więc jej to uniemożliwić. Niewykluczone też, że zwróciłaby się przeciwko innym domownikom. Przeciwko tobie lub Mitchowi, czy Davidowi. Jednak najbardziej prawdopodobnym celem jej ataków byłby mężczyzna, którego bym pokochała, prawda?

– To możliwe. Ale nie należy budować przyszłości na przypuszczeniach. Masz prawo do własnego życia, Hayley. Nie chcę, żebyś się czuła zobligowana do mieszkania w Harper House czy pracy w „Edenie”.

– Chcesz, żebym się wyprowadziła i zmieniła pracę?

– To ostatnia rzecz, jakiej bym chciała. – Roz mocniej ścisnęła jej dłoń. – Z czysto egoistycznego punktu widzenia pragnęłabym cię mieć wciąż przy sobie. Jesteś dla mnie jak córka, której nigdy nie miałam, to najszczersza prawda. A ta mała drobina w pokoju obok to jeden z najjaśniejszych promyków mojego życia. I właśnie dlatego, że tak wiele dla mnie znaczysz, muszę cię prosić, żebyś myślała o sobie.

Z głębokim westchnieniem Hayley podniosła się z fotela i podeszła do okna, z którego rozciągał się widok na ogrody – wciąż oślepiające kolorami mimo nadciągającego mroku. Jej wzrok powędrował kawałek dalej – tam, gdzie stała powozownia z oświetlonym gankiem.

– Jak byłam mała, odeszła mama. Nie byliśmy z tatą dość dobrzy, by chciała z nami pozostać. Nie kochała nas. Kiedy tata umarł, nawet nie wiedziałam, dokąd napisać, żeby ją o tym zawiadomić. Ona nigdy nie zobaczy swojej wnuczki. Cóż, ostatecznie to jej strata. Bo Lily na tym nie ucierpi. Lily ma ciebie. Ja mam ciebie. Jeżeli mi każesz, to odejdę. Znajdę inne mieszkanie i pracę. I będę trzymać się z dala od Harper House tak długo, jak to konieczne. Ale zanim się wyniosę, chciałabym, żebyś mi odpowiedziała na jedno pytanie. Znam cię, więc wiem, że odpowiesz mi na nie szczerze.

– W porządku.

Hayley odwróciła się i spojrzała Roz prosto w oczy.

– Gdybyś była na moim miejscu i musiała zdecydować, czy opuścić ludzi, których kochasz – szczególnie mając świadomość, że możesz im pomóc – czy odejść z domu, który kochasz, i porzucić pracę, którą kochasz, ponieważ coś ewentualnie może się wydarzyć, ponieważ możesz narazić się na nieprzyjemności lub kłopoty, co byś zrobiła, Roz?

Roz poderwała się na nogi.

– Rozumiem więc, że zostajesz.

– Chyba tak.

– David upiekł placek z brzoskwiniami.

– O, rety!

Roz wyciągnęła rękę w stronę dziewczyny.

– Chodźmy więc na dół, połknąć grzesznie wielkie kawałki. A potem opowiem ci o kwiaciarni, którą zamierzam otworzyć na terenie centrum już w przyszłym roku.

Tymczasem w powozowni Harper buszował po zamrażarce, w której trzymał różne przysmaki, by w jakiś czas później zabrać się do pieczonego kurczaka – pysznie przyrządzonego przez Davida – i pogrążyć w myślach o Hayley.

Przyszła tu i zmieniła reguły gry, a on teraz nie bardzo wiedział, jak powinien wyglądać jego następny ruch. Przez cały rok pilnie tłumił i ukrywał swoje uczucia do tej dziewczyny, przekonany – szczególnie, gdy obserwował jej zachowanie, wszystkie wysyłane przez nią sygnały – że uważa go jedynie za przyjaciela. Czy nawet, Boże broń, za namiastkę brata.

Ze swojej strony robił, co mógł, by wpasować się w tę rolę.

A tymczasem ona dzisiaj wdzięcznym krokiem wkroczyła do powozowni i niedwuznacznie zaczęła go uwodzić. Jej pocałunek kompletnie zawrócił mu w głowie, przy akompaniamencie – co to, do cholery, była za melodyjka? – ach, tak „Bingo".

Teraz, ilekroć usłyszy tę głupią piosenkę, od razu się podnieci.

I, co, do cholery, powinien zrobić? Zaprosić Hayley na randkę? Do tej pory nigdy nie miał najmniejszych problemów, by umówić się z kobietą na spotkanie, obecna sytuacja jednak była raczej niezwykła – przede wszystkim dlatego, że już zdołał sobie wmówić, iż Hayley nie jest nim zainteresowana jako mężczyzną. I że nie powinien traktować jej jak potencjalnej partnerki.

No i byli współpracownikami. Do tego, na Boga, Hayley mieszkała w jego rodzinnym domu, razem z jego matką! I jeszcze należało pomyśleć o Lily.

Kiedy płakała, jak Hayley zabierała ją dziś do domu, miał wrażenie, że zaraz mu serce pęknie. A jeżeli zeszliby się z Hayley, a potem coś by im się nie ułożyło? Czy przypadkiem nie zaważyłoby to w fatalny sposób na życiu Lily?

Po prostu będzie się musiał postarać, żeby nic nie poszło źle. I tyle. Wykazać się rozwagą i cierpliwością.

A więc musiał się pożegnać z myślą, że jeszcze tej nocy wśliźnie się do pokoju Hayley i pozwoli, by zadziałały zmysły.

Po jedzeniu odruchowo posprzątał w kuchni, a potem poszedł na piętro, gdzie znajdowały się jego sypialnia, łazienka i mały pokój, który pełnił funkcję gabinetu. Przez następną godzinę Harper zajmował się papierkową robotą, sumiennie koncentrując się na pracy, ilekroć stawała mu przed oczami Hayley.

W końcu włączył komputer i chwycił za książkę. Tak najbardziej lubił spędzać wieczory. Czytając, i od czasu do czasu rzucając okiem na co ciekawsze akcje meczu. Gdzieś w połowie baseballowej rozgrywki pomiędzy drużyną z Bostonu a Jankesami zapadł w drzemkę.

Śniło mu się, że kochają się z Hayley pośrodku stadionu Fenway Park, turlają się nago po trawie, podczas gdy wokół nich trwa mecz. Jakimś cudem widział, jak odbija piłkę pałkarz, mimo że w tym samym momencie Hayley objęła go swoimi długimi nogami, a on wszedł w jej ciało i zatonął w wielkich, błękitnych oczach.

Obudził go trzask – miły dla ucha odgłos uderzenia kija o piłkę. Pomyślał, że jego ulubiona drużyna wygrywa, po czym usiadł na łóżku, otrząsając się ze snu.

Jezu! Potarł z całej siły twarz dłońmi. Cóż za dziwaczny, niesamowity sen, w którym stopiły się w jedno dwie z jego ulubionych form aktywności. Sport i seks. Rozbawiony taką kombinacją, odrzucił na bok książkę.

Kolejny huk, który dobiegł z dołu, przypominał wystrzał z pistoletu i z pewnością nie pochodził ze snu.

W mgnieniu oka Harper poderwał się na nogi i chwycił kij baseballowy z logo Louisville Slugger's, który miał od dwunastego roku życia, po czym rzucił się w dół po schodach.

W pierwszej chwili przyszło mu do głowy, że Bryce Clerk, były mąż matki, wyszedł jakimś cudem z więzienia i postanowił dalej uprzykrzać wszystkim życie. Cóż, gorzko pożałuje swojej głupoty, pomyślał Harper, mocniej ściskając kij w dłoni. Krew pulsowała mu w skroniach, gdy biegł w stronę kuchni, skąd dochodziły łomoty i trzaski.

Nacisnął włącznik światła akurat w momencie, gdy w jego stronę poleciał talerz. Harper instynktownie uskoczył za framugę, talerz zaś z hukiem roztrzaskał się o nią na drobne kawałki.

I nagle zapadła grobowa cisza.

Kuchnia, którą wysprzątał przed pójściem na górę, wyglądała, jakby przegalopowała przez nią horda Hunów. Podłogę zaścielały porozbijane naczynia, pływające w piwie z roztrzaskanych butelek. Lodówka stała otworem, a wokół walała się cała jej zawartość. Ściany i szafki były pokryte czymś, co wyglądało na mieszaninę musztardy i ketchupu.

W pomieszczeniu nie zobaczył żywej duszy. Za to wyraźnie widział obłoczek własnego oddechu, unoszący się w lodowatym powietrzu.

– A niech to szlag! – Przeciągnął dłonią po włosach. – A niech to najjaśniejszy szlag!

Użyła ketchupu – a przynajmniej miał nadzieję, że to tylko niewinna przyprawa, a nie krew, którą jako żywo przypominała – by wypisać wiadomość na ścianie.

NIE SPOCZNĘ!

Harper rozejrzał się wokół.

– Nie ty jedna dzisiejszej nocy.

# 6

$M$itch poprawił okulary, po czym raz jeszcze zaczął studiować zdjęcia. Harper z dużą sumiennością sfotografował wszystkie szczegóły pod różnymi kątami. Nie zapomniał też o stosownych powiększeniach.

Chłopak miał pewną rękę i chłodny umysł.

Niemniej...

– Powinieneś nas ściągnąć, kiedy to się stało.

– Było po pierwszej w nocy. Po co miałem was budzić? Wszystko wyglądało dokładnie tak, jak widzisz.

– Przede wszystkim widzę, że cholernie ją czymś wkurzyłeś. Wiesz, czym?

– Nie mam pojęcia.

Mitch rozłożył zdjęcia w określonym porządku, a David zerkał mu przez ramię.

– Posprzątałeś ten syf? – spytał przyjaciela.

– Uhm. – Harpera wciąż rozsadzała wściekłość. – Rozbiła każdy cholerny talerz.

– Niewielka strata. Wszystkie były ohydne. A co to takiego? – David chwycił jedną z fotografii i przyjrzał się jej bliżej. – Batony Twinkies? Na Boga, Harper, ile ty masz lat? Dwanaście? – Z politowaniem pokiwał głową. – Zaczynasz mnie poważnie martwić.

– Tak się składa, że lubię ich nadzienie.

Mitch uniósł dłoń w zdecydowanym geście.

– Może darujemy sobie dyskusję na temat słodyczy...

– Twinkies to bomba z opóźnionym zapłonem: sam cukier, tłuszcz i konserwanty – przerwał mu David, próbując uszczypnąć winowajcę w brzuch.

– Odczep się! – żachnął się Harper, ale zachowanie przyjaciela, zgodnie z jego zamierzeniami, od razu poprawiło mu humor.

– Panowie – rzucił Mitch łagodnie – wracajmy do zasadniczego tematu, dobrze? Mamy tu do czynienia ze zmianą schematu. Do tej pory Oblubienica nigdy nie zjawiła się w powozowni ani w żaden inny sposób nie zakłóciła spokoju Harperowi. Czy nie tak?

– Owszem. – Zdjęcia, które sam zrobił, obudziły w nim na nowo szok i przypomniały, jak wiele czasu zajęło mu uprzątnięcie skutków tego ataku furii. – Trzeba przyznać, że postarała się o cholernie spektakularny debiut.

– Musimy o tym poinformować twoją mamę.

– Tak, wiem. – Wciąż przepełniony gniewem, Harper podszedł do kuchennych drzwi i ze złością wbił wzrok w poranną mgłę. Specjalnie czekał z wyjawieniem swojej rewelacji, aż matka zacznie swoją codzienną przebieżkę. – Jeszcze mi życie miłe. Chciałem jednak, żebyśmy najpierw omówili to sami, w męskim gronie, zanim ją w to wszystko wciągniemy. – Zerknął niespokojnie na sufit; Hayley zapewne szykowała się na powitanie nowego dnia. – Zanim wciągniemy wszystkich pozostałych.

– Próbujesz ochronić słabe kobiety? – rzucił David przesadnie południowym akcentem. – Nie powiem, że nie popieram twojej strategii, synu, obawiam się jednak, że Roz nie przypadnie ona do gustu. – Wskazał znacząco palcem na sufit. – Podobnie jak i tej drugiej damie.

– Nie chciałem, żeby zaczęły panikować, to wszystko. Moglibyśmy jakoś stonować całą sytuację. Ostatecznie to tylko kilka rozbitych talerzy i słoików.

– To był zamierzony atak, Harper. Nie na ciebie bezpośrednio, ale na twoją własność, w twoim domu. Tak to właśnie wygląda, i w ten sam sposób Roz oraz Hayley potraktują ten incydent. – Mitch uniósł dłoń, zanim Harper zdążył otworzyć usta. – Wszyscy stawialiśmy już czoło większym dramatom, więc poradzimy sobie i teraz. Najważniejsze, żeby udało nam się odgadnąć, czemu Oblubienica postąpiła w taki sposób.

– Może dlatego, że jest skończoną wariatką – odparował Harper. – Myślę, że to drobny acz niezwykle znaczący element tej układanki.

– Gdy coś go wkurzy, zachowuje się dokładnie jak jego matka – uznał David. – Staje się zgryźliwy i uparty.

– Zdążyłem zauważyć – odparł Mitch. – A wracając do Oblubienicy. Wiemy, że niejednokrotnie kierowała się ku powozowni, sami byliście tego świadkami w dzieciństwie. Możemy więc śmiało założyć, że w pewnym momencie swojego życia, Amelia też się tam udała. Najprawdopodobniej już po tym, jak Reginald zabrał jej syna i przywiózł go do Harper House w roli swojego prawowitego dziedzica.

– Możemy też założyć, że już wtedy była niespełna rozumu – wtrącił David. – Sądząc z tego, jak wyglądała.

– Mimo to, od czasu gdy Harper zamieszkał w powozowni, nigdy tam się nie pokazała. To znaczy od kiedy?

– Do diabła, nie wiem. – Wzruszył ramionami. – Wprowadziłem się tam tuż po ukończeniu college'u. Jakieś sześć, może siedem lat temu.

– I nagle teraz Amelia wpada do ciebie, siejąc zniszczenie. Może i jest szalona, ale w swoich zachowaniach kieruje się określonymi motywami. Czy przyniosłeś ostatnio do domu coś szczególnego? Coś, czego nigdy wcześniej tam nie było?

– Raczej, nie. – Zamiast się wściekać, zaczął teraz intensywnie myśleć. – To znaczy, z pewnością przyniosłem jakieś nowe rośliny. Ale robię to od lat. Poza tym, co rusz coś kupuję – ubrania, kompakty, jedzenie. W każdym razie, nie przywlokłem ostatnio niczego niezwykłego.

– I nikogo?

– Słucham?

– Może przyprowadziłeś kogoś, kto nigdy wcześniej u ciebie nie był. Jakąś kobietę?

– Nie.

– To doprawdy żałosne. – David z udaną troską objął Harpera ramieniem. – Tracisz swój słynny urok?

– Mój urok jest wciąż nieodparty. Po prostu jestem ostatnio zajęty.

– A co robiłeś, tuż zanim doszło do tego incydentu?

– Oglądałem mecz na górze, w sypialni, czytałem książkę i w pewnym momencie po prostu odpłynąłem. Obudziły mnie huki i trzaski.

W tym momencie rozległy się radosne piski Lily i Harper wykrzywił twarz w grymasie.

– Do diabła, zeszły na dół. Mitch, odłóżmy te zdjęcia, odłóżmy je do czasu, aż...

Urwał, klnąc się w duchu, że nie zareagował szybciej, w tej chwili bowiem do kuchni wpadła Lily, a tuż za nią wbiegła Hayley. Mała rzuciła się prosto w jego stronę, wyciągając rączki i rozpływając się w uśmiechach.

– Usłyszała twój głos – oznajmiła Hayley, gdy Harper chwycił dziecko w objęcia. – I natychmiast się rozpromieniła.

– To kwestia jego uroku – rzucił David sucho. – Żaden niemowlak mu się nie oprze.

– Z pewnością Lily nie mogłaby sobie wymarzyć lepszego rozpoczęcia dnia. – Hayley podeszła do lodówki, wyjęła sok, a gdy się odwróciła w stronę stołu, ujrzała rozłożone zdjęcia. – Co to takiego? – zapytała.

– Nic ważnego. Drobna, nocna przygoda.

– Wielki Boże, co za bałagan! Urządziłeś imprezę, a nas nie zaprosiłeś? – Zerknęła uważniej i nagle pobladła. – Och. Och, to Amelia! Wszystko w porządku? Nic ci nie zrobiła? – Wypuściła z ręki kubek Lily i podbiegła do Harpera. – Harper, czy ona cię skrzywdziła?

– Nie. Skąd. – Poklepał dziewczynę po dłoni, którą dotknęła jego twarzy. – Wyżyła się tylko na naczyniach.

David schylił się po plastikowy kubeczek, mrugnął znacząco do Mitcha, po czym szepnął:

– Aha!

– Spójrz tylko na te zniszczenia! – Hayley chwyciła kolejne zdjęcie. – Co zrobiła z twoją prześliczną kuchnią? Co jej tym razem odbiło? Czemu jest taką cholerną wiedźmą?

– Prawdopodobnie wkurza ją, że jest martwa. Wydaje mi się, że Lily napiłaby się soku.

– Zaraz. Nie ma z nią chwili spokoju. Mam na myśli Amelię, nie Lily. Zaczynam jej mieć powyżej uszu. – Hayley nalała soku do kubka, nałożyła pokrywkę i podała córeczce. – Proszę, maleństwo. I co z tym zrobimy? – spytała wojowniczo, spoglądając w stronę Mitchella.

– Jestem tylko biernym obserwatorem – odparł szybko, unosząc dłonie w obronnym geście.

– Wszyscy jesteśmy tylko obserwatorami. Ale ona ma to najwyraźniej w nosie. Wredna suka. – Hayley opadła gwałtownie na krzesło i skrzyżowała ramiona.

– Ulżyło ci? – spytał David, nalewając kawę.

– Sama nie wiem, co teraz czuję.

– To były tylko talerze. – Harper usadził Lily w wysokim krzesełku. – I do tego, wedle słów Davida, dosyć paskudne.

Hayley zmusiła się do uśmiechu.

– Wcale nie były takie złe. Tak mi przykro, Harperze. – Dotknęła jego dłoni. – Doprawdy, bardzo mi przykro.

– A to z jakiego powodu? – zainteresowała się Roz, wkraczając do kuchni.

– Aha, oto i gong na drugą rundę – mruknął David. – Chyba się zabiorę do smażenia naleśników.

Hayley nie mogła się skoncentrować. Jak automat obsługiwała klientów i nabijała ceny na kasę, ale tak naprawdę myślami była zupełnie gdzie indziej. Kiedy wreszcie doszła do wniosku, że nie przebrnie już przez ani jedną grzecznościową wymianę zdań, poszła do biura Stelli, by zdać się na jej łaskę.

– Proszę cię, znajdź dla mnie jakąś prawdziwą pracę. Coś, przy czym zdołam się nieźle zmęczyć. Muszę odejść od lady. Mam fatalny nastrój, a w żadnym razie nie chciałabym się wyładować na którymś z klientów.

Stella odsunęła się z fotelem od biurka i obrzuciła przyjaciółkę uważnym spojrzeniem.

– Czemu po prostu nie zrobisz sobie przerwy?

– Jeśli nie będę miała nic do roboty, dopadną mnie złe myśli. I znowu stanie mi przed oczami zrujnowana kuchnia Harpera.

– Zdaję sobie sprawę, że to przygnębiający obrazek, Hayley, jednak...

– To wszystko moja wina.

– Jakim cudem ty możesz odpowiadać za zdemolowanie kuchni Harpera? A może miałaś też coś wspólnego ze zbitym wazonem z naszego salonu? Bo jakoś nikt z moich domowników nie przyznaje się do winy. Wszyscy zgodnym chórem twierdzą, że nie mają o niczym pojęcia.

– „Nie wiem", to najstarsza wymówka na świecie.

– W parze z pełnym oburzenia: „To nie ja".

Hayley westchnęła ciężko i opadła na krzesło.

– OK. Zgadzam się na krótką przerwę. Ale pod warunkiem że i ty znajdziesz parę wolnych minut.

– Jasne. – Stella natychmiast oderwała wzrok od komputera.

– Kiedy wczoraj od was wyszłam, wpadłam do Harpera. Zdołałam przekonać samą siebie, że rzeczywiście powinnam podjąć inicjatywę, posunąć się o krok dalej, rozumiesz, co mam na myśli. Harper uparł się, żeby myśleć o mnie jedynie jako o „kuzynce Hayley", lub mamie Lily. W porządku. Ja jednak postanowiłam, że dam mu posmakować czegoś innego i zobaczę, jak zareaguje.

– O, la, la! No i?

– Pocałowałam go. Pośrodku jego kuchni wpiłam się w niego, by wiedział dokładnie, co traci i zapragnął więcej.

Stella z trudem powściągnęła uśmiech.

– I co? Zapragnął?

– Jasne. Odwzajemnił się takim pocałunkiem, że niemal zwaliło mnie z nóg. Ten facet ma naprawdę cudowne usta. Zawsze przypuszczałam, że są stworzone do całowania, ale po tym, co mi pokazał, zrozumiałam, jak bardzo go nie doceniałam.

– To świetnie. Tego przecież chciałaś, prawda?

– Nie chodzi o to, czego chciałam. A może właśnie o to dokładnie chodzi.

– Hayley zerwała się na równe nogi, ale pokoik Stelli był zbyt mały, żeby się po nim przechadzać. – Może w tym właśnie rzecz. To wszystko wydarzyło się w jego kuchni, Stello. Całowaliśmy się w jego kuchni, a kilka godzin później Amelia doszczętnie ją zrujnowała. Nie trzeba być matematycznym geniuszem, żeby dodać dwa do dwóch. Otworzyłam przed Harperem nowe możliwości, a tymczasem do środka wdarła się Oblubienica.

– Obawiam się, że zaczynasz gubić się w metaforach. Nie mówię, że się kompletnie mylisz. – Stella odchyliła się w fotelu i z niewielkiej lodówki wyjęła dwie butelki wody. – Nadal jednak uważam, że nie ponosisz winy za incydent w domu Harpera. Amelia jest niezrównoważona i nikt z nas nie ponosi odpowiedzialności za jej poczynania ani za to, co ją spotkało za życia.

– Pewnie. Spróbuj jednak jej to wytłumaczyć. Dzięki – rzuciła, gdy Stella podała jej butelkę z wodą.

– Od dłuższego czasu usiłujemy odkryć przeszłość i chcemy naprawić krzywdy, jak tylko jest możliwe, ale jednocześnie musimy żyć naszym własnym życiem.

– Ponoć to wszystko ma wiele wspólnego z energią erotyczną i związkiem emocjonalnym. Tak przynajmniej utrzymuje Roz, a ja przychylam się do jej opinii.

– Powiedziałaś Roz o sobie i Harperze?

Hayley wypiła łyk wody.

– Nie. Skądże. Prowadziłyśmy rozważania natury ogólnej. Poza tym nie istnieje coś takiego jak „ja i Harper". Roz i Mitch uważają, że Amelię pobudza atmosfera nasycona seksem i emocjami. Muszę więc zrobić wszystko, by podobna atmosfera się nie wytworzyła.

– Nawet jeżeli stłumisz swoje pragnienia, nie możesz wpłynąć na emocje Harpera.

– Mogę, jeżeli tylko się postaram. Widać wyraźnie, że problem zaczyna się wtedy, gdy w grę wchodzi moja osoba. W innym wypadku zaatakowałaby go już dawno temu. – Hayley ścisnęła mocno plastikową butelkę, zdołała się jednak opanować, zanim woda chlusnęła na zewnątrz. – Bo to przecież oczywiste, że w tej kuchni i w ogóle w swoim domu posuwał się dużo dalej niż tylko do całowania kobiet, a nigdy wcześniej Amelia się na niego nie wściekła.

– Poniekąd zgadzam się z twoim rozumowaniem. Jeżeli jednak tak ją rozsierdził twój związek z Harperem, to znaczy, że łączy was coś szczególnego – tak jak mnie i Logana czy Roz i Mitcha.

– Nie jestem w stanie w tej chwili o tym myśleć. Muszę przede wszystkim wyładować złość. Dlatego daj mi coś fizycznie wyczerpującego do roboty. Proszę, Stello.

– Bardzo proszę. Trzeba wynieść wszystkie rośliny ze szklarni numer jeden i przygotować na sprzedaż. Jednoroczne na jednym stole, wieloletnie – na drugim, opatrzone nowymi cenami, niższymi o trzydzieści procent.

– Już się do tego zabieram. Wielkie dzięki.

– Żebyś tylko nie zapomniała mi podziękować, kiedy padniesz z powodu udaru słonecznego! – wykrzyknęła za nią Stella.

Hayley ładowała skrzynki i doniczki na wózki, a potem transportowała je przed wejście do centrum. Musiała obrócić cztery razy, żeby zabrać wszystko ze szklarni. Potem walczyła z rozstawieniem potrzebnych jej stołów w takich miejscach, by umieszczone na nich rośliny najbardziej przyciągały uwagę przejeżdżających obok sklepu ludzi i zachęcały ich do zakupów pod wpływem impulsu.

Niekiedy musiała przerywać pracę, żeby zamienić kilka słów z klientami, czy skierować ich do odpowiednich sektorów, ale – na szczęście – przez większość czasu nikt nie zakłócał jej spokoju.

W powietrzu czuło się skwar i duchotę, jakie często zwiastują burzę. Hayley miała nadzieję, że w końcu nadejdzie nawałnica. Doskonale pasowałaby do jej obecnego nastroju.

Praca, dzięki Bogu, pozwalała uwolnić się od natrętnych myśli. Rozładowując wózek, Hayley starała się wyrecytować z pamięci zwyczajową i łacińską nazwę każdej rośliny. To była taka zabawa z samą sobą. Jeszcze trochę, a stanie się równie dobra w identyfikacji roślin jak Roz czy Stella. Miała też pewność, że gdy wreszcie upora się z tą pracą, będzie zbyt zmęczona, żeby zaprzątać sobie głowę jakimikolwiek problemami.

– Hayley, wszędzie cię szukam. – Harper podszedł bliżej i ściągnął gniewnie brwi. – Co ty, do diabła, wyprawiasz?

– Pracuję. – Otarła ramieniem pot z czoła. – Po to zostałam tutaj zatrudniona.

– Jest zbyt gorąco na taką robotę. Włáź do środka.

– Nie masz prawa mi rozkazywać. Nie jesteś moim szefem.

– Formalnie rzecz biorąc, jestem, ponieważ jestem współwłaścicielem tej firmy.

Hayley czuła, że zaczyna jej brakować tchu, poza tym ten cholerny pot nieustannie zalewał jej oczy, co tylko dodatkowo wzmagało jej rozdrażnienie.

– Stella kazała mi odpowiednio wyeksponować te rośliny, i właśnie to robię. A to ona jest moją bezpośrednią przełożoną.

– Ze wszystkich najgłupszych... – Harper urwał gwałtownie i wpadł do środka.

Bez pardonu wparował wprost do pokoiku Stelli.

– Co, do diabła, cię podkusiło, żeby nakazać Hayley dźwiganie tych wszystkich skrzynek i donic w taką pogodę?

– Wielki Boże, ona wciąż to robi? – Przerażona Stella poderwała się od biurka. – Nie miałam pojęcia, że ...

– Daj mi szybko butelkę zimnej wody.

Stella wyjęła wodę z lodówki.

– Harper, do głowy by mi nie przyszło...

Uciszył ją gestem dłoni.

– Nic nie mów. Po prostu nic już nie mów.

Wyskoczył na zewnątrz i podbiegł do Hayley. Żachnęła się, gdy chwycił ją za ramię, zdołał ją jednak pociągnąć za sobą.

– Puszczaj. Co ty wyprawiasz?

– Przede wszystkim zabieram cię w cień. – Powlókł ją za budynek, pośród stołów i donic z krzewami, i dalej ścieżką pomiędzy szklarniami, aż znaleźli się na ocienionym brzegu stawu.

– Siadaj. I pij.

– Nie podoba mi się twoje zachowanie.

– I vice versa. A teraz pij i uważaj się za szczęściarę, że nie wrzuciłem cię do stawu, żebyś się ochłodziła. Nie przypuszczałem, że Stella może być tak bezmyślna – oznajmił, podczas gdy Hayley piła łapczywie wodę z butelki. – Z drugiej strony, jest przecież jankeską, to dopiero jej drugie lato w naszych stronach. Ty natomiast urodziłaś się i wychowałaś na Południu. Dobrze wiesz, co z człowiekiem może zrobić taki upał.

– I dobrze wiem, jak sobie radzić w takich sytuacjach. Poza tym nie wolno ci obwiniać za to Stelli. – Teraz jednak, gdy już usiadła, musiała przyznać, że kręci jej się w głowie. Poddała się więc i rozciągnęła na miękkiej trawie. – Może rzeczywiście trochę przesadziłam. Praca mnie pochłonęła, to wszystko. – Odwróciła się i spojrzała znacząco na Harpera. – Słuchaj, nie życzę sobie, żeby ktoś mnie szarpał i mi rozkazywał.

– Ja też nie lubię szarpać ludzi, ale niekiedy to nieuniknione. – Zerwał z głowy baseballówkę i zaczął machać nią Hayley przed nosem dla ochłody. – A ponieważ nie jesteś już czerwona jak wóz strażacki, mogę ci śmiało powiedzieć, że tym razem w pełni sobie na to zasłużyłaś.

Nie miała ochoty z nim dyskutować, bo czuła się cudownie, rozciągnięta na trawie, wachlowana starą czapką.

Słońce przesiane przez gęsto porośnięte listowiem gałęzie drzew podświetlało od tyłu Harpera, nadając mu wygląd romantycznego kochanka, siedzącego w cieniu letniego popołudnia.

Te ciemne włosy, lekko podwijające się na końcach od skwaru i wilgoci. I podłużne, czekoladowobrązowe oczy, wyglądające tak... fantastycznie. Podobnie jak wysoko sklepione kości policzkowe i pełne, seksowne usta.

Mogłaby leżeć godzinami, wpatrując się w tę piękną twarz. Ale gdy tylko to pomyślała, poczuła się tak idiotycznie, że natychmiast się roześmiała.

– Tym razem ci daruję – oznajmiła. – Słuchaj, po prostu miałam wiele spraw na głowie, a nic tak nie pomaga w rozwiązaniu problemów, jak solidna fizyczna praca.

– Ja mam lepszy pomysł na ich rozwiązanie. – Harper pochylił się nad Hayley, po czym spojrzał na nią pytająco, gdy powstrzymała go ruchem dłoni.

– Płacą nam od godziny.

– Wydawało mi się, że mamy przerwę.

– Ale wciąż jesteśmy w miejscu pracy. – Ciężki fizyczny wysiłek, chociaż ją zmęczył, zrobił swoje. Hayley podjęła decyzję. Nie było ważne, czego chciała, ale co należało zrobić. – Poza tym, zrozumiałam, że ta historia to nie najlepszy pomysł.

– Jaka „historia"?

– Pod tytułem „Ty i ja". – Usiadła, odrzuciła do tyłu włosy i obdarzyła Harpera promiennym uśmiechem. Do jednego nie mogła dopuścić – do utraty przyjaźni tego mężczyzny. Wtedy już zawaliłyby się fundamenty jej świata. – Lubię cię, Harperze. Bardzo wiele znaczysz dla mnie i dla Lily, chciałabym więc, żebyśmy na zawsze pozostali dobrymi przyjaciółmi. Jasne, możemy dorzucić do tego seks, przez chwilę będzie miło, ale potem zaczniemy się czuć fatalnie i duszno we własnym towarzystwie.

– Tak wcale nie musi się stać.

– Ale istnieje duże prawdopodobieństwo, że tak się właśnie stanie. – Hayley po koleżeńsku poklepała Harpera po kolanie. – Wczoraj coś mnie opętało. No i cię pocałowałam. To było miłe.

– Miłe?!

– Jasne. – Znała ten wyraz jego twarzy – a raczej brak wyrazu, świadczący, że Harper bardzo się stara zapanować nad gniewem – więc uśmiechnęła się jeszcze szerzej i promienniej. – Całowanie się z przystojnym facetem zawsze jest fajne. Muszę jednak myśleć perspektywicznie. I biorąc pod uwagę całokształt, doszłam do wniosku, że najlepiej będzie, jeżeli wszystko między nami pozostanie tak, jak przedtem.

– Nic już nie jest takie jak przedtem, Hayley. Ty sama zmieniłaś reguły gry.

– Daj spokój, Harper, parę buziaków wymienionych przez przyjaciół to żadne wielkie halo. – Poklepała go po dłoni, zamierzała się poderwać na nogi, jednak Harper chwycił ją z całej siły za nadgarstek.

– To było coś znacznie poważniejszego.

Gniew zaczynał brać górę – widziała to wyraźnie. Widziała też kilkakrotnie, co się działo, gdy tracił nad sobą panowanie. Uznała jednak, że lepiej, by poczuł się wkurzony, a nawet zniesmaczony jej zachowaniem, niżby miała go narazić na ataki wściekłej zjawy.

– Zdaję sobie sprawę, że nie przywykłeś, by kobieta próbowała powściągnąć twoje zapędy, ja jednak nie mam zamiaru siedzieć tu i dyskutować, czy powinniśmy uprawiać seks, czy też wręcz przeciwnie.

– Dobrze wiesz, że chodzi o coś znacznie więcej.

Więcej. To jedno słowo sprawiło, że serce podeszło jej do gardła.

– Nieprawda. Poza tym, ja nie chcę niczego więcej.

– O co ci właściwie chodzi? Czy to jakaś nowa zabawa? Przychodzisz do mnie, robisz krok w moją stronę, a teraz twierdzisz, że było zaledwie miło i nie jesteś zainteresowana?

– Uważam, że nasza dyskusja staje się jałowa. Wracajmy do pracy.

Kiedy się odezwał, mówił chłodnym, zdystansowanym tonem, co nie wróżyło najlepiej.

– Dobrze wiem, co czułaś, kiedy cię dotykałem.

– Och, na Boga, Harper, oczywiście, że nie pozostałam obojętna na twój dotyk. Ostatecznie od wielu miesięcy nie uprawiałam seksu.

Zacisnął palce mocniej na jej nadgarstku, ale po chwili całkowicie je rozluźnił.

– A więc po prostu szukałaś faceta, który cię chętnie przeleci.

Tym razem poczuła bolesny skurcz serca.

– Zachowałam się impulsywnie i szybko zdałam sobie sprawę, że nigdy nie powinnam była tak postąpić. Jeżeli chcesz mnie zranić, to bardzo proszę, nie żałuj sobie.

Przed oczami zaczęły jej latać dziwne mroczki, miała wrażenie, że widzi Harpera jak przez mgłę. Zaczęła też narastać w niej zimna furia, tak gwałtowna, że aż sprawiała fizyczny ból.

– Mężczyźni zawsze sprowadzają wszystko do chędożenia. Kłamią, obiecują, są gotowi słono płacić, byle tylko dostać to, na czym im najbardziej zależy. A kiedy już to dostaną, traktują kobietę jak ostatnią ladacznicę – marną dziewkę, którą mogą do woli wykorzystać i porzucić. A tak naprawdę to mężczyźni są jak te sprzedajne dziewki – wyrachowani i zimni.

Oczy Hayley wyglądały teraz zupełnie inaczej. Harper nie umiałby tego racjonalnie wyjaśnić, wiedział jednak, że to nie ona na niego patrzy.

– Hayley...

– Czy tego właśnie chcesz, paniczu Harperze? – Z przebiegłym uśmiechem zaczęła gładzić własne piersi. – A także tego? – Wsunęła dłoń pomiędzy uda. – A ile jesteś gotów zapłacić za ten przywilej?

Harper zaczął mocno potrząsać dziewczyną.

– Hayley! Przestań natychmiast.

– Chcesz, żebym zachowywała się jak na wielką damę przystało? Jestem wyjątkowo biegła w tej sztuce. Tak biegła, że mogę nawet uchodzić za rozpłodową klacz.

– Nie. – Musiał zachować chłodny spokój, mimo że drżały mu ręce. – Chcę, żebyś zachowywała się naturalnie, tak jak zwykle, Hayley. – Uniósł palcem jej brodę i spojrzał jej głęboko w oczy. – Posłuchaj, najpierw skończymy pracę w „Edenie", a potem pojedziesz po Lily. Nie wolno ci się po nią spóźnić.

– Co takiego? Hola! – Ze zmarszczonym czołem odepchnęła jego dłoń. – Mówiłam, że nie zamierzam...

– Pamiętasz, co mówiłaś? – Harper położył dłonie na jej ramionach i zaczął je delikatnie gładzić. – Powtórz, proszę, co przed chwilą do mnie powiedziałaś.

– Mówiłam... Mówiłam, że zadziałałam pod wpływem impulsu. A potem powiedziałam... O, Boże! – Zbladła gwałtownie. – To niemożliwe. Ja nie chciałam...

– Pamiętasz swoje słowa?

– Nie wiem. Nie czuję się najlepiej. – Przycisnęła dłoń do żołądka, bo zaatakowały ją mdłości. – Jest mi niedobrze.

– Zabieram cię do domu.

– Słuchaj, ja nie wiedziałam, co mówię. Byłam wzburzona. – Kolana pod nią zadrżały, gdy pomógł jej podnieść się z ziemi. – Kiedy się zdenerwuję, wygaduję niestworzone rzeczy. Nie mam pojęcia, skąd w ogóle takie głupoty przyszły mi do głowy.

– Wszystko w porządku, ja wiem – odparł ponurym głosem Harper, prowadząc ją w stronę głównego wejścia do centrum.

– Nic z tego wszystkiego nie rozumiem. – Miała ochotę znowu położyć się na trawie i odpoczywać w cieniu, póki nie przestanie jej się mącić w głowie.

– Najpierw zawiozę cię do domu, a dopiero potem porozmawiamy.

– Muszę powiedzieć Stelli...

– Ja jej wszystko wytłumaczę. Słuchaj, nie wziąłem dzisiaj samochodu. Gdzie twoje kluczyki?

– Hm... W torebce. Położyłam ją pod ladą. Harper, ja naprawdę... nie czuję się najlepiej.

– Wsiadaj do auta. – Otworzył drzwiczki i wepchnął ją na siedzenie pasażera. – Skoczę tylko po twoją torebkę.

Kiedy wpadł do centrum, za ladą stała Stella.

– Daj mi kluczyki Hayley. Zabieram ją do domu.

– Rany, czy ona się rozchorowała? Tak strasznie mi przykro! Ja...

– Nie. Wyjaśnię ci wszystko później. – Wyrwał torebkę z dłoni Stelli. – Znajdź mamę i poproś, żeby jak najszybciej przyjechała do Harper House. Powiedz, że jest mi potrzebna.

Chociaż Hayley protestowała i tłumaczyła, że czuje się już całkiem dobrze, Harper chwycił ją na ręce i wniósł do domu, po czym zawołał Davida.

– Podaj jej coś do picia. Najlepiej herbatę.

– Co się stało naszej dziewczynce?

– Po prostu zaparz herbatę, Davidzie. A potem sprowadź Mitcha. No już, Hayley. Połóż się na sofie.

– Uspokój się, nic mi nie dolega. Może tylko się trochę przegrzałam lub coś w tym rodzaju.

– Właśnie to „coś w tym rodzaju" niepokoi mnie najbardziej. Wciąż jesteś blada jak płótno. – Przesunął palcem po jej policzku.

– Prawdopodobnie dlatego, że nadal jestem zażenowana swoimi niedawnymi słowami. Nie powinnam wygadywać podobnych głupot, nawet jeżeli byłam okropnie wściekła.

– Rzecz w tym, że w gruncie rzeczy wcale nie byłaś taka znowu wkurzona.

W tym samym momencie do pokoju wszedł Mitch.

– Co się dzieje?

– Doszło do... pewnego incydentu.

– Hej, skarbie, wszystko w porządku? – Mitch przykucnął przy sofie.

– Tylko się zgrzałam, to wszystko. – Mdłości mijały i Hayley zdobyła się na słaby, zawstydzony uśmiech. – I trochę mi odbiło.

– To nie była wina upału – wtrącił Harper. – I to nie tobie odbiło. Mama jest już w drodze do domu. Musimy na nią poczekać.

– Chyba z tego powodu nie oderwałeś Roz od pracy?! Jak bardzo jeszcze chcesz pogorszyć moje samopoczucie?

– Uspokój się i leż – polecił Harper.

– Słuchaj, rozumiem, że możesz być na mnie wściekły, nie będę jednak tutaj leżeć i...

– Owszem, będziesz. Nie masz nic lepszego do roboty. Po Lily trzeba pojechać dopiero za kilka godzin. Jeden z nas się tym zajmie.

Hayley aż zaniemówiła z wrażenia, tymczasem Harper zwrócił się do Davida, który właśnie wszedł do pokoju z tacą.

– Pojedziesz po Lily?

– Jasne. Nie ma problemu.

– To moja córka i albo ja ją odbieram, albo sama decyduję, kto to za mnie zrobi! – żachnęła się Hayley.

– Widzę, że wracają ci kolory – zauważył Harper. – To dobrze. Napij się herbaty.

– Nie mam ochoty na żadną, cholerną herbatę.

– Daj spokój, skarbie, to pyszna zielona herbatka – odezwał się David przymilnym głosem i nalał napar do filiżanki. – No już. Bądź grzeczną dziewczynką.

– Wolałabym, żebyście wszyscy przestali się nade mną trząść. Może wtedy nie czułabym się jak ostatnia idiotka. – Nachmurzyła się, ale sięgnęła po filiżankę. – Robię to tylko dla ciebie, Davidzie – rzuciła, po czym zaklęła pod nosem, gdy usłyszała, jak Roz wchodzi przez frontowe drzwi.

– O co chodzi? Co się stało?

– Harper szaleje, to wszystko – odparła Hayley.

– Znowu rozrabiasz? – Pogłaskała go po ramieniu i ruszyła w stronę dziewczyny. – Kiedy wreszcie z tego wyrośniesz, synu?

– Roz, przepraszam za to całe zamieszanie – zaczęła się tłumaczyć Hayley. – Trochę się przegrzałam i dlatego zrobiło mi się słabo, nic poza tym. Jutro zostanę dłużej w pracy, żeby odrobić dzisiejsze godziny.

– Łaska boska, dzięki temu nie będę musiała cię zwolnić. A czy teraz wreszcie ktoś mógłby mi wyjaśnić, co się tu, do diabła, dzieje?

– Po pierwsze, harowała jak dziki osioł i niemal doprowadziła się do udaru – odrzekł Harper.

– Trochę się zagalopowałam, i tyle, ale to nie oznacza jeszcze...

– Chyba już ci mówiłem, żebyś się uspokoiła, prawda?

Hayley z trzaskiem odstawiła filiżankę na spodek.

– Przestań się do mnie zwracać takim tonem!

Spojrzenie, które jej posłał, było złowróżbnie pobłażliwe.

– Ponieważ grzeczne słowa do ciebie nie docierają, wyrażę się dosadniej: po prostu wreszcie się zamknij! Była bliska udaru, zaciągnąłem ją więc do cienia i kazałem napić się wody – zaczął wyjaśniać, spoglądając w stronę Roz. – Przez chwilę rozmawialiśmy jak dwoje cywilizowanych ludzi, a potem doszło między nami do kłótni. I nagle Hayley przestała zachowywać się normalnie. Najzwyczajniej w świecie, zaczęła przez nią przemawiać Amelia.

– O, nie! Tylko dlatego, że wygadywałam głupoty, których nigdy nie powinnam...

– Hayley, to nie byłaś ty. Jej głos brzmiał zupełnie inaczej. – Harper spojrzał znacząco na Mitcha. – Mówiła też z zupełnie innym akcentem. Jak rodowita córa Memphis – nie było w jej głosie ani śladu akcentu z Arkansas. I te jej oczy! Nie wiem, jak to określić dokładnie... W każdym razie, były zimne... a ich wyraz... jakby dużo starszej osoby.

Hayley poczuła, że gwałtownie ściska ją w dołku.

– To niemożliwe – zaprotestowała.

– Dobrze wiesz, że tak właśnie było.

– W porządku. – Roz przysiadła obok dziewczyny. – A według ciebie, Hayley, co się wydarzyło?

– Nie czułam się najlepiej... z powodu upału. A potem posprzeczałam się z Harperem. Nadepnął mi na odcisk i ja się odgryzłam. Zaczęłam wygadywać różne bzdury. Powiedziałam... – Drżącą ręką chwyciła dłoń Rosalind. – Boże! O, Boże! Czułam się... tak, jakbym przemawiała z jakiejś wielkiej dali. Zupełnie nie wiem, jak to wyrazić. A jednocześnie przepełniała mnie straszna furia. Sama dobrze nie rozumiałam, co mówię. Prawdę powiedziawszy, wydawało mi się, że całkiem zamilkłam. A potem usłyszałam, jak Harper wykrzykuje moje imię, i znów ogarnęła mnie irytacja. Przez moment nic nie pamiętałam. Mój umysł pracował na zwolnionych obrotach – tak jak wtedy, gdy ktoś cię nagle wyrwie ze snu. Poza tym kręciło mi się w głowie.

– Hayley, czy coś podobnego już kiedyś ci się przytrafiło? – spytał Mitch łagodnym głosem.

– Nie. Nie wiem. Być może. – Hayley zacisnęła powieki. – Od jakiegoś czasu ogarniają mnie dziwne myśli i nastroje, które są mi zupełnie obce. Jestem rozdrażniona i pełna gniewu. O, Boże, co ja mam teraz robić?

– Przede wszystkim zachować spokój – zdecydował Harper. – Z pewnością razem jakoś temu zaradzimy.

– Dobrze ci mówić – odparowała z irytacją. – To nie ty zostałeś opętany przez psychopatycznego ducha.

# 7

Jak za starych, dobrych czasów – zauważyła Stella, gdy wraz z Roz i Hayley ulokowały się w saloniku na górze przy butelce białego wina.

– Powinnam dać Lily kolację.

Roz nalała wina do kieliszków, po czym sięgnęła po winogrono obtoczone w cukrze – przysmak przygotowany przez Davida.

– Daj spokój, Hayley. Dobrze wiesz, że Lily nie tylko zostanie nakarmiona, ale na dodatek owinie sobie wokół palca wszystkich tych obskakujących ją mężczyzn.

– To będzie doskonała praktyka dla Logana. Zastanawiamy się, czy nie sprawić sobie kolejnego dziecka.

– Naprawdę? – Pierwszy raz od kilku godzin Hayley szczerze się rozpromieniła. – To cudowny pomysł. Wasze dziecko na pewno będzie prześliczne, a Gavin i Luke wpadną w zachwyt, gdy dostaną małą siostrzyczkę lub braciszka.

– Na razie sprawa jest w fazie dyskusji, niewykluczone jednak, że w najbliższym czasie przejdziemy do działania.

– Już ci lepiej? – spytała Roz Hayley.

– Uhm. O wiele. Przepraszam za swoje idiotyczne zachowanie.

– Myślę, że dzisiaj ci to darujemy. Nie chciałaś wyjawić Mitchowi, o co posprzeczaliście się z Harperem – a więc co sprowokowało Amelię. Potrzebowałaś chwili, żeby się uspokoić, a potem kolejnej – żeby się wypłakać.

– No i dzięki temu zostałyśmy we własnym towarzystwie. Nic nie wypłasza szybciej mężczyzn z pokoju niż kobiece łzy.

– Rozumiem, że się nie zmartwiłaś, kiedy sobie poszli. – Roz spojrzała znacząco na Hayley i wrzuciła kolejne winogrono do ust. – Nie chciałaś opowiadać o swojej sprzeczce z Harperem Mitchowi. Nie chciałaś powtórzyć, co powiedziałaś Harperowi – a raczej, co mówiła mu Amelia.

Hayley nie śmiała spojrzeć jej w oczy, wbijała więc uparcie wzrok w talerz z winogronami, jakby pomiędzy połyskliwymi owocami był ukryty kod cudownego leku na raka.

– To, co zostało powiedziane, nie ma najmniejszego znaczenia. Ważne, że coś podobnego się wydarzyło. Myślę, że wszyscy powinniśmy...

– Dość tych bzdur – zdecydowała Roz łagodnym tonem. – Wszystko jest ważne, każdy szczegół ma znaczenie. Nie przycisnęłam jeszcze Harpera w tej sprawie, ale z pewnością to zrobię. Wolałabym jednak najpierw usłyszeć wszystko od ciebie. W tę sprawę każdy z nas jest zaangażowany na swój prywatny sposób. Schowaj więc swoją dumę do kieszeni, Hayley, i wreszcie wykrztuś z siebie prawdę.

– Tak cię przepraszam, Roz. Wykorzystałam cię. Nadużyłam twojej dobroci.

– A to niby jak?

Hayley dla kurażu pociągnęła spory łyk wina.

– Uderzyłam do Harpera.

– No i?

– No i...? – Hayley w pierwszej chwili zabrakło słów. – Przyjęłaś mnie pod swój dach. Mnie i Lily. Traktujesz nas jak rodzinę. Poza tym...

– Nie zachowuj się więc tak, żebym tego żałowała. Harper jest dorosłym mężczyzną i podejmuje samodzielnie decyzje w wielu kwestiach, między innymi dotyczących kobiet w jego życiu. Jeżeli, jak to nazywasz, uderzyłaś do niego, sam z pewnością wie, jak zablokować twoje „uderzenie" lub odpowiedzieć tym samym.

Hayley nie wierzyła własnym uszom. Tymczasem Roz podwinęła nogi pod siebie, podniosła kieliszek i upiła łyk wina.

– I o ile znam swojego syna, założę się, że odpowiedział ci tym samym.

– To się stało w kuchni. Ja sprowokowałam całą sytuację. To znaczy, tylko się całowaliśmy – dorzuciła szybko Hayley, gdy zdała sobie sprawę, jak zabrzmiały jej słowa. – Była przecież obok Lily, no i w ogóle...

– W kuchni... – mruknęła Rosalind.

– No właśnie. Pojmujesz, Roz? – Hayley zadrżała. – Tej samej nocy Oblubienica ją zdemolowała. Przecież to oczywiste, że nigdy by tego nic zrobiła, gdyby Harper mnie nie pociągał. Powiedziałam mu więc, że tak naprawdę nie jestem nim zainteresowana i tym prawdopodobnie zraniłam jego uczucia. Ale lepiej, żeby czuł się urażony, niżby miało go spotkać coś znacznie gorszego.

– Uh-hm... – Roz spojrzała na dziewczynę znad kieliszka. – Podejrzewam, że nie przyjął tego najlepiej.

– No właśnie. Tym bardziej że próbowałam zlekceważyć to, co między nami zaszło. Potem on powiedział parę nieprzyjemnych słów, które mnie wkurzyły. Bo sprawy wyglądały przecież inaczej. My tylko się całowaliśmy. Znaczy, pocałowaliśmy się dwa razy – sprostowała. – Ale przecież nie zdarliśmy z siebie ubrań i nie uprawialiśmy dzikiego seksu na podłodze.

– To byłoby raczej trudne w obecności Lily – zauważyła Roz.

– Jasne, ale... przede wszystkim, ja nie jestem taka, mimo że urodziłam nieślubne dziecko. Komuś mogę się wydawać przebojowa i wyzywająca, jednak w rzeczywistości...

– Nikomu tak się nie wydaje – weszła jej w słowo Stella. – Ani przez chwilę. Poza tym dobrze wiemy, jak to jest, gdy się tęskni do obecności drugiego człowieka w życiu. Obecności na chwilę lub na zawsze.

Roz się uśmiechnęła, pochyliła do przodu i stuknęła delikatnie kieliszkiem o kieliszek Stelli.

– Ładnie powiedziane.

– Dzięki.

– Zapomniałam już, na czym stanęłam – odezwała się po chwili Hayley.

– Starłaś się z Harperem – podsunęła usłużnie Stella. – Przebojowa, wyzywająca dziewczyno.

Hayley parsknęła śmiechem i od razu poczuła się dużo lepiej.

– Ano właśnie. Pokłóciliśmy się, a potem... jakbym zapadła się gdzieś w siebie. Z ust zaczęły mi wylatywać słowa, które nie były moje. Oświadczyłam, że wszyscy mężczyźni to kłamcy i oszuści, że chcą tylko przelecieć kobietę, a potem traktują ją jak tanią dziwkę. To było paskudne i krzywdzące. Szczególnie w odniesieniu do Harpera.

– Przede wszystkim musisz pamiętać, że tak naprawdę nie ty wypowiadałaś te słowa – przypomniała jej Stella. – Wszystko, co przed chwilą usłyszałyśmy, pokrywa się z naszą wiedzą na temat Amelii i pasuje do schematu jej myślenia. Mężczyźni są istotami wrogimi. A seks wyzwala najgorsze uczucia.

– W czasie sprzeczki, zanim jeszcze Amelia włączyła się do dyskusji, Harper musiał powiedzieć coś, co uznałaś za upokarzające.

Hayley ponownie chwyciła za kieliszek, spojrzała uważnie na Roz.

– On nie miał na myśli nic złego. To ja opacznie zrozumiałam jego słowa.

– Nie musisz usprawiedliwiać mojego syna. Wiem, że moim dzieciom daleko do doskonałości. Najważniejsze, że ty się poczułaś zraniona, i w tym momencie wkroczyła Amelia.

– Roz, chciałam ci powiedzieć, że nie zamierzam ciągnąć tej historii z Harperem. Nie zamierzam się z nim wiązać.

– Doprawdy? – Roz uniosła pytająco brwi. – A czego mu brakuje?

– Niczego! – Zdezorientowana, Hayley spojrzała na Stellę w poszukiwaniu pomocy, ale spotkała się jedynie z uśmiechem i wzruszeniem ramion. – Niczego mu nie brakuje.

– A więc pociąga cię mój syn, a jednak odrzucasz go, zanim cokolwiek między wami na dobre się zaczęło. Mogę wiedzieć, dlaczego?

– Cóż, bo to...

– Mój syn? – dokończyła za nią Roz. – W takim razie, czego mi brakuje?

– Niczego! – Hayley zakryła twarz dłońmi. – Jezu, jakie to strasznie krępujące.

– Mam nadzieję, że wyjaśnicie sobie wszystko z Harperem i łaskawie wyłączycie mnie z tego równania. Powiem ci tylko jedno, Hayley. I powiem ci to jako matka Harpera. Gdyby wiedział, że zatrzaskujesz mu drzwi przed nosem jedynie dlatego, żeby ochronić go przed ewentualnymi przykrościami, bez pytania i siłą sforsowałby wszystkie zamki. A ja bym mu tylko przyklasnęła.

– Nie mów mu o tym, proszę.

– Nie do mnie należy rozmowa z nim na ten temat. To twoja sprawa. – Roz podniosła się z fotela. – Idę na dół, żeby przedyskutować wszystko z Mitchem podczas kolacji. Ty, Hayley, jeszcze przez godzinę możesz się dąsać i boczyć. Oczekuję jednak, że zaraz potem weźmiesz się w garść.

Stella machnęła kieliszkiem w stronę Roz na pożegnanie, po czym pociągnęła długi łyk wina.

– Ona jest po prostu niesamowita, prawda?

– Nie zrobiłaś nic, żeby mi pomóc – poskarżyła się Hayley.

– Wręcz przeciwnie – zaoponowała Stella. – Bo chociaż zgadzałam się z każdym słowem wypowiadanym przez Roz, siedziałam cicho jak mysz pod miotłą. Więc pomagałam ci już przez to, że milczałam. Hej, widzę że idzie ci nieźle z tymi dąsami. A z przyznanej ci godziny upłynęło zaledwie parę minut.

– O, rany, zamknij się!

– Kocham cię, Hayley.

– Jasna cholera!

– I bardzo się o ciebie martwię. Wszyscy się martwimy. Dlatego próbujemy zrozumieć całą sytuację, zracjonalizować wydarzenia. I działać wspólnie, jak zgrana drużyna. Ty tymczasem musisz zdecydować, jak postąpić z Harperem – zdecydować, co będzie dla ciebie najlepsze w tych okolicznościach. Uważam jednak, że nie możesz dopuścić, by Amelia dyktowała ci, jak żyć.

– Nie bardzo wiem, jak ją powstrzymać. Ona jakimś cudem wdarła się do mojego umysłu, Stello!

Stella podniosła się z fotela, przysiadła obok niej na sofie i otoczyła przyjaciółkę ramieniem.

– Jestem cholernie przerażona – wyszeptała Hayley.

– Ja też.

Miała wrażenie, że stąpa po tłuczonym szkle – po ostrych jak brzytwa odłamkach. Zaczęła analizować każdą wykonywaną czynność, każdą swoją myśl i każde wypowiadane słowo.

Na razie wszystko wydawało się jej własne, zdecydowała, rozbierając się wieczorem. To na swoim podniebieniu czuła smak makaronu i sałatki ze świeżych pomidorów. To w jej głowie czaił się drobny, ale uporczywy ból. To ona sama położyła Lily w kołysce i otuliła córeczkę kocykiem.

Jak długo jednak zdoła tak drobiazgowo analizować każdą najdrobniejszą czynność, każdy wdech i wydech, nie popadając przy tym w obłęd?

Oczywiście, podejmie zdecydowane kroki, i to już jutro. Przede wszystkim obciąży swoją kartę kredytową zakupem laptopa. W Internecie zapewne znajdzie mnóstwo wiadomości na temat opętania.

Bo tak to się przecież nazywa. Opętanie.

Cała jej wiedza na ten temat pochodziła z powieści. I pomyśleć, że swego czasu wielką przyjemność sprawiał jej dreszczyk emocji, gdy czytała książki o siłach nadprzyrodzonych. Niewykluczone, że coś z tej lektury, mogłaby zastosować do swojej sytuacji. „Christine" Stevena Kinga to pierwsza powieść, jaka przyszła jej do głowy. Sęk w tym, że ona, Hayley, była kobietą, a nie starym autem, poza tym roztrzaskanie samochodu nie wydawało się zbyt praktycznym wyjściem. Tym bardziej że bohaterom powieści i tak nie pomogło.

Potem przypomniał jej się „Egzorcysta", ale przecież ona nie jest katoliczką – a na dodatek w książce chodziło o demona. Niemniej, Hayley nie wykluczała możliwości zwrócenia się o pomoc do duchownego, jeżeli sprawy przybrałyby drastyczniejszy obrót. W istocie, gdy poczuje, że coś z nią nie w porządku, pobiegnie do najbliższego kościoła.

Chociaż w gruncie rzeczy zapewne zbytnio dramatyzuje, zdecydowała, wkładając kusą koszulkę i bawełniane szorty. Podobny incydent wcale nie musi się przecież powtórzyć. Szczególnie gdy już jest świadoma sytuacji. Z pewnością w razie czego zdoła powstrzymać Amelię. Siłą woli, siłą własnej osobowości.

W związku z tym musi bardziej przyłożyć się do jogi. Kto wie, może ćwiczenia okażą się doskonałym remedium na opętanie.

Najpierw jednak zaczerpnie świeżego powietrza. Właśnie nadciągała burza, której tak wyczekiwała. Ciemne niebo przecinały błyskawice, z oddali dobiegały pomruki gromu. Hayley pomyślała, że warto by otworzyć szeroko tarasowe drzwi, aby do pokoju wpadły krople deszczu. A potem może poczytać coś lekkiego – jakąś zabawną, romantyczną powieść, która pomoże jej szybko zasnąć.

Podeszła do balkonu i z całej siły pociągnęła za klamkę.

I nagle wrzasnęła na całe gardło.

– Jezu! – Harper chwycił ją w objęcia, zanim wydała z siebie kolejny krzyk. – To tylko ja, a nie szaleniec z siekierą. Wyluzuj.

– Wyluzuj? Wyluzuj? Skradasz się przez taras, śmiertelnie mnie przerażasz, po czym mówisz, żebym się wyluzowała?

– Wcale się nie skradałem. Właśnie miałem zapukać, gdy otworzyłaś drzwi. Zdaje się, że uszkodziłaś mi bębenek w uchu.

– Dobrze ci tak. Co ty tu właściwie robisz? Za chwilę rozpęta się potężna burza.

– Po pierwsze, zobaczyłem światło w twoim pokoju i chciałem sprawdzić, czy wszystko u ciebie w porządku.

– Wszystko było w porządku, dopóki mnie nie przyprawiłeś o atak serca.

– To dobrze. – Obrzucił ją uważnym spojrzeniem. – Fajny strój.

– Och, daj spokój. – Zirytowana, skrzyżowała ręce na piersi. – W czymś takim biega się z dziećmi po podwórku.

– Owszem, widywałem cię już w tej roli. Po drugie, zastanawiałem się nad wydarzeniami dzisiejszego popołudnia.

– Harper, ja przez kilka godzin nie byłam w stanie myśleć o niczym innym. – Ze znużonym wyrazem twarzy przeczesała palcami włosy, po czym przycisnęła dłoń do czoła. – I myślę, że mam już zdecydowanie dosyć tych myśli na dzisiaj.

– Nie chcę, żebyś rozmyślała, chcę jedynie, żebyś odpowiedziała mi na pewne pytanie. – Ruszył przed siebie, żeby wejść do pokoju, jednak Hayley zdecydowanie pchnęła go do tyłu.

– Nie zaprosiłam cię do środka. I sądzę, że nie powinieneś tu przebywać, gdy jestem tak skąpo ubrana.

Uniósł w rozbawieniu brwi i oparł się leniwie o futrynę. Jakby to miejsce należało do niego. Co, skądinąd było oczywistym faktem.

– Posłuchaj. Mieszkasz tutaj już od półtora roku i przez ten czas jakoś udawało mi się nad sobą panować i nie rzuciłem się na ciebie. Zapewniam, że zdołam się powstrzymać jeszcze przez kilka minut.

– Czyżbyś był sarkastyczny?

– Przede wszystkim jestem wkurzony. A wkurzę się jeszcze bardziej, jeżeli dalej będziesz odstawiać heroinę dramatu i upierać się, żebyśmy prowadzili tę rozmowę w drzwiach.

Na ziemię spadły pierwsze, ciężkie krople deszczu i Harper uniósł ironicznie brew. Dokładnie tak samo, jak to często robiła jego matka.

– Och, w porządku. Wchodź. Nie ma sensu, żebyś sterczał na tarasie i mókł jak idiota.

– Rety, co za wspaniałomyślność. Wielkie dzięki.

– I nie zamykaj tych drzwi. Bo nie zabawisz tu długo.

– W porządku. – Owiał ich ostry podmuch wiatru, goniony przez huk gromu. Harper stanął na środku pokoju i wsunął ręce w kieszenie znoszonych dżinsów.

Haylcy nie mogła oderwać od niego oczu.

– Wiesz – odezwał się po chwili – kiedy już mniej więcej ochłonąłem po dzisiejszych atrakcjach, przeanalizowałem ostatnie wydarzenia i uderzyła mnie pewna szczególna myśl.

– Zamierzasz wygłaszać exposé, czy zadać mi pytanie?

Uniósł głowę, i mimo zszarganych dżinsów oraz bosych stóp, wyglądał w tym momencie bardzo władczo.

– Od czasu, gdy się tu zjawiłaś, często skakałaś mi do oczu. A ja to tolerowałem – z wielu powodów Teraz jednak nie zamierzam tego dłużej znosić. Ale, wracając do rzeczy, uderzyło mnie pewne następstwo wydarzeń. Przychodzisz do mojego domu, dajesz mi do zrozumienia, że cię pociągam, całujemy się, jest przeuroczo. Chcesz, żebyśmy nie działali pochopnie, ja nie zgłaszam obiekcji. Tymczasem przy naszym następnym spotkaniu, nieoczekiwanie oznajmiasz mi, że właściwie nie jesteś mną zainteresowana, że zadziałaś pod wpływem głupiego impulsu, i że ostatecznie nic wielkiego się nie wydarzyło, więc pozostańmy nadal tylko kumplami.

– Tak jest. Więc jeżeli twoje pytanie brzmi, czy zmieniłam zdanie...

– Nie. Brzmi zupełnie inaczej. Ale po kolei. Pomiędzy wspomnianymi interludiami nawiedza mnie rezydująca tu wariatka i postanawia zdemolować moją kuchnię. Tę kuchnię, która była sceną interludium numer jeden. Ciekawi mnie więc, jak wyczyn Amelii ma się do interludium numer dwa?

– Zupełnie nie wiem, o czym mówisz.

– Kłamiesz, Hayley. Kłamiesz w żywe oczy.

Wiedziała, że na jej twarzy pojawia się żałosny wyraz, ale mimo najszczerszych chęci nie mogła nad nim zapanować.

– Harper, byłabym wdzięczna, gdybyś już sobie poszedł. Jestem zmęczona i boli mnie głowa. Ten dzień nie należał do najprzyjemniejszych w moim życiu.

– Wycofałaś się, bo zrozumiałaś, że Amelia nie życzy sobie naszego związku. Wystarczyło, że wysłała drobne ostrzeżenie, a ty natychmiast się poddałaś.

– Wycofałam się, bo tak chciałam. I to powinno ci wystarczyć.

– Wystarczyłoby, gdyby tak było naprawdę. Ale wiem, że nie jest. Nie zamierzam ci się narzucać, Hayley. Ani tobie, ani jakiejkolwiek kobiecie, która mnie rzeczywiście nie chce u swego boku. Jestem na to zbyt dumny i zbyt dobrze wychowany.

Postąpił krok w jej stronę.

– I z tego samego powodu nie uciekam od konfrontacji, a także nie pozwalam, by ktoś na siłę chronił mnie przed ewentualnymi problemami.

Przekrzywił kpiąco głowę i zaczął kołysać się na piętach.

– Dlatego przypadkiem nie próbuj, Hayley, w głupi sposób osłaniać mnie przed Amelią.

Nerwowo skrzyżowała ręce na piersi.

– Mówiłeś, że nie będziesz wywierać na mnie presji, nie będziesz poganiać, a tymczasem na swój sposób przyciskasz mnie do muru, więc...

– Pragnę cię od chwili, gdy pierwszy raz cię zobaczyłem.

– Nie... to niemożliwe...

– Tylko rzuciłem na ciebie okiem – i stanąłem jak porażony. – Patrzył jej prosto w twarz. – Pamiętam, że na twój widok zacząłem się jąkać. Z trudem wykrztusiłem parę słów.

– O, Boże! – Hayley miała wrażenie, że za chwilę serce wyskoczy jej z piersi. – Nie powinieneś mi mówić takich rzeczy. To nie fair.

– Być może. – Na jego ustach zatańczył uśmiech, w oczach pojawił się łobuzerski błysk. – W tej sytuacji nie pozostaje mi jednak nic innego, jak zachować się nie fair. – Chwycił ją za rękę i przyciągnął gwałtownie do siebie.

– Harper, w żadnym razie nie powinniśmy... – Urwała, bo nagle nie była już w stanie zebrać myśli. Ich ciała tak idealnie do siebie przylegały, że aż wszystko w niej zadrżało z radości.

– O, rany – mruknęła. – Uhm...

Chwilę później jego usta przywarły do jej warg. Pocałunek był długi, namiętny, narkotyzujący. Jego dłonie delikatnie wędrowały po jej ciele. Dotykał jej, jak dotyka kobiety pewny siebie mężczyzna, przekonany, że może sobie pozwolić na wszystko.

Czuła, jak coś w niej mięknie, jak cała topnieje. Czy mogła nie poddać się temu magicznemu dotykowi? Jęknęła cicho, a jej dłonie, do tej pory mocno ściskające ramiona Harpera, opadły bezwładnie.

Kiedy oderwał wargi od jej warg, spojrzała na niego zamglonym wzrokiem.

– Hayley?

– Mm...?

– Tak się nie zachowuje kobieta, która nie jest zainteresowana mężczyzną.

Udało jej się znowu położyć rękę na jego ramieniu, ale nie zdołała go od siebie odepchnąć.

– To było podstępne – wyszeptała.

– Dlaczego?

– Z powodu... twoich ust. – Nie mogła oderwać od nich wzroku. – Powinieneś mieć specjalną licencję na całowanie.

– A skąd wiesz, że nie mam?

– W takim razie... może zrobisz to jeszcze raz?

– Właśnie miałem taki zamiar.

Tym razem miała wrażenie, że liżą ją gorące płomyki.

– Harperze...

– Hm...?

– Musimy przestać. – Nie mogła się powstrzymać, by delikatnie nie skubnąć jego dolnej wargi. – Jak najszybciej.

– Dobrze. Daj mi tylko drobny tydzień.

Parsknęła śmiechem, ale natychmiast zadrżała, bo tym razem jego usta zaczęły błądzić w pobliżu jej ucha.

– Jak przyjemnie... wprost fenomenalnie. Niemniej uważam, że powinniśmy się powstrzymać... Och... To takie...

Odrzuciła głowę, gdy zaczął całować jej szyję i nagle aż oniemiała z przerażenia.

– Nie!

Rzuciła się w jego ramionach, on jednak tylko przycisnął ją mocniej do siebie.

– O co chodzi? Obiecany tydzień jeszcze nie minął.

– Harper, na Boga, przestań! Tylko spójrz!

W drzwiach tarasowych na tle przecinanego błyskawicami nieba, majaczyła postać Amelii. Przez jej efemeryczne kształty przeświecały targane wichrem drzewa i snujące się nisko ciężkie chmury, przywodzące na myśl zaciśniętą pięść.

Długie, jasne włosy Oblubienicy były matowe i splątane, z jej białej koszuli spływało błoto na bose, pokrwawione stopy. W jednym ręku zjawa trzymała długie, zakrzywione ostrze, w drugim – zwój konopnego sznura. Jej twarz zastygła w maskę lodowatej furii.

– Ty też ją widzisz? Błagam, powiedz, że widzisz to, co ja. – Hayley zadrżała ze strachu i chłodu.

– Uhm. Widzę. – Jednym, płynnym ruchem przesunął się tak, by Hayley znalazła się za jego plecami. – Musisz się z tym pogodzić – zwrócił się do Amelii. – Ty umarłaś. My jednak żyjemy.

Potężny podmuch zwalił go z nóg i pchnął dwa metry w tył, tak że uderzył plecami o ścianę. Zanim poderwał się z powrotem na nogi, poczuł w ustach krew.

– Przestań! Przestań natychmiast! – wykrzyknęła Hayley, walcząc z lodowatą wichurą, by przedrzeć się w stronę Harpera. – To przecież twój praprawnuk! Krew z twojej krwi, kość z kości. Kiedy był mały, śpiewałaś mu do snu. Nie wolno ci go teraz krzywdzić!

Ruszyła w stronę tarasu, choć tak naprawdę nie miała pojęcia, co zrobi, gdy już znajdzie się naprzeciwko Amelii. Zanim Harper zdążył zareagować, wciągnął ją powietrzny wir i rzucił na podłogę. Hayley wydało się, że słyszy krzyk – krzyk wściekłości lub rozpaczy. A potem nie słyszała już nic poza pomrukami oddalającej się burzy.

– Czyś ty oszalała? – Harper dobiegł do dziewczyny, przyklęknął obok i chwycił ją w ramiona.

– Nie. A ty? To nie mnie leci teraz krew z wargi.

Otarł usta wierzchem dłoni.

– Zrobiła ci coś złego? – spytał.

– Nie. I na szczęście poszła sobie. Zniknęła. Jezu, Harperze, ona miała w ręku nóż.

– Nie nóż, tylko sierp. I, owszem, to coś całkiem nowego.

– Ostrze nie było prawdziwe, prawda? To znaczy, Oblubienica jest przecież bezcielesna, więc wszystko, co ma przy sobie, również musi być niematerialne. Nie może nas tym czymś pokroić na kawałki... Jak myślisz?

– Nie, nie może – odparł Harper, zastanawiając się jednocześnie, czy zjawa może sprawić, by człowiekowi się wydawało, że został zraniony, lub by sam się zranił, rzucając się do gorączkowej obrony.

Hayley wciąż nie podnosiła się z podłogi. Opierała głowę o ramię Harpera i spoglądając na otwarte drzwi tarasu, próbowała uspokoić oddech.

– Kiedy tu zamieszkałam... – odezwała się po chwili – ...kiedy byłam jeszcze w ciąży, Oblubienica czasami przychodziła do mojego pokoju. Naturalnie, jej wizyty były dość niesamowite, ale także kojące. Miałam wrażenie, że przychodzi, by sprawdzić czy wszystko ze mną w porządku. Że się o mnie troszczy. Wyczuwałam też jej smutek i tęsknotę do czegoś dla niej niedostępnego. A tymczasem teraz...

Poderwała się gwałtownie na nogi i rzuciła do drzwi, bo w tym momencie z monitora popłynęły tony rzewnej kołysanki.

Hayley była szybka, ale Harper – jeszcze szybszy. Pierwszy dopadł pokoju dziecinnego, a potem zablokował ramieniem wejście.

– Wszystko w porządku. Nic złego się nie dzieje. Nie budźmy Lily.

Mała spała zwinięta pod kocykiem z ulubionym, pluszowym pieskiem u boku. W bujanym fotelu siedziała Amelia i śpiewała swoją kołysankę. Była ubrana w szarą sukienkę, miała włosy starannie upięte na czubku głowy, a na jej twarzy malował się wyraz smutku i spokoju.

– Jak tu zimno.

– Lily tego nie czuje. W dzieciństwie ta niska temperatura nigdy mi nie przeszkadzała, choć nie mam pojęcia, jak to się działo.

Amelia obróciła się na fotelu i spojrzała w ich stronę. Na jej twarzy, oprócz smutku, widać było teraz także skruchę. Wciąż śpiewała niskim, słodkim głosem, ale w tej chwili nie spuszczała wzroku z Harpera.

Kiedy skończyła swoją kołysankę, powoli się rozpłynęła.

– Przez chwilę śpiewała dla ciebie – powiedziała Hayley. – Jakaś jej cząstka pamięta cię, wie, kim jesteś, i żałuje swojego postępku. To musi być straszne uczucie, gdy od ponad stu lat jest się niespełna rozumu.

Oboje podeszli do kołyski i Hayley szczelniej otuliła córeczkę kocykiem.

– Lily ma się świetnie, Hayley. Śpi jak aniołek. Chodźmy stąd.

– Czasami wydaje mi się, że już dłużej nie zniosę tej huśtawki nastrojów. – Hayley przeczesała palcami włosy, wychodząc do holu. – W jednej chwili Oblubienica nami poniewiera, w następnej jak gdyby nigdy nic śpiewa kołysanki.

– Jest kompletnie szalona – przypomniał jej Harper. – Niewykluczone jednak, że chce w ten sposób powiedzieć, iż może zaatakować mnie lub ciebie, ale nigdy nie skrzywdzi Lily.

– A jeżeli ja zrobię coś złego własnemu dziecku? Jeżeli Oblubienica zawładnie moim umysłem tak jak nad stawem i zmusi mnie do skrzywdzenia Lily lub innej, bliskiej mi osoby?

– Nigdy do tego nie dojdzie. Ty jej na to nie pozwolisz. Usiądź na moment. Czy miałabyś na coś ochotę? Na szklankę wody na przykład?

– Nie.

Oboje przysiedli na brzegu łóżka.

– Posłuchaj, Hayley, Amelia nigdy nie skrzywdziła nikogo w tym domu. Może miała taki zamiar, może nawet próbowała, ale nigdy nie posunęła się do ostateczności. – Chwycił dziewczynę za rękę, a gdy poczuł, jaka jest zimna, zaczął delikatnie rozcierać dłoń. – Z pewnością w tradycji rodzinnej zachowałby się jakiś przekaz, gdyby oszalała kobieta zaatakowała kogokolwiek z Harperów. Czy choćby ze służby. Natychmiast zgłoszono by to na policję, a delikwentkę zamknięto w więzieniu lub w domu dla obłąkanych.

– Pewnie masz rację. Jak jednak wytłumaczysz ten sierp i sznur? Dla mnie wygląda to tak, jakby chciała powiedzieć: „Za chwilę kogoś zwiążę i pokroję na kawałki".

– Nikt w Harper House nigdy nie został pokrojony na kawałki. – Harper wstał i podszedł do tarasowych drzwi, żeby je zamknąć.

– Z tego, co wiemy.

– OK. Z tego, co wiemy. – Z powrotem usiadł obok niej. – Opowiemy o tych wydarzeniach Mitchowi. Może w tej sytuacji powinien przejrzeć archiwa policyjne. Tak na wszelki wypadek.

– Potrafisz być niesamowicie chłodny i opanowany – odezwała się Hayley po chwili. – A jednocześnie zawsze mi się wydawało, że masz wybuchowy temperament. Dochodzę do wniosku, że wcale nie znam cię tak dobrze, jak sądziłam.

– Hayley, wróćmy do mojego pytania.

Westchnęła i wbiła wzrok w swoje dłonie.

– Zrozumiałam, że nie mogę się z tobą kochać. Chociaż bardzo chciałam. Zrozumiałam, że jeżeli to zrobię, ona cię skrzywdzi. – Spojrzała Harperowi w oczy. – Twoje podejrzenia były słuszne.

– Wiedziałem – odrzekł z uśmiechem.

– Wydaje ci się, że jesteś tak cholernie bystry i inteligentny, co? – Żartobliwie szturchnęła go w ramię.

– Bo jestem. Jak nie wierzysz, zapytaj moją mamę, ale kiedy będzie w dobrym humorze.

– To nie ... – Potrząsnęła głową, poderwała się z łóżka i zaczęła krążyć po pokoju. – Słuchaj, tak bardzo się staram panować nad swoimi uczuciami i pragnieniami. Najprościej byłoby wreszcie przestać je tłumić i rzucić ci się w ramiona.

– Nie przypominam sobie, żebym miał coś przeciwko temu.

– Nie wiedziałam, że pociągam cię jako kobieta. A teraz, gdy już mam tego świadomość, wszystko się zmieniło. Nigdy nikt tak mnie nie całował jak ty. Gdyby tego wieczoru Amelia nie zachowała się w taki sposób, najprawdopodobniej bylibyśmy teraz razem w łóżku, bo nie zdołałabym ci się oprzeć.

– To, co mówisz, nie usposabia mnie przychylniej do mojej praprababki.

– Ja też w tej chwili nie czuję do niej szczególnej sympatii. Dzięki jej interwencji miałam jednak czas zastanowić się nad tym, co robię. Nie poddałam się bezrefleksyjnie impulsowi. – Hayley przysiadła na poręczy fotela. – Nie jestem pruderyjna, seks mnie nie onieśmiela, myślę więc, że gdybyśmy byli w innej sytuacji, w zupełnie innym miejscu, zostalibyśmy kochankami. Tak po prostu, bez żadnych komplikacji.

– Czemu ludzie uważają, że miłość powinna wykluczać komplikacje?

Hayley pokręciła głową i zmarszczyła brwi.

– Dobre pytanie. Nie mam pojęcia.

– Wydaje mi się... – Harper podniósł się z łóżka i ruszył w jej stronę – ...że jedynie drobne miłostki są z założenia nieskomplikowane. To naturalne. Ale jeśli dwoje ludzi zostaje prawdziwymi kochankami, na dłużej niż parę nocy, wówczas ten związek musi z natury rzeczy pociągać za sobą różne komplikacje.

– To racja. Trudno się z tobą nie zgodzić. Ale zanim zdecydujemy się na taki krok, musimy przemyśleć wiele spraw. Jest mnóstwo rzeczy, których nie wiemy o sobie nawzajem, a może powinniśmy wiedzieć.

– Co powiesz na kolację?

Spojrzała na niego ze zdumieniem.

– Jesteś głodny?

– Nie, Hayley. Zapraszam cię na randkę. Pojedziemy do miasta, zjemy coś, posłuchamy muzyki.

– To byłoby miłe.

– Może więc jutro?

– Jeżeli tylko twoja mama lub Stella zgodzą się zająć Lily. Ach, i musimy im opowiedzieć o dzisiejszych wydarzeniach. O zachowaniu Amelii.

– Zrobimy to rano.

– Głupio to wszystko zabrzmi... trzeba będzie wyjaśnić, czemu tu przyszedłeś i co robiliśmy, kiedy...

– Nieprawda, to wcale nie zabrzmi głupio. – Ujął w dłonie jej twarz i pocałował ją delikatnie w usta. – Już wszystko w porządku?

– Uhm. – Mimowolnie zerknęła w stronę drzwi na taras. – Burza mija. Najlepszy moment, żebyś wrócił do siebie, zanim się na nowo rozpada.

– Prześpię się w dawnym pokoju Stelli.

– Nie musisz tego robić.

– Dzięki temu oboje będziemy spać spokojniej.

Rzeczywiście czuła się lepiej, chociaż świadomość, że Harper jest tak niedaleko, przez jakiś czas nie pozwalała jej zasnąć. Hayley wyobrażała sobie, że po cichu, na palcach, przemyka się przez hol i kładzie u boku Harpera.

Była przekonana, że dopiero wtedy naprawdę mogliby spać w spokoju.

Postanowiła jednak zachowywać się dojrzale i rozsądnie – co wydawało się teraz ciężarem nie do zniesienia.

Ale poczuła się jeszcze gorzej, gdy sobie uświadomiła, że jej uczucia do Harpera są o wiele głębsze, niż wcześniej przypuszczała. Chyba ogólnie dobrze się stało?, zapytywała się nieustannie w duchu, niespokojnie przewracając się z boku na bok. Ostatecznie nie jest żadną wywłoką, wskakującą facetowi do łóżka tylko dlatego, że był przystojny i seksowny.

Z powodu Lily niektórzy mogliby myśleć inaczej, ale popełniliby poważny błąd. Hayley lubiła ojca Lily. Uważała go za przyjaciela. Może zachowała się nieodpowiedzialnie, ale nie niemoralnie.

Poza tym bardzo chciała tego dziecka. Wprawdzie nie od samego początku, to fakt. Ale gdy zapanowała nad paniką i żalem, gdy uporała się z gniewem, cieszyła się, że zostanie matką. Nigdy nie pragnęła niczego bardziej na świecie niż swojego maleństwa.

Swojego ślicznego maleństwa.

Od jego ojca nie wzięła nic, o nic nie prosiła tego pozbawionego charakteru, egoistycznego sukinsyna, który tak haniebnie ją wykorzystał, gdy była pogrążona w żałobie. I postąpiła słusznie. Postąpiła wyjątkowo roztropnie, nie mówiąc mu o ciąży i wyjeżdżając z miasta. W ten sposób dziecko należało do niej i tylko do niej. Już na zawsze.

Ale przecież mogła dostać w życiu więcej, czyż nie? Po prostu podeszła do sprawy od złej strony. Czemu w ogóle miałaby pracować? Harować w pocie czoła, godzić się na jeden skromny pokój w wielkim domu, podczas gdy ta cała rezydencja mogłaby się stać jej własnością. Jej i jej dziecka.

On jej pożądał. Mogła to wykorzystać. O, tak, przecież świetnie wiedziała, jak manipulować mężczyznami. Sprawi, że ów panicz przyjdzie do niej na klęczkach, a potem przywiąże go do siebie już na zawsze.

Zanim z nim skończy, Harper House będzie należeć do niej i jej maleństwa.

I w końcu sprawiedliwości stanie się zadość.

# 8

*H*ayley stała w cieplarni i przyglądała się, jak Roz przygotowuje do rozmnażania sadzonki prusznika.

– Jesteś pewna, że nie masz nic przeciwko temu, by popilnować Lily?

– Czemu miałabym mieć coś przeciwko? Pod twoją nieobecność będziemy z Mitchem mogli rozpieszczać ją do woli.

– Ona cię uwielbia, Roz. Co nie zmienia faktu, że ta cała sytuacja wydaje mi się strasznie zawstydzająca.

– Zupełnie nie wiem, co widzisz zawstydzającego w randce z Harperem. Przecież to przystojny, czarujący młody człowiek.

– Twój młody człowiek.

– Owszem. – Roz zanurzyła kolejny pęd w roztworze ukorzeniającym. – Szczęściara ze mnie, prawda? Poza nim mam jeszcze dwóch przystojnych, uroczych młodych mężczyzn i wcale bym się nie zdziwiła, gdyby dzisiejszego wieczoru oni też wybierali się na randki.

– Ale Harper jest wyjątkowy. To twój pierworodny, poza tym partner w interesach. A ja u ciebie pracuję.

– Już to przerabiałyśmy, Hayley.

– Tak, wiem. – Dobrze znała ten pełen zniecierpliwienia ton. – Ale jakoś nie potrafię podchodzić do tego tak lekko jak ty.

– Mogłabyś, gdybyś się tylko trochę postarała. Posłuchaj mojej rady: zrelaksuj się i baw dobrze na tej randce. – Roz obrzuciła dziewczynę bacznym spojrzeniem. – Nie zaszkodziłoby, gdybyś przed wyjściem ucięła sobie drzemkę. Dzięki temu nie miałabyś takich cieni pod oczami.

– Nie spałam najlepiej tej nocy.

– I nic dziwnego, biorąc pod uwagę okoliczności.

Dzisiaj w cieplarni rozlegały się tony jakiejś skomplikowanej muzyki fortepianowej, bardzo romantycznej w charakterze. Hayley jednak umiała teraz lepiej rozpoznawać rośliny niż klasycznych kompozytorów.

– Męczą mnie też ostatnio niesamowite sny. A przynajmniej tak mi się wydaje. Jednak po przebudzeniu nie pamiętam ich zbyt wyraziście. Roz, czy w związku z wczorajszym incydentem, nie jesteś przerażona?

– Raczej zaniepokojona. Proszę, możesz się teraz zająć tymi prusznikami. – Przesunęła się w bok, by zrobić Hayley więcej miejsca do pracy. – No i wkurzona. Nikt oprócz mnie nie ma prawa podnosić ręki na mojego chłopca. Więc jeżeli tylko nadarzy się ku temu sposobność, wyłożę to Amelii jasno i dobitnie. Bardzo dobrze – pochwaliła dziewczynę, obserwując, jak sobie radzi. – Te lekko zdrewniałe pędy potrzebują środka ukorzeniającego o niskiej wilgotności, bo inaczej zaczną gnić.

– Niewykluczone, że ona wzięła ten sierp i sznur z powozowni. To znaczy wtedy, przed wiekiem, kiedy jeszcze żyła. Może próbowała zrobić z nich użytek, ale ktoś ją powstrzymał.

– Bardzo dużo w tej historii domysłów i przypuszczeń, Hayley. Skoro Beatrice nigdy więcej nie wspomina o Amelii w swoich pamiętnikach, musimy pogodzić się z tym, że być może nigdy nie poznamy dziejów Oblubienicy.

– A wtedy może już nigdy się jej nie pozbędziemy. Słuchaj, Roz, w tym kraju jest wielu ekspertów od zjawisk paranormalnych, którzy podejmują się oczyszczenia domu z sił nadprzyrodzonych. – Hayley zerknęła na Roz i zmarszczyła brwi. – Nie rozumiem, czemu się tak uśmiechasz. To nie jest wcale głupi pomysł.

– Po prostu wyobraziłam sobie, jak po Harper House biegają ludzie z miotłami, wiadrami i tym szczególnym rodzajem broni, jakiej używał Bill Murray w „Pogromcach duchów”.

– To był miotacz protonowy, zupełnie nie wiem, dlaczego to zapamiętałam. Ale naprawdę, Roz, choć to rzeczywiście dość niekonwencjonalna gałąź nauki, jest jednak uprawiana przez poważnych ludzi, liczących się badaczy. Przecież nigdy nie wiadomo, czy nie będziemy w końcu potrzebować pomocy z zewnątrz.

– Gdy do tego dojdzie, zastanowimy się nad twoją propozycją.

– Przejrzałam kilka stosownych witryn w Internecie.

– Hayley...

– Wiem, wiem. Mówię o tym tak na wszelki wypadek.

W tym samym momencie otworzyły się drzwi i w progu niespodziewanie stanął Mitch. Miał taki wyraz twarzy, że Hayley mimowolnie wstrzymała oddech.

– Myślę, że odkryłem jej tożsamość. Ile czasu wam potrzeba, żebyście mogły skończyć najpilniejsze prace i przyjechać do domu?

– Uwiniemy się w godzinę – zdecydowała Roz. – Ale, na Boga, Mitchell, nie każ nam tak długo czekać. Kim ona była?

– Nazywała się Amelia Connor. Amelia Ellen Connor, urodzona w Memphis dwunastego maja tysiąc osiemset sześćdziesiątego ósmego roku. Nie istnieje oficjalny akt jej zgonu.

– Jakim cudem...

– Wszystko wam opowiem w domu. – Obdarzył żonę szerokim uśmiechem. – Zbieraj swoją gwardię, Rosalind. Spotkamy się w bibliotece.

– Och, do diabła – mruknęła, gdy Mitch zniknął za drzwiami. – Czyż to nie typowo męskie zagranie? Ja już tu skończę, Hayley. Ty idź i powiadom Harpera oraz Stellę, żeby wszystko zostawili i się zbierali. Zaraz, zaraz... niech pomyślę... – Przycisnęła dłonie do skroni. – Stella może zawiadomić Logana, jeżeli chce, żeby posłuchał rewelacji Mitchella. Och, jeśli pozostawimy centrum na głowie Ruby, trzeba jej przypomnieć, żeby wszystko dobrze pozamykała. Wygląda na to, że dzisiaj skończymy kilka godzin wcześniej niż zwykle.

Amelia Ellen Connor. Stojąc w wielkim holu Harper House, Hayley zacisnęła powieki i zaczęła w myślach powtarzać to nazwisko. Nic się jednak nie stało, nie spłynęło na nią żadne światło, nie pojawiła się żadna wizja. Poczuła się trochę idiotycznie, bo była niemal pewna, że coś się musi wydarzyć, gdy stanie w domu i skoncentruje się, myśląc o nazwisku zjawy.

Spróbowała je więc wypowiedzieć po cichu, jednak to także nie przyniosło pożądanych rezultatów. Na czym najbardziej zależało zjawie?, pomyślała Hayley. Chyba na tym, aby ktoś odkrył, kim była naprawdę.

– Amelio Ellen Connor – odezwała się głośno. – Oznajmiam wszem wobec, że byłaś matką Reginalda Edwarda Harpera.

Odpowiedziała jej tylko głucha cisza. Poza tym doleciał do niej zapach olejku cytrynowego Davida oraz aromat róż przyniesionych do domu przez Roz.

Z silnym postanowieniem, że nikogo nie poinformuje o swoim nieudanym eksperymencie, Hayley skierowała się ku bibliotece.

Zastała tam już Rosalind oraz Mitcha stukającego w klawisze laptopa.

– Twierdzi, że chce zapisać fakty, póki jeszcze ma je świeżo w pamięci – oznajmiła Roz z wyraźną irytacją w głosie. – Stella jest w kuchni, z Davidem. Jej chłopcy spędzają dzisiejsze popołudnie u dziadków. Logan przyjdzie, kiedy przyjdzie. Podobnie jak Harper, o ile znam życie.

– Powiedział, że musi tylko skończyć... – Hayley bezradnie wzruszyła ramionami. – To, co ma do skończenia.

– Siadaj. – Roz machnęła ręką w bliżej nieokreślonym kierunku. – Doktor Carnegie najwyraźniej postanowił wystawić naszą cierpliwość na poważną próbę.

– Mrożona herbata i ciasteczka cytrynowe – zaanonsował David, pchając przed sobą wózek. Tuż za nim postępowała Stella. – Już go złamałaś? – Skinął głową w stronę Mitcha.

– Jeszcze nie, ale niewiele brakuje, bym się do niego zabrała na poważnie. Mitch!

– Daj mi pięć minut.

– Banalne, nieskomplikowane nazwisko, prawda? – Hayley wzruszyła ramionami, gdy Roz posłała jej zdumione spojrzenie. – Przepraszam, akurat przyszło mi to do głowy. Amelia brzmi słodko i kobieco. A Ellen Connor – solidnie i bezpretensjonalnie. Można by się spodziewać drugiego imienia równie słodkiego. I do tego egzotycznego nazwiska. Z drugiej strony „Amelia" oznacza „pracowita" – wiem, bo sprawdziłam.

– Czemu mnie to wcale nie dziwi? – spytała Roz przyjaznym tonem.

– Brzmienie tego imienia jest takie niespójne z jego znaczeniem. Natomiast Ellen to jedna z form imienia Helena. Natychmiast przychodzi mi na myśl Helena Trojańska – więc choć to imię wydaje się takie banalne i popularne, w gruncie rzeczy okazuje się fascynujące i niebywale kobiece. Chociaż nie mam pojęcia, czemu opowiadam takie rzeczy. Przecież nie mają najmniejszego znaczenia.

– Niemniej, to interesujące, jakimi drogami chadzają twoje myśli. A oto i reszta naszej szczęśliwej gromadki.

– Spotkaliśmy się z Harperem tuż przed wejściem. – Logan podszedł do Stelli i pocałował ją w policzek. – Przepraszam, jestem strasznie spocony. Przyjechałem prosto z pracy. – Chwycił szklankę z mrożoną herbatą i duszkiem wypił całą jej zawartość.

– I co teraz? – Harper porwał z talerzyka trzy ciastka i opadł na fotel. – A więc mamy już jej nazwisko, czy z tego powodu powinniśmy triumfalnie zadąć w trąby?

– To imponujące, że Mitch zdołał odkryć jej tożsamość, dysponując tak skąpymi informacjami – zauważyła Hayley.

– Tego nie neguję, pytam tylko, na co nam się to przyda.

– Przede wszystkim chciałabym usłyszeć, Mitch, jak udało ci się ustalić jej nazwisko – odezwała się Roz, bardzo już zniecierpliwiona. – I bardzo cię proszę, nie zmuszaj mnie, żebym zrobiła ci coś złego na oczach dzieci.

– W porządku. – Mitch odsunął się od klawiatury, zdjął okulary i zaczął je czyścić o koszulę. – Reginald Harper był właścicielem kilku nieruchomości, w tym budynków mieszkalnych. Zarówno tu, w okręgu Shelby, jak i w okolicznych hrabstwach. Większość z nich, oczywiście, oddawał w dzierżawę lub wynajmował – ciągnął z nich zyski, tratował jak inwestycję. W starych rejestrach znalazłem jednak i takie domy, które, choć w różnych okresach miewały lokatorów, nigdy nie przynosiły żadnego dochodu.

– Drobne machlojki w księgowości? – podsunął Harper.

– To niewykluczone. Ja jednak sądzę, że w tych domach Reginald lokował swoje kochanki.

– Kochanki? – Logan sięgnął po kolejną szklankę herbaty. – Facet musiał się nieźle uwijać.

– W swoich pamiętnikach Beatrice pisze o kobietach, nie o jednej kobiecie. Poza tym, wiemy już, że był to człowiek przemyślny, zorganizowany i systematycznie dążący do celu. Jeżeli więc chciał mieć syna, z pewnością postarał się o kilka kandydatek na matkę, i utrzymywał je, póki nie dostał tego, czego pragnął. Wiemy też skądinąd, że Amelia pochodziła z Memphis, skoncentrowałem się więc na nieruchomościach w mieście.

– Wątpię, czy zgłosiłby kochankę jako oficjalną lokatorkę.

– Z pewnością by tego nie zrobił. Ja jednak przejrzałem dawne spisy ludności. Najpierw przeraził mnie ogrom nazwisk, potem jednak mnie oświeciło i postanowiłem sprawdzić tylko roczniki od nabycia nieruchomości przez Reginalda do tysiąc osiemset dziewięćdziesiątego drugiego roku. To wciąż jeszcze była mozolna robota, ale w spisie z tysiąc osiemset dziewięćdziesiątego znalazłem to, czego szukałem.

Powiódł wzrokiem po pokoju i zatrzymał spojrzenie na wózku.

– Czy to ciasteczka?

– Jezu, David, daj mu kilka ciastek, zanim go zamorduję. Co znalazłeś w tym spisie?

– Amelię Ellen Connor, rezydentkę w jednym z domów Reginalda. Z tych, które nie przynosiły żadnego dochodu – w przypadku tej konkretnej nieruchomości od połowy tysiąc osiemset dziewięćdziesiątego do marca tysiąc osiemset dziewięćdziesiątego trzeciego.

– To z pewnością nasza Amelia – potwierdziła Stella. – Nie wierzę, by mogło być inaczej.

– Jeżeli nie o nią by chodziło, to rzeczywiście mielibyśmy do czynienia z wręcz nieprawdopodobnym zbiegiem okoliczności. – Mitch rzucił okulary na stół. – Bardzo skrupulatny księgowy Reginalda zapisał wszystkie wydatki – skądinąd znaczne – ponoszone przez pryncypała w okresie, gdy wspomniana nieruchomość była ponoć niezamieszkana. Natomiast dla potrzeb spisu ludności, Amelia Connor podała ten dom, jako miejsce swojego stałego zamieszkania. W lutym dziewięćdziesiątego trzeciego roku zanotowano zwiększone wydatki na rzecz owej nieruchomości, w związku z dzierżawą nowym podnajemcom. Natomiast w roku tysiąc osiemset dziewięćdziesiątym dziewiątym dom został sprzedany.

– A więc przynajmniej wiemy, że jeszcze kilka miesięcy po urodzeniu dziecka Oblubienica mieszkała w Memphis – podsumowała Hayley.

– Wiemy dużo więcej – ogłosił z dumą Mitch, wsuwając na nos okulary i spoglądając w swoje notatki. – Była córką Thomasa Edwarda Connora oraz Mary Kathleen Connor z domu Bingham. Amelia podała oficjalnie, że jej rodzice zmarli, ale tak naprawdę w owym czasie tylko jej ojciec już nie żył – pochowano go w roku tysiąc osiemset osiemdziesiątym szóstym. Matka natomiast cieszyła się dobrym zdrowiem i pożegnała się z tym światem dopiero w jedenaście lat później. Notabene pracowała jako służąca rodziny Lucerne w domu stojącym nad rzeką, znanym jako…

– Dom „Pod Wierzbami" – weszła mu w zdanie Roz. – Doskonale znam tę rezydencję. Jest jeszcze starsza od Harper House. Jakieś… hm… dwadzieścia lat temu została odrestaurowana i przerobiona nad pensjonat.

– Tak czy owak tam właśnie była zatrudniona Mary Connor – podjął Mitch. – Co ciekawe, rachmistrzowi prowadzącemu spis ludności podała, że jest bezdzietna, jednak w księdze narodzin i zgonów odnotowano, że w tysiąc osiemset sześćdziesiątym ósmym roku urodziła córkę: Amelię Ellen.

– Nie utrzymywały więc kontaktów? – wtrąciła Stella.

– W każdym razie nie łączyły ich bliskie, serdeczne więzy, skoro córka utrzymywała, że matka nie żyje, a matka z kolei w ogóle nie przyznawała się do posiadania córki. Na tym jednak nie koniec niespodzianek. W żadnych oficjalnych dokumentach nie ma wzmianki o narodzinach dziecka Amelii, nie istnieje także urzędowy akt jej zgonu.

– Dzięki odpowiedniej sumie pieniędzy można zatuszować każdą, nawet najgorszą zbrodnię – zauważyła Hayley.

– Jakie będą teraz nasze następne kroki? – zainteresował się Logan.

– Zabiorę się do studiowania gazet z owego okresu – może uda mi się znaleźć jakąś wzmiankę o śmierci niezidentyfikowanej kobiety mniej więcej odpowiadającej opisowi Amelii. Nadal też będę próbował zdobyć informacje poprzez potomków służby, pracującej w interesującym nas okresie w domu Reginalda. Chciałbym też się spotkać z obecnymi właścicielami domu „Pod Wierzbami". Może udostępnią mi do wglądu dawne dokumenty.

– Ułatwię ci z nimi kontakt – zaoferowała się Roz. – Arystokratyczne nazwiska, takie jak moje, wciąż jeszcze otwierają wiele drzwi.

Znalazła się na randce po raz pierwszy od... aż strach myśleć od jak dawna. Za to wyglądała całkiem wystrzałowo w małej, czerwonej bluzeczce, odkrywającej ramiona, pięknie ukształtowane dzięki ćwiczeniom jogi, nieustannemu taszczeniu Lily i pracy fizycznej w „Edenie".

Naprzeciwko niej, w tętniącej życiem restauracji przy Beale Street, siedział cholernie przystojny facet, więc trudno było się skoncentrować na czymkolwiek innym.

– Porozmawiajmy o tym, co cię gnębi – zaproponował Harper, podając Hayley kieliszek z winem, którego do tej pory nie tknęła. – Jak wyrzucisz z siebie wszystko, od razu poczujesz się lepiej.

– Nie mogę przestać myśleć o Amelii. Wyobraź sobie tylko, urodziła dziecko, które kochanek tak bezwzględnie jej odebrał. W tej sytuacji trudno się dziwić, że Oblubienica tak bardzo nienawidzi mężczyzn.

– Postanowiłaś wcielić się w rolę adwokata diabła? Amelia się sprzedawała.

– Ależ, Harperze...

– Posłuchaj mnie przez chwilę. Amelia pochodziła z nizin społecznych. W pewnym momencie zdecydowała, że nie będzie ciężko pracować na życie, ale zostanie utrzymanką bogatych mężczyzn. To był jej wybór i oczywiście – miała do niego prawo. Nie zapominajmy jednak, że przehandlowała swoje ciało za luksusy i wygody.

– Czy to upoważniało Reginalda do odebrania jej dziecka?

– W żadnym razie tak nie twierdzę. Chcę jedynie zwrócić twoją uwagę na fakt, że panna Connor nie była niewinną, oszukaną dziewicą. Mieszkała w pięknym domu, miała służbę, opływała w luksusy, ponieważ została kochanką Reginalda – i to na wiele miesięcy przedtem, zanim zaszła w ciążę.

Hayley wciąż nie mogła się pogodzić z równie niskimi motywami działania Oblubienicy.

– Może Amelia go kochała.

– A może po prostu kochała pieniądze.

– Nie miałam pojęcia, że jesteś aż tak cyniczny.

Harper uśmiechnął się nieznacznie.

– Mnie natomiast nie przyszłoby do głowy, że jesteś aż tak romantyczna. Najprawdopodobniej jednak prawda – jak to zazwyczaj bywa – leży gdzieś pośrodku, nie mamy więc o co kruszyć kopii.

– W porządku. Niech ci będzie.

– Tak czy owak, jednego możemy być pewni, Hayley. Mamy do czynienia z kompletnie pokręconą kobietą. I najprawdopodobniej porządnie jej odbiło jeszcze przed śmiercią. W żadnym razie nie twierdzę, że Amelia zasłużyła sobie na taki los, ale też wiem, że musiało z niej być niezłe ziółko. Trzeba mieć szczególny charakter, aby utrzymywać, że matka nie żyje, podczas gdy tak naprawdę mieszka zaledwie parę ulic dalej.

– Hm... To rzeczywiście nie świadczy najlepiej o Amelii. Cóż, gdzieś w głębi duszy chciałabym w niej widzieć niewinną ofiarę, prawdziwą heroinę melodramatu, dlatego trudno mi się pogodzić z tym, że jej życiorys jest o wiele bardziej złożony i niepozbawiony ciemnych plam.

Z namysłem wypiła długi łyk wina.

– Ale dosyć już. Porzućmy wreszcie ten temat. I tak poświęciliśmy naszej zjawie zbyt dużo czasu – rzuciła lekkim tonem.

– Zgadzam się w całej rozciągłości.

– Zanim jednak przejdziemy do przyjemniejszych rzeczy, muszę jeszcze coś załatwić.

Harper bez słowa sięgnął do kieszeni.

– Proszę, skorzystaj z mojego telefonu.

Chwyciła podaną jej komórkę ze śmiechem.

– Wiem, że u boku Roz i Mitcha Lily czuje się jak w niebie. Chcę jednak to wyraźnie usłyszeć.

Zjadła ulubioną rybę Południa – zębacza – i wypiła dwa kieliszki wina. Nawet w najśmielszych marzeniach nie przypuszczała, że poczuje się równie zrelaksowana, siedząc w restauracji tak długo, jak jej się podoba, i rozmawiając na każdy temat, jaki akurat przyszedł jej do głowy.

– Już zapomniałam, jak piękne może być życie – oznajmiła, rozciągając się leniwie na krześle. – Zapomniałam, że można zjeść w spokoju cały posiłek, nie odrywając się przy tym kilka razy. Bardzo się cieszę, że w końcu mnie zaprosiłeś na tę kolację.

– W końcu?

– Zabrało ci to ponad rok – wyjaśniła. – Gdybyś się zdecydował wcześniej, nie musiałabym cię podrywać.

– To akurat bardzo mi przypadło do gustu. – Położył swoją dłoń na jej dłoni.

– Ani przez chwilę nie żałuję, że tak zrobiłam. To była jedna z najlepszych decyzji w moim życiu. – Pochyliła się w przód i spojrzała mu prosto w oczy. – Harperze, czy naprawdę od początku myślałeś o mnie w ten sposób?

– Wiele wysiłku mnie kosztowało, żeby tak o tobie nie myśleć. Niekiedy nawet mi się udawało.

– A czemu w ogóle to robiłeś? Znaczy się, podejmowałeś ten wysiłek?

– Bo uznałem, że byłoby to grubiaństwo z mojej strony, gdybym zaczął podrywać gościa mojej matki, i to gościa w zaawansowanej ciąży. Kiedyś pomogłem ci wysiąść z samochodu. To było w dniu przyjęcia na twoją cześć, gdy dostałaś wyprawkę dla małej...

– Świetnie to pamiętam! – Hayley wybuchnęła śmiechem, szybko jednak ukryła twarz w dłoniach. – Skandalicznie się wobec ciebie zachowałam. Ale czułam się strasznie brzydka, gruba i nieszczęśliwa.

– Wyglądałaś przepięknie. Byłaś taka pełna życia. Tak sobie o tobie pomyślałem, gdy po raz pierwszy ujrzałem cię na oczy. Kobieta tryskająca radością, energią, i... seksem – tak jest, seksem. Próbowałem jednak stłumić w sobie te wrażenia. Tego dnia jednak, gdy pomagałem ci wysiąść z auta, maleństwo poruszyło się w twoim brzuchu. Wyraźnie poczułem ten ruch, a może kopnięcie. To było...

– Przerażające?

– Cudowne i... tak, trochę niesamowite. A potem patrzyłem, jak rodziłaś Lily.

Hayley zaczerwieniła się po czubek głowy.

– O, Boże! Kompletnie o tym zapomniałam. – Mocno zacisnęła powieki. – O, rany. Nie.

Harper chwycił ją za ręce i zaczął je całować.

– To było cudowne, wspaniałe przeżycie. Wprost brak mi słów, by je opisać. Jak już zdołałem zapanować nad paniką, przeżyłem najpiękniejsze chwile. Widziałem, jak Lily przyszła na ten świat. Zakochałem się w niej od pierwszego wejrzenia.

– Wiem. – Hayley poczuła, jak wszystko w niej mięknie. – Wiem, od razu zauważyłam, jak jest ci bliska. Nigdy jednak nie zapytałeś o jej ojca.

– Bo to nie moja sprawa.

– Będzie twoja, jeżeli zdecydujemy się na związek. Czy miałbyś coś przeciwko temu, żebyśmy się przeszli?

– W żadnym razie.


Zboczyli z tłocznej, ostro oświetlonej Beale Street i skierowali się nad rzekę. Tu również roiło się od turystów, spacerujących po parku lub zapatrzonych w wodę, zgiełk był jednak dużo mniejszy, co ułatwiało Hayley zebranie myśli i spojrzenie w przeszłość.

– Nie kochałam ojca Lily. Chcę to wyjaśnić na początku, ponieważ ludzie, widząc samotną dziewczynę w ciąży, zazwyczaj litują się nad nią przekonani, że jakiś facet ją wykorzystał, po czym zostawił samej sobie. Sądzą, że mają do czynienia z istotą, której jakiś beznadziejny dupek złamał serce. W moim wypadku sprawy przedstawiały się inaczej.

– To dobrze. Nie chciałbym, żeby ojciec Lily okazał się beznadziejnym dupkiem.

Hayley parsknęła śmiechem i potrząsnęła głową.

– Dzięki. A więc, to był sympatyczny chłopak, student, którego poznałam, gdy pracowałam w księgarni. Najpierw ostro flirtowaliśmy, potem się polubiliśmy, parę razy umówiliśmy się na randkę. I wtedy zginął mój tata.

Przeszli przez niewielki mostek, minęli zakochaną parę siedzącą przy stoliku z kamienia.

– Poczułam się strasznie samotna i zagubiona.

Harper czule otoczył ją ramieniem.

– Gdyby cokolwiek złego przydarzyło się mojej mamie – powiedział – czułbym się jak ślepiec. Mam, oczywiście, braci, do których mógłbym się zwrócić o wsparcie, bez niej jednak świat nie byłby już ten sam.

– To rzeczywiście takie uczucie. Jakby nagle zatraciło się zdolność ostrego widzenia. I bez względu na serdeczność okazywaną przez ludzi – a mnie okazali jej wiele – jest się jak dziecko błądzące w mgle. Wszyscy bardzo lubili mojego ojca, był naprawdę uroczym człowiekiem. Więc po jego śmierci stanęli przy mnie sąsiedzi, przyjaciele, rodzina, a także moi i jego współpracownicy. Jednak tata stanowił tak istotną część mojego życia, że mimo to czułam się samotna, odizolowana od świata murem żałoby.

– Kiedy zginął mój ojciec, byłem jeszcze dzieckiem. I chyba z tego powodu zniosłem to lepiej. Ale też przeszedłem przez taką fazę, kiedy wydawało mi się, że w życiu nie ma nic pewnego, że świat nigdy nie wróci do normy.

– Uhm. A kiedy już wynurzysz się z odmętów żałoby, z tego niesamowitego odrętwienia, dopada cię ból. I właśnie w tych najgorszych chwilach był przy mnie ów chłopak. Rozumiał mój stan, dawał mi ciepło i pocieszenie. I w ten sposób poczęła się Lily.

Hayley uniosła głowę i spojrzała Harperowi prosto w oczy.

– Nigdy nie byliśmy jednak nikim więcej jak parą przyjaciół. Co nie znaczy, że rzuciłam się na siłę w jego ramiona...

– Ten człowiek pomógł ci się wyleczyć z bólu.

– Właśnie. – Cała aż pojaśniała. – A potem wrócił na studia, ja natomiast żyłam własnym życiem. W pierwszej chwili nie zorientowałam się, że jestem w ciąży. Podejrzewam, że wypierałam z myśli oczywiste symptomy. A kiedy już wiedziałam na pewno...

– Ogarnęło cię przerażenie.

Hayley zaprzeczyła zdecydowanym ruchem głowy.

– Nie. Okropnie się wściekłam. Nie mogłam zrozumieć, czemu akurat mnie musiało się to przytrafić. Czyżbym nie miała już dość kłopotów i trosk? Czy miał być to jakiś okrutny żart losu? Wcale się nie załamałam, za to ogarnęła mnie autentyczna furia. Niekiedy miewałam ataki lęku, szybko jednak przechodziły one w niepohamowaną złość.

– Musiało być ci naprawdę ciężko, Hayley. Nie miałaś przy sobie nikogo bliskiego.

– Oboje dobrze wiemy, że to eufemizm, Harperze. Rzecz w tym, że z początku wcale nie chciałam tego dziecka. Musiałam pracować, nie radziłam sobie z rozpaczą po śmierci ojca, więc uważałam, że choćby z tego powodu los powinien dać mi chwilę wytchnienia.

Stanęli nad rzeką, wpatrując się w wodę, i Hayley mimowolnie ściszyła głos.

– Pomyślałam więc, że najlepszym dla mnie wyjściem będzie aborcja. Musiałam więc wymyślić, jak wziąć wolne w pracy i skąd skombinować pieniądze na zabieg.

– Ostatecznie jednak nie usunęłaś ciąży.

– Zebrałam literaturę na ten temat, znalazłam klinikę, a potem pomyślałam, że może jednak powinnam urodzić to dziecko i oddać je do adopcji. Nawet skontaktowałam się z jedną z agencji. Ostatecznie tyle się słyszy o bezdzietnych parach, które dałyby wszystko, żeby mieć dziecko. Doszłam więc do wniosku, że jeżeli mogłabym komuś ofiarować szczęście, to czemu miałabym tego nie zrobić.

Harper pogładził ją delikatnie po włosach.

– Na to jednak też się w końcu nie zdecydowałaś.

– Znowu zagłębiłam się w literaturę tematu – czytałam mnóstwo o przysposobionych dzieciach – wszystko, co tylko wpadło mi w ręce. I przez cały czas przeżywałam huśtawkę emocji – w jednej chwili przeklinałam Boga za mój stan, w drugiej Go błogosławiłam. Zastanawiałam się, czemu ten chłopak nie przychodzi już do księgarni, czemu się mną nie interesuje. Kiedy odzyskałam trzeźwość myślenia, doszłam do wniosku, że powinnam mu o wszystkim powiedzieć. Ostatecznie kobieta sama z siebie nie zachodzi w ciążę, więc on też powinien wziąć na siebie odpowiedzialność za tę maleńką istotę. Bo powoli zaczynało do mnie docierać, że ja naprawdę mam wydać na świat nowe życie. I w pewnym momencie zrozumiałam, że jeżeli urodzę tę kruszynę, już nigdy nie będę sama. W tym myśleniu kierowałam się czystym egoizmem, przyznaję, ale też wtedy po raz pierwszy zaświtało mi, że może powinnam zatrzymać dziecko. Zostać jego mamą.

Hayley odetchnęła głęboko.

– A więc teraz wiesz już wszystko. W pierwszym odruchu zdecydowałam się wychowywać Lily, bo czułam się strasznie opuszczona. Mój strach przed samotnością przeważył.

Harper milczał przez dłuższą chwilę, w końcu jednak zapytał:

– A co z tym studentem?

– Pojechałam na uczelnię, żeby mu o wszystkim powiedzieć. Dowiedziałam się, gdzie go mogę znaleźć i byłam już nawet zdecydowana, żeby podejść do niego i oznajmić: „Ups, tylko popatrz, co nam się przytrafiło, a ponieważ postanowiłam zatrzymać to dziecko, oczekuję, że włączysz się w jego wychowanie".

Od rzeki nadleciała ciepła bryza, rozburzając włosy Hayley i przyjemnie owiewając jej twarz.

– Na swój sposób ucieszył się na mój widok, choć widziałam, że jest także lekko zmieszany tym, że tak nagle zerwał ze mną kontakt. Okazało się, że tymczasem zakochał się w kimś innym. To była miłość jego życia. – Hayley wyrzuciła przed siebie ramiona, by podkreślić wagę swych słów. – Był taki podekscytowany i szczęśliwy. Gdy mówił o swojej ukochanej, twarz mu wprost promieniała.

– Więc nie powiedziałaś, że spodziewasz się dziecka.

– Rzeczywiście, nie powiedziałam. Czy mogłam to zrobić? Jakże mogłam mu oznajmić: „To super, że spotkałeś swoją połówkę jabłka, ciekawe jednak, co ona powie, gdy dowie się, że uprawiałeś ze mną seks? Przykro mi, ale schrzaniłeś sobie życie tylko dlatego, że okazałeś mi czułość i ciepło, kiedy akurat tego potrzebowałam". Na dodatek, ja wcale nie chciałam się z nim wiązać, nigdy nie myślałam o nim jako o życiowym partnerze. Dlatego uznałam, że nie ma sensu mówić mu o dziecku.

– A więc on nie wie o istnieniu Lily?

– To kolejna egoistyczna decyzja z mojej strony, chociaż niekiedy usiłuję sobie wmówić, że zrobiłam to również dla dobra tego chłopaka. Wątpliwości i rozterki moralne tak naprawdę dopadły mnie dopiero wtedy, gdy ciąża stała się już widoczna i poczułam pierwsze ruchy Lily. Jednak ostatecznie nie zmieniłam swojej decyzji.

Zamilkła na moment. Nie przypuszczała, że aż tyle będą ją kosztować szczere wynurzenia. A intensywność, z jaką słuchał jej Harper, jeszcze bardziej utrudniała zwierzenia.

– Rozumiałam, że on ma prawo wiedzieć, iż zostanie ojcem – podjęła po chwili. – A mimo to nie żałuję tamtej decyzji i dzisiaj postąpiłabym tak samo. Od kogoś dowiedziałam się, że w kwietniu ojciec Lily wziął ślub ze swoją ukochaną, i wyprowadzili się do Wirginii, do jej rodzinnego miasta. Być może ten chłopak szczerze pokochałby Lily, niewykluczone jednak, że uznałby ją za największy błąd swojego życia. Ostatecznie ja sama przez pierwsze miesiące ciąży uważałam, że to dziecko jest najgorszą rzeczą, jaka mnie mogła spotkać, choć teraz bardzo się tego wstydzę. Myślę więc, że postąpiłam słusznie. Ja pokochałam swoje dziecko dopiero gdzieś w piątym miesiącu ciąży... Wtedy stało się dla mnie całym światem, największym skarbem i cudem. I wówczas też zrozumiałam, że muszę wyjechać z Little Rock. Rozpocząć wszystko od nowa, dać sobie i dziecku nową szansę.

– Wykazałaś się niezwykłą odwagą.

– Raczej głupotą – odparła, chociaż reakcja Harpera niezwykle ją ujęła.

– Odwagą – powtórzył uparcie, z rozmysłem zatrzymując się przy klombie pełnym żółtych lilii.

– Tak czy owak, wszystko ułożyło się dla mnie jak w bajce. Początkowo zamierzałam nazwać córeczkę Emily. Takie właśnie imię wybrałam dla dziewczynki. Ale kiedy przyniosłeś na salę porodową te wspaniałe, buchające czerwienią lilie... i gdy urodziła się Lily... taka piękna, taka bez skazy... postanowiłam, że powinna mieć imię nawiązujące do tych cudownych, odurzająco pachnących kwiatów. A więc... teraz wiesz już wszystko.

Harper pochylił się i musnął wargami jej usta.

– Dawno nikogo nie słuchałem z takim zafascynowaniem.

– Czy mam przez to rozumieć, że nie zanudziłam cię moją prywatną operą mydlaną do tego stopnia, byś nie miał więcej ochoty mnie całować?

– Ty niczym i nigdy mnie nie zanudzisz. – Splótł palce z jej palcami i pociągnął ją za sobą. – I, jeżeli chcesz wiedzieć, o niczym nie marzę tak bardzo, jak tylko o tym, by znowu poczuć twoje usta na moich.

– Jakże byłoby cudownie, gdybyśmy mogli wyrwać się z Harper House. Uciec od rezydującej tam zjawy.

– Oczywiście, moglibyśmy tak zrobić. Rzecz jednak w tym, Hayley, że Harper House to nasz dom. Więc ostatecznie nie uda nam się uciec od Amelii.

Prorocze słowa, pomyślała Hayley, gdy weszła do swojej sypialni. Już od rogu zobaczyła, że wszystkie szuflady komody są pootwierane, a powyciągane z nich rzeczy zostały ciśnięte na bezładny stos na łóżku. Hayley przeszła przez pokój i uniosła parę dżinsów i jedną z koszul. Tak na oko żadne z ubrań nie było zniszczone. Przynajmniej to dobrze.

Szybko przeszła do pokoju Lily, tam jednak na szczęście wszystko było w porządku. Bardziej więc z zaciekawieniem niż z lękiem wkroczyła do łazienki. Okazało się, że jej wszystkie kosmetyki walają się w umywalce.

– Czy właśnie w ten sposób chcesz mi przypomnieć, że tak naprawdę to nie jest mój dom? Może i masz rację. Niemniej, nie zrobiłaś mi wielkiej krzywdy – zafundowałaś mi jedynie godzinę pracy przed pójściem do łóżka.

Zaczęła ustawiać na swoje miejsce słoiczki z kremami, buteleczki, szminki i cienie do oczu. Większość z nich to były tanie marki, i nagle uderzyło Hayley, że przecież zasługuje na dużo ekskluzywniejsze kosmetyki.

Podobnie jest z ubraniami, zdecydowała, gdy weszła do sypialni, by uprzątnąć bałagan z łóżka. Bo i dlaczegóż nie miałaby nosić pięknych tkanin i strojów od najlepszych projektantów?

Nie znaczy to, że miała jakąś obsesję na punkcie markowych ciuchów.

Niemniej z pewnością poczułaby się dużo lepiej, gdyby teraz wkładała na wieszaki eleganckie suknie, a nie te tanie szmatki z supermarketów i wyprzedaży. Gdyby co dzień nosiła delikatne jedwabie i kaszmiry.

Roz, na przykład, miała mnóstwo przepięknych strojów, a i tak w kółko chodziła w starych koszulach i dżinsach. To niesprawiedliwe. Ona po prostu nie potrzebowała tych cudownych ubrań. Wisiały bezsensownie w szafie, podczas gdy ktoś inny mógłby z nich zrobić użytek. Ktoś młodszy, ponętniejszy, kto z pewnością lepiej by się w nich prezentował. Ktoś, kto na nie zasługiwał – kto ciężką pracą zarobił na podobne luksusy, a nie otrzymał ich za darmo, z racji bogactwa przodków.

Identycznie sprawa się przedstawiała z klejnotami. Jakże się marnowały, leżąc w sejfie! I jakże pięknie wyglądałyby na jej szyi. Rozsiewałyby wprost olśniewający blask.

Wszystko, czego potrzebowała do szczęścia, znajdowało się w zasięgu jej ręki, czemu więc nie miałaby...

Hayley gwałtownie upuściła koszulę, którą trzymała w dłoniach. Trzymała – jak nagle zdała sobie sprawę – rozciągniętą niczym najpiękniejszą, balową suknię. Na Boga jedynego! Jeszcze chwilę wcześniej ona, Hayley, stała zauroczona przed lustrem i rozmyślała, jakby tu ograbić Roz...

O, nie! To nie moje pragnienia!, pomyślała, drżąc na całym ciele.

– To nie moje pragnienia! – powtórzyła głośno. – Ja nie chcę tego, czego ty tak pragnęłaś. Może jesteś w stanie wkraść się do mojego umysłu, nie zdołasz jednak mnie zmusić, bym podzielała twoje marzenia.

Hayley zgarnęła ciuchy z łóżka na pobliski fotel, a potem położyła się tak, jak stała – w ubraniu. I szybko zapadła w sen, po czym spała do rana przy zapalonych światłach.

# 9

Cieszyła się, iż tego dnia przyszło tak wielu klientów, że stojąc za ladą, nie miała chwili wytchnienia. Dzięki temu nie było czasu na rozmyślanie. Poza tym do tej pory Amelia nie wykazywała zainteresowania nią na terenie „Edenu". I oby tak pozostało.

Z myślą o Mitchu Hayley sporządziła listę swoich przygód z Oblubienicą. Szczegółowo opisała incydent nad stawem, w sypialni i w pokoju dziecinnym. Wspomniała także o pewnym wydarzeniu, do którego doszło w ogrodach Harper House, gdy wydawało jej się, że atakujące ją myśli nie są w gruncie rzeczy jej własnymi przemyśleniami.

Kiedy ujęła swoje przeżycia w słowa i ujrzała je spisane czarno na białym, nie wydawały jej się aż tak przerażające.

Przynajmniej w ciągu dnia, gdy wokół niej znajdowało się wielu ludzi.

Podniosła wzrok, gdy przed ladą stanęła nowa klientka. Młoda, modnie ostrzyżona kobieta w eleganckich pantoflach i ciuchach. Zapewne świetnie zarabia, no i nie musi oszczędzać, pomyślała Hayley, i zwróciła się w stronę przybyłej z nadzieją, że uda ją się namówić na spore zakupy w centrum.

– Dzień dobry. Czym mogłabym służyć?

– Cóż, ja... Przepraszam bardzo, zapomniałam, jak ci na imię.

– Hayley.

Cały czas uśmiechając się profesjonalnie, przyjrzała się baczniej kobiecie. Luźno puszczone blond włosy, dyskretny balejaż, wąska twarz, duże, ładne oczy. Wyraz twarzy sugerujący pewną nieśmiałość...

Nagle rozpoznała te rysy, i aż otworzyła usta ze zdumienia.

– Jane? Kuzynka Roz? Rany! W pierwszej chwili w ogóle cię nie poznałam. Wyglądasz wspaniale!

Dziewczyna zarumieniła się gwałtownie.

– Jedynie... jedynie zmieniłam uczesanie – wyjaśniła, przesuwając palcami po dodającej jej wyjątkowego uroku fryzurze.

– Wystrzałowe strzyżenie.

Hayley ostatni raz widziała Jane, gdy wraz z Roz i Stellą pomagały jej się wynieść z przeładowanego, przegrzanego mieszkania Clarissy Harper. Kobieta, którą wówczas stamtąd zabrały – wraz z pamiętnikami ukradzionymi przez Clarissę z Harper House – wydawała się szarą, niepozorną istotą, niczym blady, ołówkowy szkic ledwo widoczny na papierze.

Teraz jej mysie włosy były gustownie rozjaśnione i starannie przycięte na takiej długości i w taki sposób, by uczynić jej chudą twarz bardziej pełną i seksowną.

Miała na sobie bawełnianą koszulę oraz dobrze skrojone spodnie i choć był to strój raczej niewyszukany, wyglądała tysiąc razy lepiej niż w luźnej, workowatej spódnicy, którą nosiła, gdy uciekała z domu Clarissy.

– Wprost nie wierzę własnym oczom. Jakbyś brała udział w jednym z tych telewizyjnych programów, gdzie niepozorne kobiety przemieniają w skończone piękności. Uh... zdaje się, że to nie było zbyt delikatne z mojej strony. Przepraszam.

– Nie, nie. Wszystko w porządku – Jane zarumieniła się jeszcze bardziej, ale jednocześnie uśmiechnęła się radośnie. – Sama się czuję, jakby mnie ktoś całkiem odmienił. Jolene – znasz Jolene, macochę Stelli?

– Jasne. To cudowna kobieta.

– Pomogła mi znaleźć posadę w galerii, a w przeddzień rozpoczęcia pracy przyszła do mojego nowego mieszkania i... po prostu mnie porwała. Powiedziała, że jest moją dobrą wróżką. I zanim się obejrzałam, siedziałam już na fotelu, a fryzjerka zawijała pasma moich włosów w aluminiową folię. Byłam zbyt przerażona, by się sprzeciwić.

– Założę się, że teraz tego nie żałujesz.

– Czułam się jak w transie. Z salonu zaciągnęła mnie do centrum handlowego i powiedziała, że przypilnuje, bym kupiła sobie trzy całkiem nowe zestawy strojów – od bluzek poczynając, a na butach kończąc. A potem przykazała, bym resztę garderoby sprawiła sobie w takim samym stylu.

Uśmiechała się od ucha do ucha, chociaż w jej oczach rozbłysły łzy.

– To był najpiękniejszy dzień w moim życiu.

– Urocza historia. – Hayley również ogarnęło wzruszenie. – Ale po tym, jak poniewierała tobą ta wiedźma, zasłużyłaś na względy dobrej wróżki. Czy wiesz, że kiedyś baśnie i legendy były domeną kobiet. Przekazywały je sobie ustnie w czasach, gdy nie miały zbyt wielu praw.

– Co takiego?

– Wybacz, mam głowę nabitą różnymi zbędnymi informacjami. Poczekaj chwilę, muszę zawołać Stellę.

– Nie chciałabym nikomu przeszkadzać w pracy. Miałam tylko nadzieję, że spotkam tu kuzynkę Rosalind i podziękuję za wszystko, co dla mnie zrobiła.

– Ją też zaraz ściągnę. – Hayley popędziła w stronę biura Stelli. – Obie muszą to zobaczyć. – Bez pukania wsunęła głowę w drzwi. – Stello, pozwól na minutkę.

– Czy coś się stało?

– Nie. Ale proszę cię, żebyś wyszła. Nie pożałujesz.

– Hayley, mam przed sobą jeszcze z tuzin telefonów, zanim... – Urwała i na widok szczupłej, nieznajomej kobiety przybrała oficjalny wyraz twarzy. – Ach, przepraszam. Czy mogłabym pani w czymś... O, Boże, przecież to Jane!

– Nowa i udoskonalona wersja – oznajmiła Hayley, po czym zabawnie wykrzywiła usta. – Ups, kolejny nietakt. Przepraszam.

– Nie ma za co. Sama się tak czuję.

– Jolene mówiła mi, że wzięła cię w obroty. – Zachwycona Stella zaczęła obchodzić dokoła Jane. – Rany, efekty są wprost niesamowite. Fryzura super!

– Mnie także się podoba. Twoja macocha była dla mnie bardzo dobra.

– Z pewnością świetnie się przy tym bawiła. Zdała mi relację z waszych wspólnych dokonań, ale dopiero teraz mogę się przekonać, jakie wspaniałe osiągnęłyście efekty. Mam nadzieję, że twoje życie jest równie piękne, jak wygląd.

– Kocham swoją pracę. Uwielbiam nowe mieszkanie. I wspaniale się czuję w mojej nowej skórze.

– Doskonale cię rozumiem – powiedziała Hayley, po czym sięgnęła po radiotelefon leżący na ladzie. – Roz – rzuciła do mikrofonu – potrzebujemy cię przy kasie.

Przez trzaski przedarł się głos Roz, mówiący coś o tym, że jest bardzo zajęta, Hayley jednak bezceremonialnie się rozłączyła.

– Nie chciałabym, żeby z mojego powodu kuzynka Rosalind odrywała się od pracy.

– Z pewnością miałaby ochotę cię zobaczyć. Ja natomiast nie mogę się już doczekać, aby ujrzeć, jaką minę zrobi na twój widok. Rany, ale świetna zabawa!

– Opowiedz, co jeszcze się u ciebie zmieniło – poprosiła Stella.

– Praca jest moim absolutnym priorytetem. Nieustannie uczę się czegoś nowego. Poza tym nawiązałam kilka nowych przyjaźni.

– Z mężczyznami? – spytała Hayley.

– Na to chyba jeszcze nie jestem gotowa. Chociaż w moim domu mieszka pewien bardzo miły chłopak...

– Przystojny? Uh... mam klienta – mruknęła Hayley, na widok mężczyzny wychodzącego zza rogu, pchającego wózek. – Nie opowiadajcie o żadnych pikantnych szczegółach, póki nie skończę.

– Wydawało mi się, że jak was znowu zobaczę, będę się czuła bardzo zażenowana. – Jane zwróciła się w stronę Stelli, podczas gdy Hayley zajmowała się klientem.

– A to czemu?

– Bo kiedy spotkałyśmy się po raz pierwszy, byłam taka rozhisteryzowana.

– W żadnym razie. Byłaś po prostu przestraszona i zdenerwowana. I miałaś ku temu wszelkie powody. Zdecydowałaś się na bardzo poważny krok, gdy pozwoliłaś, by Roz zabrała te pamiętniki.

– Prawnie do niej należały. Clarissa ukradła je z Harper House.

– To prawda. Niemniej, wykazałaś się wielką odwagą, wpuszczając Roz do mieszkania Clarissy, wyprowadzając się stamtąd, decydując się na nową pracę i nowe życie. I ja, i Hayley, dobrze wiemy, jakie to przerażające.

Jane obejrzała się przez ramię na Hayley prowadzącą lekką rozmowę z klientem i nabijającą ceny zakupów na kasę.

– Nie mogę uwierzyć, by tę kobietę mogło cokolwiek przerazić. To pierwsza myśl, jaka przyszła mi do głowy, gdy ją poznałam – to samo zresztą pomysłałam o tobie. Wy z pewnością umiałybyście walczyć o swoją godność i nigdy nie pozwoliłybyście sobą tak poniewierać.

– Każda z nas swego czasu doświadczała strachu. Nie zawsze potrafiłyśmy racjonalnie z nim walczyć.

W tej samej chwili w sklepie pojawiła się Roz. Tylko ktoś, kto ją dobrze znał, mógłby się zorientować, że jest zirytowana, ponieważ mimo pogodnej twarzy uderzała rękawicami w udo.

– Jakieś problemy?

– Ależ skąd – odpowiedziała jej Stella. – Po prostu Jane bardzo chciała się z tobą zobaczyć.

Roz uniosła w zdziwieniu brwi, po czym rozciągnęła usta w powolnym uśmiechu.

– No, no! Jolene rzeczywiście jest niesamowita. Jane, moje dziecko, wyglądasz wprost kwitnąco. – Wsunęła rękawice do tylnej kieszeni spodni i w tym samym momencie Jane rzuciła jej się na szyję. – Uff... uff... ja też się cieszę, że cię widzę – wykrztusiła, gdy już mogła złapać oddech.

– Dziękuję. Dziękuję, kuzynko Rosalind. Nigdy nie zdołam wyrazić, jak bardzo jestem ci wdzięczna.

– Nie ma o czym mówić.

– Czuję się taka szczęśliwa.

– Właśnie widzę.

– Przepraszam. Zachowuję się jak dzikuska. – Pociągając nosem, Jane wypuściła Roz z objęć. – Nie miałam zamiaru cię dusić, kuzynko. Chciałam jedynie podziękować i powiedzieć, że świetnie sobie radzę w życiu, a przede wszystkim w pracy. Dostałam już podwyżkę i wciąż zdobywam nową wiedzę.

– To też udało mi się zauważyć. I bardzo się cieszę. Nie będę też ukrywać – choć zapewne świadczy to o mojej małostkowości – że twoje sukcesy sprawiają mi podwójną radość, bo bez wątpienia, muszą działać na kuzynkę Rissy jak czerwona płachta na byka.

– Rzeczywiście – Jane uśmiechnęła się nieśmiało. – Chyba nie przypadło jej to do gustu. Prawdę mówiąc, nawet zdecydowała się przyjść do mnie z wizytą.

– Co mnie ominęło? – Hayley w dwóch susach znalazła się przy przyjaciółkach. – Musicie mi powtórzyć wszystkie najlepsze kawałki.

– Mam wrażenie, że dopiero do nich dochodzimy. – Roz filuternie przekrzywiła głowę. – A więc Rissy wyciągnęła z lamusa swoją miotłę i przyleciała, by się z tobą zobaczyć?

– Zjawiła się w moim mieszkaniu. Podejrzewam, że moja mama podała jej adres, chociaż prosiłam, żeby tego nie robiła. W każdym razie, do konfrontacji doszło mniej więcej miesiąc temu. Spojrzałam przez wizjer i na progu ujrzałam Clarissę Harper. W pierwszym odruchu postanowiłam nie otwierać drzwi.

– Wcale ci się nie dziwię. – Hayley, dla otuchy, poklepała dziewczynę po ramieniu.

– Doszłam jednak do wniosku, że nie mogę się kryć jak złodziej we własnym mieszkaniu. Otworzyłam więc drzwi, i nie muszę wam mówić, że Clarissa wkroczyła do mojego mieszkania, jakby należało do niej od dawna, po czym lekceważąco pociągnęła nosem, zażądała mocno osłodzonej herbaty i opadła na najbliższy fotel.

– Stara dobra Clarissa – Roz parsknęła śmiechem. – Nic nie jest w stanie naruszyć jej rozdmuchanego ego.

– Zaraz, zaraz. Przypomnij mi, na którym piętrze jest twoje mieszkanie? – Hayley zmrużyła oczy, by łatwiej przywołać wspomnienia. – Zdaje się, że na czwartym. Gdybyś wyrzuciła ją przez okno, zostałaby z niej tylko mokra plama.

– Niestety, na to się nie zdobyłam. Z przykrością muszę wyznać, że grzecznie pomaszerowałam do kuchni, i zaparzyłam herbatę. Kiedy z powrotem zjawiłam się w pokoju, oznajmiła, że jestem niewdzięczną, podłą dziewuchą, i że choć mam na głowie nową fryzurę, mieszkam w tej mysiej norze i przekonałam jakąś naiwniaczkę, by dała mi pracę, o której nie mam zielonego pojęcia, to jeszcze nie znaczy, że stałam się innym, bardziej wartościowym człowiekiem. Poza tym rzuciła kilka bardzo niepochlebnych uwag pod twoim adresem, Roz.

– Och, błagam. Nie trzymaj mnie w niepewności.

– Hm... cóż... na początek nazwała cię intrygantką i ladacznicą.

– Ladacznicą? Doprawdy wzruszające. Żałuję, że to piękne słowo powoli wychodzi z użytku.

– Prawdę mówiąc, to tak naprawdę mnie zmobilizowało do oporu. Uznałam bowiem, że Clarissa ma prawo nazywać mnie niewdzięcznicą, ponieważ rzeczywiście odpłaciłam jej niewdzięcznością. – Jane mimowolnie zacisnęła dłonie w pięści i wojowniczo wysunęła podbródek. – Nie uważam swojego mieszkania za norę, dla mnie jest po prostu urocze, ale znając jej gust, mogę zrozumieć, że tak, a nie inaczej je postrzega. A skoro nie zna Carrie – mojej szefowej – może sądzić, że jest na tyle nierozgarnięta, by się nie zorientować w moich ułomnościach. Nie byłam jednak w stanie znieść, że ma czelność wyzywać ciebie od najgorszych, kuzynko, podczas gdy to ona cię oszukiwała i okradła. – Jane wyprostowała się dumnie i stanowczo skinęła głową. – I powiedziałam jej to prosto w oczy – oznajmiła.

– Prosto w oczy! – Roz wybuchnęła śmiechem i chwyciła twarz dziewczyny w dłonie. – Jestem z ciebie bardzo dumna, Jane.

– Kiedy zaczęłam jej to mówić, miałam wrażenie, że za chwilę trafi ją apopleksja. Sama nie wiem, jakim cudem zdobyłam się na taką odwagę. Z natury jestem spokojna i ugodowa, wtedy jednak opanowała mnie najprawdziwsza furia. Wyrzuciłam z siebie wszystko, bez owijania w bawełnę. Powiedziałam, że jest zła i mściwa, że nie ma nikogo, kto żywiłby wobec niej chociaż cień ciepłych uczuć. Nie omieszkałam jej wygarnąć, że jest oszustką i złodziejką, i ma wiele szczęścia w życiu, ponieważ wiele osób na twoim miejscu oskarżyłoby ją na policji.

– Brawo! – wykrzyknęła Hayley z entuzjazmem. – To nawet lepsze, niż gdybyś wyrzuciła ją przez okno.

– A wcale na tym nie skończyłam.

– Opowiadaj więc, co było dalej – nie mogła się doczekać Hayley.

– Oświadczyłam, że szybciej zacznę żebrać na ulicy, niż wrócę pod jej dach, by znowu stać się jej podnóżkiem. A potem zażądałam, żeby wyszła z mojego domu. – Jane wyciągnęła przed siebie rękę. – Po prostu takim gestem wskazałam jej drzwi. Chyba w tym momencie trochę przesadziłam, ale byłam naprawdę wyprowadzona z równowagi. Clarissa zapowiedziała, że tego pożałuję. Chyba nawet użyła bardziej dobitnych słów, lecz prawdę mówiąc, nie zwracałam na nią większej uwagi. A potem po prostu wyszła. – Jane odetchnęła ciężko i pomachała dłonią przed twarzą. – Uff...

– Rety, Jane, drzemią w tobie ukryte siły. – Roz mocno uścisnęła dłoń dziewczyny. – Nigdy bym na to nie wpadła.

– Na tym jednak moja przygoda z Clarissą Harper bynajmniej nie dobiegła końca. Po naszej konfrontacji postanowiła doprowadzić do mojego zwolnienia z pracy.

– A to wredna wiedźma. – Twarz Hayley aż pociemniała z oburzenia. – I co zrobiła w tym celu?

– Poszła do Carrie i oświadczyła, że jestem kobietą pozbawioną zasad moralnych, miałam bowiem romans z żonatym mężczyzną, a na dodatek okradłam ją, moją bliską krewną, gdy łaskawie przygarnęła mnie pod swój dach. Nie omieszkała dodać, że to poczucie chrześcijańskiego obowiązku każe jej przekazać te informacje na mój temat.

– Od dawna twierdzę, że dla chrześcijan pokroju Clarrisy zarezerwowano specjalne miejsce w piekle – rzuciła Roz.

– W każdym razie, kiedy Carrie wezwała mnie do swojego biura i powiedziała, iż Clarrisa Harper przyszła do niej z wizytą, byłam przekonana, że za moment dostanę wymówienie. Tymczasem szefowa zapytała mnie, jakim cudem w ogóle wytrzymywałam z tą starą, wredną wroną. Tak właśnie ją nazwała. A potem stwierdziła, że jeżeli ją znosiłam, muszę mieć w sobie wiele cierpliwości, taktu i siły ducha – a więc cech bardzo pożądanych u pracownika. A skoro na dodatek pracuję ciężko i pilnie się uczę, natychmiast dostanę znaczącą podwyżkę.

– Z tej Carrie musi być doprawdy świetna kobieta – zawyrokowała Hayley. – Chętnie postawiłbym jej drinka.

– Nie ma nic lepszego niż szczęśliwe zakończenia – powiedziała Hayley, po czym dodała w duchu, że może z wyjątkiem siedzenia z Harperem na huśtawce w cieniu letniego popołudnia, popijania zimnego piwa i patrzenia na Lily bawiącą się spokojnie na trawniku.

– Mnie też nic tak nie cieszy, jak utarcie nosa kuzynce Clarissie. Ilekroć nas odwiedzała, kiedy jeszcze byłem chłopcem, zawsze mnie terroryzowała. Aż w końcu mama wykopała ją z Harper House.

– Czy wiesz jak, według Jane, kuzynka Rissy nazwała twoją mamę?

– Nie. – Twarz Harpera zastygła w kamienną maskę. – A jak mianowicie?

– Powiedziała, że jest ladacznicą.

– Lada... – Urwał i wybuchnął tak serdecznym śmiechem, że Lily aż zaczęła klaskać w rączki. – Ladacznicą! Mój Boże, mama na pewno wpadłaby w zachwyt.

– I tak się właśnie stało. Rany, to niesamowite, jak dobrze znasz Roz. A tak na marginesie, to był przeuroczy poranek. Natychmiast zapomniałam o wszystkich troskach. To wprost nie do wiary, że Jane potrafiła się tak na nowo pozbierać – czy też może odkryć istotę własnej osobowości. Kiedy widziałam ją po raz ostatni, była praktycznie niewidzialna. Teraz natomiast to gorąca sztuka.

– Doprawdy? A jak bardzo gorąca?

Zaśmiała się i szturchnęła go w bok.

– Nie interesuj się tym tak bardzo. Jedna kuzynka naraz powinna ci wystarczyć.

– A właściwie to jakie łączy nas pokrewieństwo? Dotąd nigdy nie zdołałem tego rozgryźć.

– Twój ojciec i mój tata byli, zdaje się, kuzynami w trzecim pokoleniu. Sam więc to sobie oblicz. Poza tym, jeśli się nie mylę, łączy nas także dalekie powinowactwo ze strony drugiego męża mojej praprababki...

Uciszył ją, przyciskając usta do jej ust.

– Najważniejsze, że możemy się bezkarnie całować – zdecydował.

– Super – odparła Hayley i przechyliła się w stronę Harpera, by raz jeszcze mógł musnąć wargami jej wargi.

Te pieszczoty szybko jednak przerwała im Lily, która zaczęła ciągnąć swojego ulubieńca za nogawkę, póki Harper nie wziął jej na ręce. Gdy tylko znalazła się w jego ramionach, jedną ręką z całej siły objęła go za szyję, drugą zaś – zaczęła odpychać matkę.

– Zdaje się, że chce mi pokazać, gdzie moje miejsce. – Rozbawiona Hayley nachyliła się raz jeszcze, i Lily ponownie ją odepchnęła, po czym ściślej przylgnęła do Harpera.

– Dziewczyny zawsze o mnie walczą – mruknął cicho. – Taka już moja dola.

– Uhm. Założę się, że ta, którą przyprowadziłeś tu na sylwestra, byłaby nawet gotowa gryźć i drapać.

Harper uśmiechnął się szeroko do Lily.

– Zupełnie nie wiem, o czym mówi twoja mama.

– Och, z pewnością wiesz doskonale. O tej blondynce z włosami do pasa i idealnym biuście dzięki gorseciarskiej sztuce firmy Victoria's Secret.

– Taa... ten biust nadal śni mi się po nocach.

– Cóż za niestosowny tekst!

– Sama zaczęłaś ten temat. A tak à propos, ta dziewczyna miała na imię Amber – odrzekł, śmiejąc się z cicha i unosząc Lily wysoko nad głowę.

– Jasne. Wyjątkowo do niej pasowało.

– Poza tym to prawniczka w wielkiej korporacji.

– Żartujesz!

– Bóg mi świadkiem. – Uniósł dłoń, jakby składał przysięgę. – Nie każda piękna kobieta musi być idiotką, czego ty jesteś chodzącym dowodem.

– Zgrabnie z tego wybrnąłeś. Poza tym, to miłe, że nadal wyrażasz się o niej jak najlepiej, Nienawidzę, gdy mężczyźni – czy też kobiety, gdy już o tym mowa – wygadują okropne rzeczy o swoich byłych partnerach. Czy z Amber sprawy przedstawiały się poważnie?

– Nie. W owym czasie żadne z nas nie chciało poważnego związku. W tej chwili jej zależy przede wszystkim na zbudowaniu silnej pozycji zawodowej.

– A czy kiedykolwiek byłeś z kim w naprawdę poważnym związku?

– Parę razy otarłem się o coś poważniejszego. Nigdy jednak do niczego nie doszło.

Harper usadził Lily pomiędzy nimi na huśtawce.

Lepiej nie drążyć dalej tematu, zdecydowała Hayley. Nie psuć tego niesamowitego nastroju, gdy w trójkę kołysali się łagodnie pośród kwiatów eksplodujących kolorami lata, przy akompaniamencie brzęczenia uwijających się wokół pszczół.

– To najpiękniejsza pora roku – odezwała się po chwili. – I najpiękniejsza pora dnia. Leniwe popołudnie tuż przed zachodem słońca, gdy wydaje się, że czas nagle się zatrzymał.

– Nie miałabyś ochoty wyrwać się stąd na jakiś czas?

– Nie dzisiejszego wieczoru. Nie chciałabym zostawiać Lily samej przez dwa dni z rzędu.

– Pomyślałem, że po kolacji moglibyśmy ją zabrać gdzieś na lody.

Zdumiona, spojrzała mu prosto w oczy.

– To świetny pomysł.

– Doskonale. A co byś powiedziała no to, gdybyśmy już wyruszyli na miasto, zjedli gdzieś hamburgera i zakończyli naszą wyprawę lodami?

– Ta propozycja podoba mi się nawet jeszcze bardziej.

Parny lipiec przeszedł w upalny sierpień – w dni pełne lejącego się z nieba żaru i dusznych, niedających wytchnienia nocy. Po jakimś czasie jednak ten brak różnicy temperatury miedzy dniem a nocą stał się czymś normalnym, a nawet niemal kojącym.

– Może wystarczyło, że ustaliliśmy jej tożsamość – rzuciła Hayley, sadząc w doniczce różowe i żółte piątaki. – Może usatysfakcjonowało ją, że odkryliśmy, iż była praprababką Roz.

– Myślisz, że się już wyciszyła i zostawi nas wreszcie w spokoju? – spytała Stella.

– Nadal niemal każdej nocy śpiewa w pokoju Lily. Ale nie szaleje i nikogo nie atakuje. Niekiedy wydaje mi się, że ogarniają mnie dziwne, obce uczucia, na szczęście jednak te niesamowite wrażenia szybko mijają. Mam nadzieję, że nie zachowywałam się ostatnio jakoś dziwacznie?

– Bo ja wiem? Słuchałaś muzyki Pink i na dodatek mówiłaś coś o zrobieniu tatuażu.

– W tym nie ma zupełnie nic dziwacznego. Osobiście uważam, że obie powinnyśmy sobie sprawić tatuaże – najlepiej jakieś kwiatowe motywy. Ja zafundowałabym sobie czerwoną lilię, a ty – błękitną dalię. Założę się, że Logan uznałby to za cholernie seksowne.

– Jeżeli to dla niego seksowne, niech sam sobie zafunduje tatuaż.

– Och, Stello. Mówię o czymś delikatnym i bardzo kobiecym.

– Kobiecy tatuaż to w moim przekonaniu oksymoron.

– W żadnym razie – zaprotestowała Hayley. – Kwiaty, motyle, jednorożce to bardzo kobiece rysunki. Założę się, że nawet Roz udałoby mi się namówić na taką ozdobę.

Słysząc to Stella wybuchnęła śmiechem.

– Powiem ci coś. Jeżeli uda ci się namówić Roz na tatuaż, to wówczas... chociaż, nie. Nawet wtedy nie dam się przekonać.

– Z historycznego punktu widzenia, tatuaże to starożytna forma sztuki, znana już przed tysiącami lat w Egipcie. Wówczas robiono je, by odegnać nadprzyrodzone złe moce. A ponieważ my niemal na co dzień mamy do czynienia z nadprzyrodzonym bytem, mogłybyśmy nasze tatuaże potraktować jak ochronne talizmany, a przy okazji – ekspresję własnej osobowości.

– Moja osobowość burzy się na samą myśl, że obcy facet o dziwacznym imieniu miałby na moim ciele wyrzynać jakikolwiek symbol – czy to kobiecy, czy też zupełnie inny. Może jestem na to zbyt konserwatywna... Twoje kompozycje prezentują się bardzo pięknie, Hayley. To cukierkowe zestawienie wygląda nad wyraz słodko.

– Tak sobie zażyczyła nasza klientka. Żółty i róż mają być dominującymi kolorami na ślubie jej córki, uznała więc, że kompozycje w tych barwach powinny się znaleźć na wieczorze panieńskim. Ja dla siebie wybrałabym o wiele bardziej nasycone kolory – dużo odważniejsze i zdecydowane.

– Czyżbym o czymś nie wiedziała? – spytała Stella.

– Hm?

– Rozmyślasz o kolorach, jakie chciałabyś widzieć na swoim ślubie?

– Och, nie. – Hayley ze śmiechem odstawiła na bok gotową kompozycję. – Nie, nic z tych rzeczy. Postanowiliśmy z Harperem stosować metodę małych kroków. Bardzo, bardzo małych – dorzuciła z westchnieniem.

– Czy tego właśnie chcesz?

– Uhm. Tak. Sama nie wiem. – Raz jeszcze westchnęła głęboko, po czym odgarnęła włosy z czoła. – Tak jest rozsądniej. Ostatecznie, musimy brać pod uwagę mnóstwo czynników. Na przykład naszą przyjaźń, pracę, stosunek do Roz. Nie możemy rzucić się na głębokie wody, tylko dlatego, że... że jestem spragniona seksu.

– Ale chętnie byś się na te wody rzuciła.

Hayley przeniosła wzrok na Stellę.

– Szczerze? Bez zastanowienia dałabym nura.

– Czemu więc nie powiesz o tym Harperowi?

– Ja zrobiłam pierwszy krok. Teraz on powinien wykonać następny ruch. I mam nadzieję, że szybko na to wpadnie.

– Nie chcę jej poganiać – wyznał Harper Davidowi, po czym jednym haustem pochłonął pół puszki coli. Rzadko robił sobie przerwę na lunch, a jeszcze rzadziej wpadał w tym czasie do kuchni Harper House, dzisiaj jednak tu przyszedł, bo miał pewność, że o tej porze znajdzie się sam na sam z Davidem.

– Zlituj się, Harp. Znacie się przecież prawie od dwóch lat. Tu już nie ma mowy o poganianiu, to raczej dramatyczna stagnacja.

– Wcześniej sprawy przedstawiały się zupełnie inaczej. Dopiero od niedawna patrzymy na siebie jak na potencjalnych partnerów. No i Hayley uważa, że powinniśmy postępować powoli i z rozwagą. A to mnie zabija.

– Jeszcze nie słyszałem, żeby ktoś zszedł z tego padołu z powodu frustracji seksualnej.

– Świetnie. Będę pierwszy. Pośmiertnie naukowcy uznają mnie za szczególny przypadek.

– Ja natomiast stanę się dzięki temu sławny, jako przyjaciel owego ewenementu. Proszę, wsuwaj.

Harper podejrzliwie zerknął na podaną mu kanapkę.

– A cóż to takiego?

– Same pyszności.

– To znaczy, co? – Odgryzł kęs z wyraźną nieufnością. – Jagnięcina? Jagnięcina na zimno?

– Przyprawiona odrobiną sosu chutney z nektaryn.

– Hm... całkiem nieźle. Skąd przyszło ci do głowy... Nie, nie rozgaduj się, pozostańmy przy głównym temacie. – Z wyraźnym smakiem ponownie ugryzł kanapkę. – Zawsze mi się zdawało, że dobrze rozumiem kobiety, tym razem jednak nie mogę nadążyć za Hayley. Przyznaję też, że kiedyś mnie nie interesował sposób rozumowania moich dziewczyn. Ale teraz nagle wszystko się zmieniło.

David, również z sandwiczem w ręku, usiadł naprzeciwko przyjaciela.

– Dobrze więc, że masz u boku takiego eksperta jak ja, żółtodziobie.

– Wiem. W każdym razie, pomyślałem nawet, że może pewnego wieczoru powinienem, z butelką wina w ręku, zapukać do jej tarasowych drzwi. Pojmujesz – zastosować wariant bezpośredniego ataku.

– Nie bez powodu to klasyk gatunku.

– Rzecz w tym, że Hayley boi się swoistej konfrontacji na terenie rezydencji – mam na myśli Amelię. Przynajmniej tak mi się wydaje.

– Czy przez konfrontację rozumiesz gorący seks?

– Do diabła, czasami jesteś jak dla mnie zbyt błyskotliwy. Niemniej pomyślałem, że może powinienem zaprosić Hayley wraz z Lily na kolację, a gdy już mała uśnie... no, wiesz... dobre wino, nastrojowa muzyka... – Wzruszył bezradnie ramionami.

– Słuchaj, Harp, czy kiedykolwiek zastanawiałeś się nad tym, czemu pierwszorzędne hotele mają całodobowy serwis i tabliczki do wywieszenia na drzwiach, z napisem: „Nie przeszkadzać"?

– Całodobowy serwis?

– Tylko pomyśl, chłopie. Zabierasz ją na wykwintną kolację, powiedzmy do Peabody. Mają tam piękne apartamenty, obsługę bez zarzutu, pyszne żarcie i... wszystko możesz zamówić do pokoju.

Harper, zamyślił się, żując powoli kanapkę.

– A więc zabieram ją na kolację do luksusowego hotelu? Czy to nie... rewelacyjny pomysł! – zdecydował po chwili.

– No właśnie. Wino, świece, nastrojowa muzyka – wszystko w eleganckim hotelowym apartamencie. Następnego ranka podasz jej śniadanie do łóżka.

Harper zlizał sos z palca.

– Będę potrzebował apartamentu z dwoma sypialniami. Lily!

– Twoja mama, Mitch i ja będziemy zachwyceni, gdy dostaniemy szansę zabawiania słodkiej Lily przez ten wieczór. A żebyś mógł się wykazać prawdziwym geniuszem, spakuję dla Hayley torbę z najbardziej niezbędnymi drobiazgami. Będzie ci wdzięczna, gdy ją dostanie w odpowiednim momencie. Ty natomiast zarezerwuj szybko apartament, zamów kwiaty, przygotuj idealną scenerię. A potem zawieź tam Hayley i oczaruj swoim urokiem.

– Świetny pomysł, Davidzie. Sam powinienem na to wpaść – fakt, że tego nie zrobiłem, dobitnie wskazuje, jak kompletnie straciłem dla niej głowę. Muszę teraz wracać do „Edenu", i poprosić Stellę, niech tak ustawi pracę, żebym mógł przeprowadzić plan. Wielkie dzięki.

– Zawsze chętnie działam na rzecz prawdziwej miłości – albo przynajmniej gorącego seksu w hotelowym pokoju.

Włożyła czerwoną sukienkę. Była najładniejsza ze wszystkich jej strojów, poza tym Hayley świetnie w niej wyglądała. Żałowała jednak, że Harper nie dał jej więcej czasu, żeby mogła pójść i kupić sobie coś nowego.

Widział ją już w tej sukience. Między Bogiem a prawdą, widział ją już we wszystkich jej kreacjach.

Ale chyba nie miał okazji jej jeszcze oglądać w tych wspaniałych butach. Szpilki od Jimmy'ego Choo kiedyś należały do Roz i z pewnością kosztowały kilka razy więcej niż czerwona sukienka. Warte jednak były każdego centa, zdecydowała Hayley obracając się przed wysokim lustrem. Niesamowite, jak pięknie w nich wyglądały jej nogi – nie wydawały się już chude, tylko niesamowicie seksowne.

Może powinna jeszcze upiąć włosy? Odgarnęła je w górę i odchyliła głowę, by sprawdzić efekt z profilu.

– I co o tym sądzisz? – spytała Lily, która siedziała na podłodze, pilnie pakując drobne zabawki do starej torebki Hayley. – Upięte czy rozpuszczone? Jeżeli je zaczeszę do góry, będę mogła włożyć te super długie kolczyki. Spróbujmy.

Gdy mężczyzna zaprasza kobietę na – jak to określa – specjalną kolację, należy zrobić wszystko, by go olśnić, zdecydowała w duchu, wpinając wsuwki we włosy.

Należy przemyśleć każdy szczegół – łącznie z bielizną. Ta była zupełnie nowa, kupiona z myślą, że pewnego dnia Harper ją zobaczy.

Niewykluczone, że już dzisiaj, jeżeli uda im się nieco przedłużyć wspólny wieczór. Harper mógłby przyjść tutaj, do jej pokoju. Hayley będzie tylko musiała zapomnieć o Amelii, wyrzucić ją ze swoich myśli. Zapomnieć też o tym, że w sąsiednim skrzydle jest Roz, matka Harpera. A Lily śpi w pokoju obok.

Czemu, do diabła, sytuacja musi być aż tak skomplikowana?

Pragnęła go. Ostatecznie oboje byli młodzi, zdrowi i wolni. Życie powinno być proste.

Miłość nie może lękać się komplikacji. Tak twierdził Harper. Cóż, chyba więc już czas, by zaczęła uważać tę skomplikowaną sytuację za plus nie za minus.

– Zdaje się, że sama wszystko gmatwam, Lily. Wyraźnie nie potrafię inaczej. Ale czas, żebym coś z tym zrobiła.

Wsunęła w uszy długie, złote kolczyki, przez chwilę zastanawiała się, czy nie dorzucić do kompletu łańcuszka, ale w końcu zrezygnowała z dodatkowych ozdób. Łańcuszek osłabiłby efekt kolczyków.

– No i jak? – Okręciła się na pięcie przed córeczką. – Czy mama wygląda ładnie?

W odpowiedzi Lily uśmiechnęła się szeroko i wyrzuciła zawartość starej torebki na podłogę.

– Uznam to za akceptację – mruknęła Hayley, po czym odwróciła się do lustra, by po raz ostatni sprawdzić swój wygląd.

I aż zabrakło jej tchu z przerażenia.

Zobaczyła przed sobą czerwoną sukienkę, ale nie tę krótką, na wąskich ramiączkach, którą miała w szafie od dwóch lat.

W lustrze widziała długą, jedwabną suknię o wyszukanym kroju, z dużym dekoltem odsłaniającym biust, na który opadały rubiny i brylanty ciężkiego naszyjnika.

Włosy miała upięte wysoko w skomplikowany węzeł, a kilka złocistych loków ułożono tak, by okalały piękną twarz o ponętnych, karminowych ustach i błyszczących, szarych oczach.

– Nie jestem tobą – wyszeptała Hayley. – Nie jestem!

Odwróciła się powoli od lustra i przykucnęła, drżącymi rękami zbierając rozsypane zabawki.

– Wiem, kim jestem. Wiem, kim jest Amelia. Nie jesteśmy jedną i tą samą osobą. Pod żadnym względem nie jesteśmy do siebie podobne.

Zdjęta nagłą paniką, spojrzała za siebie, niemal pewna, że zobaczy, jak Oblubienica wynurza się z lustra i materializuje przed jej oczami. Ale tym razem ujrzała jedynie odbicie własnej twarzy – oczy szeroko otwarte z przerażenia i policzki powleczone niezdrową bladością.

– Chodź, kochanie. – Wzięła Lily na ręce, a gdy mała zaczęła kwilić w proteście, podniosła także starą torebkę z zabawkami.

Zmusiła się do spokojnego, równomiernego kroku, a przed podestem schodów jeszcze zwolniła tempo. Musi się opanować, bo Roz dojrzy szok na jej twarzy, a Hayley nie miała teraz ochoty rozmawiać o Amelii. Chociaż przez ten jeden wieczór chciała udawać, że wszystko jest w porządku.

Przystanęła więc i zrobiła kilka głębokich oddechów. A potem wkroczyła do dużego salonu z Lily na ręku i z szerokim uśmiechem na twarzy.

# 10

Gdy wyruszali do Memphis, panował upał, a na niebie kłębiły się niskie chmury. Auta na drodze przesuwały się w żółwim tempie, Harperowi jednak jak gdyby to nie przeszkadzało. Ostatecznie klimatyzacja w samochodzie pracowała pełną parą, a z głośników sączyła się muzyka Coldplay.

Harper co rusz odrywał rękę od kierownicy i kładł na dłoni Hayley w czułym geście, przyprawiając dziewczynę o drżenie serca.

Miała rację, nie wspominając nikomu o wizji w lustrze czy jakkolwiek się to nazywało. Jutro zdąży zdać wszystkim relację.

– Jeszcze nigdy nie byłam w tutejszej restauracji – powiedziała, gdy zatrzymali się na hotelowym parkingu. – Zapewne jest wspaniała.

– To jeden z prawdziwych klejnotów Memphis.

– Byłam tylko w holu tego hotelu. Przecież jak się jest w tym mieście, trzeba obejrzeć kaczki w Peabody. Jeśli się tego nie zrobi, to tak jakby się nie pojechało do Graceland czy na Beale Street.

– Zapomniałaś jeszcze o Sun Records.

– Co ty powiesz? – Posłała mu surowe spojrzenie. – Dobrze wiem, że się ze mnie nabijasz.

– W żadnym razie. Najwyżej chichoczę cicho pod nosem.

– Tak czy owak, widok holu Peabody aż zapiera dech w piersiach. Czy wiesz, że show z kaczkami ma już siedemdziesiąt pięć lat?

– Doprawdy?

Szturchnęła go żartobliwie, gdy ruszyli w stronę hotelu.

– Nie udawaj. Z pewnością wiesz wszystko na ten temat. Przecież to twoje rodzinne miasto.

– Niemniej, wciąż jeszcze można mnie zaskoczyć. – Wprowadził Hayley do holu.

– Może wypijemy drinka przed kolacją? Na przykład przy fontannie? – Wyobraziła sobie, że sączy jakiś ekskluzywny, chłodny trunek – koktajl na szampanie lub cosmopolitan. – Mamy na to czas?

– Owszem, ale wydaje mi się, że to, co zaplanowałem, o wiele bardziej przypadnie ci do gustu. – Pociągnął dziewczynę w stronę wind.

Hayley z pewnym żalem obejrzała się przez ramię i raz jeszcze powiodła wzrokiem po marmurach i kolorowych witrażach.

– Czy na górze mają salę restauracyjną? Może na dachu? Zawsze mi się wydawało, że to niezmiernie eleganckie. Pod warunkiem że nie pada. I nie wieje. Lub nie ma zbyt dużego upału – dorzuciła ze śmiechem. – Pewnie w gruncie rzeczy kolacja na dachu jest taka wystrzałowa tylko w romantycznych filmach.

Harper jedynie uśmiechnął się w odpowiedzi i wprowadził Hayley do windy.

– Czy już ci mówiłem, że bardzo pięknie dziś wyglądasz?

– Mówiłeś, ale nie mam nic przeciwko temu, byś to od czasu do czasu powtarzał.

– Wyglądasz szałowo. – Musnął ustami jej wargi. – Powinnaś zawsze ubierać się na czerwono.

– Ty też prezentujesz się super. – Przesunęła ręką po klapie jego ciemnej marynarki. – Wszystkie kobiety w restauracji będą mi zazdrościć. Z zawiści nie zdołają przełknąć nawet kęsa.

– Może więc im tego oszczędzimy. – Winda się zatrzymała, Harper wziął Hayley za rękę i pociągnął w głąb korytarza. – Idziemy.

– Co ty wymyśliłeś?

– Mam nadzieję, że to ci się spodoba. – Wyciągnął z kieszeni klucz, otworzył najbliższe drzwi i gestem zaprosił dziewczynę do środka. – Bardzo proszę.

Aż sapnęła z wrażenia na widok wielkiego pokoju, pełnego płonących świec i wazonów, z których wychylały się pęki szkarłatnych lilii.

W pomieszczeniu dominowały mocne, wysycone kolory, a z wysokich okien rozciągał się widok na miasto, błyskające milionami świateł. W pobliżu balkonowych drzwi stał stolik zastawiony na dwie osoby, oraz szampan w srebrnym wiaderku pełnym lodu.

Z głośników płynął nastrojowy blues. Oszołomiona Hayley zaczęła rozglądać się wokoło i zobaczyła kręcone schody, prowadzące na następny poziom.

– Ty... ty to wszystko zorganizowałeś?

– Chciałem być z tobą sam na sam.

Poczuła, jak wzruszenie łapie ją za gardło.

– I zrobiłeś to dla mnie?

– Dla nas obojga.

– A więc ten piękny pokój... te kwiaty, świece i szampan są tylko dla nas? Wprost nie wiem, co powiedzieć. Jestem zachwycona.

– To dobrze, właśnie o to mi chodziło. – Podszedł bliżej, chwycił ją za ręce. – Chciałem, żeby dzisiejszy wieczór był absolutnie wyjątkowy. Niezapomniany. – Uniósł jej dłonie do ust. – Perfekcyjny w każdym calu.

– Jesteś na najlepszej drodze, by osiągnąć cel. Rany, Harper, jeszcze nikt nigdy nie zadał sobie tyle trudu, żeby sprawić mi przyjemność.

– To dopiero początek. Już zamówiłem kolację. Podadzą ją za jakieś piętnaście minut. Mamy więc mnóstwo czasu na drinka. Co powiesz na kieliszek szampana?

– Idealny na taką okazję. Dziękuję. – Pocałowała go namiętnie.

– Lepiej zajmę się tą butelką, bo jak tak dalej pójdzie, zapomnę, jak ma przebiegać ten wieczór.

– A więc jest jakiś plan?

– Mniej więcej. – Wyjął butelkę z lodu. – Możesz się całkiem zrelaksować. Podałem mamie numer do pokoju. Poza tym wie, jak nas złapać pod komórkami. Obiecała, że zadzwoni, gdyby Lily dostała choćby czkawki.

Strzelił korek, a Hayley parsknęła śmiechem.

– W porządku. Wierzę, że Roz ze wszystkim sobie poradzi.

Obróciła się radośnie na pięcie – po prostu nie mogła się powstrzymać.

– Czuję się, jak Kopciuszek. Oczywiście bez złych sióstr i karocy z dyni. Ale poza tym, ja i Kopciuszek to właściwie bliźniaczki.

– Pod warunkiem, że pantofelek będzie pasował.

– Wiesz, zamierzam się rozkoszować każdą chwilą tego wieczoru. Nie wiem tylko, czy uda mi się zachowywać, jak na damę przystało, bo mam ochotę skakać z radości, a potem zajrzeć w każdy zakątek tego apartamentu. Założę się, że łazienki są niesamowite. A czy w tym kominku można naprawdę napalić? Wiem, że panuje upał, ale wcale mnie to nie obchodzi.

– W takim razie napalimy. Proszę. – Wręczył Hayley kieliszek. – Za niezapomniane chwile!

– I za mężczyzn, którzy je aranżują – spojrzała na niego roziskrzonymi oczami. – O, rany – westchnęła, gdy pociągnęła pierwszy łyk. – Pyszny ten szampan. Czy ja przypadkiem nie śnię na jawie?

– W takim razie musielibyśmy śnić oboje.

– OK. A więc nie będę się martwić.

Harper wyciągnął rękę i przesunął delikatnie palcami po odsłoniętym karku dziewczyny, a potem – najdelikatniej, jak umiał – przyciągnął ją do siebie. Na dźwięk pukania do drzwi, uśmiechnął się lekko.

– Obsługa punktualna jak w zegarku. Otworzę. Kiedy już podadzą do stołu, znowu zostaniemy sami.


Harper urządził to wszystko dla niej, dźwięczało jej w głowie. Opracował całość w najdrobniejszych szczegółach, tak że ten wieczór zdawał się wprost bajkowy. Dzięki Harperowi Hayley siedziała teraz w eleganckim apartamencie, popijała wykwintnego szampana w świetle świec i w blasku od ognia płonącego w kominku. W powietrzu unosił się zapach lilii. Na stole stały pyszne dania, których smaku prawie jednak nie czuła, oszołomiona oczekiwaniem na rozwój wypadków.

Dzisiejszego wieczoru będą się kochać.

– Opowiedz, mi o swoim dzieciństwie – poprosiła.

– Cieszyłem się, że mam braci, nawet kiedy mnie doprowadzali do szału.

– Jesteście ze sobą bardzo związani. Widać to, gdy przyjeżdżają z wizytą. Mimo że mieszkają z dala od Memphis, dla nikogo nie ulega najmniejszej wątpliwości, że trzymacie się razem jak gang złodziei.

Harper dolał jej szampana.

– A czy ty chciałaś mieć rodzeństwo, jak byłaś mała?

– Uhm. Otaczali mnie przyjaciele i kuzyni, ale marzyłam o siostrze, z którą mogłabym dzielić się sekretami po nocach, a czasem nawet kłócić się do nieprzytomności. Ty tego wszystkiego doświadczyłeś.

– W dzieciństwie czułem się tak, jakbym był hersztem bandy, szczególnie gdy niemal na stałe dołączył do nas David.

– Założę się, że nie raz doprowadzaliście Roz do szału.

Uśmiechnął się i uniósł kieliszek do ust.

– Robiliśmy, co w naszej mocy. Letnie miesiące wydawały się długie i cudowne – takie, jakie bywają tylko w latach dzieciństwa. Upalne dni spędzaliśmy w lesie, w ogrodach i nad stawem. To był nasz cudowny, zaczarowany świat. Pamiętam, że pachniał ziemią i liśćmi. A w nocy rozbrzmiewał śpiewem cykad.

– Jak byłam mała, często uchylałam okno przed snem, żeby lepiej słyszeć ich cykanie. Z pewnością wciąż pakowaliście się w kłopoty.

– Jasne. Mamie jednak nic nigdy nie umknęło. Miała jakiś szósty zmysł, jakiś wewnętrzny radar, co mnie niekiedy zdrowo przerażało. Potrafiła pracować w ogrodzie czy krzątać się po domu, ale gdy tylko mnie zobaczyła, od razu wiedziała, że coś zmajstrowałem.

Hayley oparła brodę na dłoni i spojrzała mu prosto w oczy.

– Podaj jakiś konkretny przykład.

– Najbardziej mnie zdumiała, gdy przyszedłem do domu po tym, jak pierwszy raz uprawiałem seks. – Zanurzył truskawkę w bitej śmietanie i wsunął Hayley do ust. – Wróciłem do domu, zaznawszy raju na tylnym siedzeniu ukochanego camaro, mniej więcej pół roku po swoich szesnastych urodzinach. Mama przyszła następnego rana do mojego pokoju i na komodzie położyła paczkę kondomów.

Potrząsnął głową i chwycił kolejną truskawkę.

– Powiedziała – do dziś pamiętam to doskonale – że już rozmawialiśmy o seksie i odpowiedzialności, i o tym, by się mądrze zabezpieczać, ma więc nadzieję, że pamiętałem o jej zaleceniach i że nadal będę to robić. A potem chciała wiedzieć, czy mam jakieś pytania.

– I co odpowiedziałeś?

– „Nie, ma'am". A kiedy tylko wyszła za drzwi, naciągnąłem kołdrę na czubek głowy i zacząłem pytać Boga oraz wszystkich świętych, skąd ona wiedziała, że poprzedniego wieczoru uprawiałem seks z Jenny Proctor. To było zagadkowe i upokarzające zarazem.

– Mam nadzieję, że też będę taka.

Spojrzał na nią zdumiony.

– Zagadkowa i upokarzająca?

– Nie. Równie przenikliwa jak twoja mama. Że tak samo będę umiała rozszyfrować Lily.

– Lily nie ma prawa uprawiać seksu, póki nie skończy trzydziestki i od kilku lat nie będzie mężatką.

– Naturalnie. – Chwyciła ustami podaną truskawkę i mruknęła z zachwytu. – A co się stało z Jenny Proctor?

– Z Jenny? – Harper uśmiechnął się nostalgicznie, najwyraźniej wracając myślami do przeszłości. – Nasze drogi się rozeszły. Postanowiła wyjechać do Kalifornii na studia, została tam i wyszła za mąż za scenarzystę.

– Biedactwo... Nie, nie dolewaj mi więcej, proszę – powiedziała, kiedy znowu napełnił jej kieliszek. – Czuję, że już mi się kręci w głowie.

– Dzisiaj możemy iść na całość.

Przechyliła kpiąco głowę.

– Czy w planie tego wieczoru jest również upojenie mnie alkoholem, żebym stała się powolna i uległa?

– A i owszem.

– Dzięki Bogu. Mam nadzieję tylko, że szybko wprowadzisz swój plan w czyn, bo nie wiem, jak długo jeszcze zdołam siedzieć spokojnie i jedynie się w ciebie wpatrywać.

Z pociemniałymi oczami Harper podniósł się z krzesła i wyciągnął do Hayley dłoń.

– Zgodnie z założeniami, miałem cię teraz poprosić do tańca i otoczyć ramionami... o tak.

– Jak do tej pory nie znalazłam ani jednego słabego punktu w twoim planie.

– W takim razie zacznę cię całować. Na przykład tutaj. – Musnął wargami jej skroń. – I tutaj. – Przesunął usta w stronę jej policzka. – A także tutaj. – Przywarł ustami do jej ust.

– Tak bardzo cię pragnę – wyszeptała. – Weź mnie, Harper. Weź mnie, bo oszaleję.

Ruszyli w stronę kręconych schodów.

– Wejdź więc ze mną na górę.

Trzymając kurczowo jego dłoń, zaczęła iść po stopniach, po czym wybuchnęła śmiechem.

– Czuję, jak drżą mi kolana. I sama nie wiem, ze zdenerwowania czy z podniecenia. Wiele razy wyobrażałam sobie nas razem w podobnej sytuacji, nigdy jednak nie przypuszczałam, że tak trudno przyjdzie mi zapanować nad emocjami.

– Nie będziemy się spieszyć.

Serce zaczęło jej walić jeszcze szybszym rytmem, wiedziała jednak, że musi jeszcze poruszyć pewną kwestię.

– Hm... co prawda stosuję środki antykoncepcyjne, ale myślę, że powinniśmy... hm... nie wzięłam ze sobą żadnych prezerwatyw.

– Zostaw to mnie.

– Powinnam wiedzieć, że pomyślałeś o wszystkim.

– Dobrze się przygotowałem.

– Byłeś skautem?

– Nie, ale spotykałem się z wieloma byłymi skautkami.

To ja rozśmieszyło i rozładowało napięcie.

– Chyba...

Aż zaniemówiła z wrażenia, gdy znalazła się w sypialni. Na niskim stoliku stały świece i niewielka lampka. Łóżko zostało już zaścielone, a na poduszce spoczywała pojedyncza, szkarłatna lilia.

Jakże romantyczna sceneria!

– Och, Harperze...

– Poczekaj chwilę. – Podszedł do stolika, włączył lampkę i zapalił świece. A potem podniósł kwiat z poduszki i wręczył Hayley. – Postanowiłem przynieść tu lilię, ponieważ lilie zawsze będą mi się z tobą kojarzyć. Gdy tylko cię ujrzałem, pomyślałem, że masz coś wspólnego z tymi kwiatami.

Hayley przytuliła policzek do miękkich płatków, wciągnęła ich aromat, po czym odłożyła lilię na bok.

– Rozbierz mnie – poprosiła.

Zsunął wąski pasek materiału z jej ramienia i pocałował ją w miejscu jeszcze przed chwilą osłanianym przez ramiączko. Ona tymczasem ściągnęła z niego marynarkę, a potem palcami sięgnęła do guzików koszuli, jednocześnie szukając ustami jego warg. Harper przesuwał dłońmi po jej plecach, Hayley – po jego torsie. Czerwona sukienka opadła na podłogę i Hayley została w samej bieliźnie. Harper aż wstrzymał oddech z wrażenia, po czym postąpił krok w tył, by lepiej przyjrzeć się ukochanej.

Miała na sobie tylko wąskie paseczki czerwieni, odcinające się połyskliwie od kremowej skóry. Wysokie szpilki sprawiły, że nogi Hayley wydawały się nie mieć końca. Harper poczuł, jak ogarnia go niepohamowane pożądanie.

– Jesteś wspaniała.

– Przede wszystkim chuda. Same gnaty, żadnych miękkich krągłości.

Pokręcił przecząco głową i przesunął palcem po jej piersi.

– Masz smukłe, delikatne ciało – niczym łodyżka lilii. Mogłabyś rozpuścić włosy?

Patrząc mu w oczy, wyciągnęła spinki, przeczesała włosy palcami. I czekała.

– Jesteś cudowna – powtórzył. Chwycił ją za rękę i pociągnął w stronę łóżka. – Po prostu usiądź – poprosił, po czym przyklęknął obok i zsunął jej buty z nóg.

Powiódł ustami po jej łydce, a Hayley poczuła taki żar, że aż kurczowo chwyciła się brzegu łóżka.

– O, mój Boże!

– Pozwól mi zrobić to, o czym od tak dawna marzę. – Chwycił delikatnie zębami jej skórę tuż powyżej kolana. – Wszystko, co sobie wymyśliłem.

Nie miała najmniejszego zamiaru protestować, tym bardziej że zalała ją fala niesamowitych doznań. Jego usta wędrowały w górę po jej udzie, jego ręce pieściły jej piersi.

Opadła na łóżko, głośno wykrzykując jego imię.

Przyciągnęła go do siebie i oddawała pocałunek za pocałunek. Smakowała jego skórę, rozkoszowała się dotykiem jego rąk.

Harper pamiętał, że nie chciał się spieszyć, nie chciał jej poganiać, ale trudno mu było zapanować nad zmysłami. Jej piersi były tak cudowne – małe, jędrne, w dotyku miękkie jak atłas. Gdy wodził po nich językiem, Hayley odchyliła mocno głowę i wówczas mógł podziwiać subtelną linię jej długiej szyi. Powędrował ręką w dół, między jej uda. Była cała wilgotna, była gotowa.

A więc nareszcie należała do niego.

Kiedy osiągnęła szczyt, miała wrażenie, że nagle tysiąc słońc rozbłysło oślepiającym blaskiem, a jej ciało rozpalił nieznany dotąd żar, otaczający ją świetlistą poświatą. Jeszcze nigdy dotąd nie czuła się równie żywa, równie pobudzona.

Harper patrzył jej prosto w oczy tak głęboko, że z pewnością byłby w stanie teraz odczytać jej najsekretniejsze myśli. A potem przycisnął usta do jej warg i zaczął całować ją tak namiętnie, że aż zaczęła drżeć cała.

A więc to jest miłość, pomyślała. Całkowite, bezwarunkowe oddanie, pozostawiające człowieka bezbronnym, ale przepełnionym niewysłowioną radością.

Leżała na łóżku, spleciona w uścisku z kochankiem po oszałamiającym seksie. Jeżeli istniało na świecie coś przyjemniejszego, z pewnością było to nielegalne.

Gdy chodzi o romantyczne doznania – jeszcze nigdy nie przeżyła czegoś podobnego. Jej poprzednie doświadczenia były niczym w porównaniu z tym, co wydarzyło się przed chwilą. Harper delikatnie przyciągnął ją bliżej do siebie, uśmiechnął się, po czym zaczął czule gładzić jej plecy.

– To było cudowne – szepnęła Hayley. – Jesteś wprost niesamowity. Wszystko jest takie wspaniałe. Mam wrażenie, że gdybym teraz wyszła na ulicę, oślepiłabym wszystkich moim blaskiem.

– Gdybyś teraz wyszła na ulicę, natychmiast zostałabyś aresztowana. – Przesuwał rękę coraz niżej i niżej. – Najlepiej więc zrobisz, jeżeli zostaniesz ze mną.

– Zapewne masz rację. Hm... Czuję się taka zrelaksowana. – Przeciągnęła się jak senna kotka. – Wiesz, przez długi czas byłam zablokowana i spięta. Nawet nie zdawałam sobie sprawy z tego, że tak mi brakowało seksu... O, Boże. Wprost nie mogę uwierzyć, że to powiedziałam.

Harper wybuchnął śmiechem i otoczył ją mocno ramieniem, zanim zdążyła się od niego odsunąć.

– Cieszę się, że mogę... cię zaspokoić.

Wtuliła twarz w jego ramię.

– Niekiedy słowa same wyrywają mi się z ust – mruknęła i wsunęła rękę we włosy Harpera. – Jak miło się do ciebie przytulić. Chciałabym, żeby ten wieczór mógł trwać wiecznie.

– Na razie nigdzie się stąd nie ruszamy. A gdy ta noc dobiegnie końca, zjemy tu razem śniadanie w łóżku.

– Brzmi cudownie, ale wiesz, że nie możemy. Lily...

– Śpi słodko w leżaczku, który zaniosłem po południu do bawialni mamy. – Kiedy spojrzała na niego ze zdumieniem, pocałował ją czule w czoło. – Mama aż zacierała ręce z radości, że będzie miała małą przy sobie przez całą noc.

– Twoja mama... – Urwała i podparła się na łokciu. – Czyżby wszyscy zostali wcześniej poinformowani o dzisiejszym wieczorze oprócz mnie?

– Mniej więcej.

– A więc Roz wie, że my... to dość niesamowite. Tak czy owak, myślę, że powinnam...

– Mama poleciła, bym ci uświadomił, że sama wychowała trzech chłopaków. Zachowała nas całych i zdrowych i utrzymała z dala od więzienia.

– Ale... Rany, jestem okropną matką, bo mam ochotę zostać.

– Wcale nie jesteś okropną matką. Jesteś wspaniała. – Usiadł i wziął ją w objęcia. – Dobrze wiesz, że Lily nie dzieje się żadna krzywda, a mama uwielbia się nią zajmować.

– Wiem... wiem, ale co będzie, jak mała się obudzi w środku nocy i będzie chciała, żebym przyszła? Och, naturalnie – rzuciła z rezygnacją, gdy Harper ironicznie uniósł brew. – Jeżeli Lily się obudzi, Roz świetnie sobie poradzi. Poza tym moja córeczka uwielbia i ją, i Mitcha. Zachowuję się jak idiotka.

– Za to wyjątkowo piękna idiotka.

Hayley z niedowierzaniem rozejrzała się po eleganckim wnętrzu.

– Więc naprawdę możemy tutaj zostać?

– Miałem nadzieję, że się na to zgodzisz.

Hayley nieśmiało przygryzła wargę.

– Tyle że... ja nic ze sobą nie wzięłam. Nie mam nawet szczoteczki do zębów. Ani grzebienia. Ani...

– David zapakował dla ciebie kilka najpotrzebniejszych drobiazgów

– David... A więc wszystko w porządku. On z pewnością wie, czego najbardziej potrzeba kobiecie. – Ledwo to powiedziała, zakręciło jej się w głowie ze szczęścia. – A więc naprawdę tu zostaniemy!

– Taki jest plan. Jeśli nie masz nic przeciwko temu.

– Jeśli nie mam nic przeciwko temu? – powtórzyła, a w jej oczach pojawiły się figlarne błyski. – Tylko poczekaj, a zaraz ci pokażę, co sądzę o twoim planie – odparła, rzucając się w jego stronę.

Kilka godzin później weszła do łazienki i niemal natychmiast wyskoczyła z niej podekscytowana.

– Harper, czy widziałeś te szlafroki? Są takie miękkie i obszerne. – Zaczęła pocierać rękawem o policzek.

Z wolna otworzył jedno oko. Ta kobieta, pomyślał, ma niespożyte pokłady energii. I dzięki Bogu.

– To fajnie – odrzekł.

– Wszystko tutaj jest takie wspaniałe.

– Apartament Romea i Julii – mruknął, niemal odpływając w sen.

– Słucham?

– Ten apartament nosi nazwę apartamentu Romea i Julii.

– Doprawdy... – Hayley zmarszczyła brwi. – Sama nie wiem, co o tym myśleć. To ostatecznie para niedojrzałych nastolatków o skłonnościach samobójczych.

Wybuchnął śmiechem i na dobre otworzył oczy.

– Ty to masz pomysły.

– Nigdy nie uważałam ich historii za romantyczną. Raczej za tragiczną... i świadczącą o skrajnej głupocie. Nie mam na myśli sztuki jako takiej – rzuciła szybko, owijając się szczelniej szlafrokiem. – Sam tekst Szekspira jest wspaniały. Ale tych dwoje? Och, Julia umarła, więc się otruję. A to pech, on nie żyje, więc przebiję sobie serce sztyletem. To znaczy... O, Jezu, chyba gadam bez sensu.

– Jesteś fascynująca – oznajmił Harper, spoglądając jej prosto w oczy.

– Mam bardzo zdecydowane opinie, gdy chodzi o literaturę. Niemniej – bez względu na to, jak się nazywa – ten apartament jest naprawdę super. Chce mi się tańczyć nago na środku pokoju.

– Wiedziałem, że powinienem wziąć aparat fotograficzny.

– Nie miałabym nic przeciwko temu. – Hayley rozłożyła fałdy szlafroka i radośnie obróciła się na pięcie. – To byłoby seksowne, gdybyśmy sobie strzelili fotki nago. A po latach, kiedy już będę stara i pomarszczona, mogłabym na nie patrzeć i przypominać sobie, jak wyglądałam w młodości.

Wskoczyła uśmiechnięta na łóżko.

– Czy masz jakieś zdjęcia, na których jesteś nagi?

– Nie.

– Aha! – Połaskotała go w kolano. – Kto by pomyślał? Jesteś zawstydzony!

– Nie bardzo. – To doprawdy fascynująca dziewczyna. – A ty masz jakieś swoje akty?

– Nigdy nikomu nie ufałam na tyle, aby pozwolić je sobie zrobić. Poza tym jestem taka chuda i koścista. Tobie jednak to nie przeszkadzało!

– Dla mnie jesteś wyjątkowo piękna.

On mówił zupełnie szczerze. Widziała w jego oczach zachwyt, wyczuwała to w jego dotknięciach. Czyż to nie prawdziwy cud?

– Dzisiejszego wieczoru nawet mnie samej tak się wydaje. To cudownie oszałamiające uczucie.

– Żeby jeszcze bardziej cię oszołomić, zamówmy deser.

– Deser? – zdumiała się. – Jest przecież po drugiej w nocy.

– Mają tu taki świetny wynalazek jak dwudziestoczterogodzinny serwis.

– Podają jedzenie do pokoju przez całą dobę? Jezu, ale ze mnie prowincjuszka. Czy będziemy mogli zjeść ten deser w łóżku?

– Taka jest zasada. Jeżeli zamawiasz coś po północy, musisz zjeść to w pościeli i koniecznie nago.

Uśmiechnęła się filuternie.

– Trzeba przestrzegać regulaminu.

Jakiś czas później leżeli na brzuchach, naprzeciwko siebie, a pomiędzy nimi stał talerz z olbrzymim kawałkiem ciasta oblanym czekoladą.

– Pewnie się pochoruję – oznajmiła Hayley, pakując kolejną porcję do ust. – Ale to takie pyszne, że nie mogę się powstrzymać.

– Proszę. – Harper sięgnął w dół i uniósł z podłogi jeden z kieliszków. – Popij.

– Nie mogę uwierzyć, że zamówiłeś kolejną butelkę szampana.

– Nie należy jeść nago czekoladowego ciasta, nie popijając go szampanem. To *declassé*.

– Skoro tak twierdzisz. – Pociągnęła spory łyk, po czym wzięła na widelczyk kawałek tortu i wyciągnęła go w stronę Harpera. – Gdy zaś chodzi o randki, to zupełnie nie wiem, co musiałbyś zrobić, żeby przebić dzisiejszy wieczór. Chyba zabrać mnie... na szalony weekend do Paryża, lub na wyprawę wynajętym odrzutowcem do Toskanii, gdzie kochalibyśmy się wśród malowniczych winnic.

– A co powiesz na ociekający seksem pobyt w Bimini?

– Ociekający seksem... – Zachichotała pod nosem. – Cudne określenie – rzuciła, po czym z jękiem obróciła się na plecy. – Jeżeli zjem jeszcze choćby mały kąsek, będę tego żałować do końca życia.

– Do tego nie możemy dopuścić. – Harper odstawił talerz, a potem pochylił się nad Hayley i przywarł ustami do jej ust.

– Mmm... – Oblizała wargi, gdy się od niej oderwał. – Ależ smak.

– Widzę, że jesteś na czekoladowym haju.

Uśmiechnęła się, gdy zaczął przesuwać dłońmi po jej ciele – jej piersiach, brzuchu, udach.

– O, rany... Harper...

– To druga porcja mojego deseru – przywarł ustami do wewnętrznej strony jej uda, a potem umoczył palec w czekoladzie i powiódł palcem po piersi Hayley. – Och. Chyba muszę to zlizać.


Kiedy wyszła z windy do głównego holu, poczuła się jak światowa dama. Dochodziło południe, dla niej jednak dzień dopiero się rozpoczynał. Zjadła śniadanie w łóżku. Prawdę mówiąc robiła w tym łóżku wszystko, co tylko było legalne w stanie Tennessee.

– Pójdę załatwić formalności w recepcji. – Harper pocałował ją delikatnie w usta. – Może usiądziesz?

– Wolałabym pokręcić się dookoła. Wszystko obejrzeć. No i wybrać parę drobiazgów w sklepie z pamiątkami.

– W takim razie za chwilę do ciebie przyjdę.

Hayley mruknęła z rozkoszy. Chciała dobrze zapamiętać to miejsce. Kręcących się wokół ludzi, fontannę, ubranych w liberie portierów, błyszczące wystawy galerii sztuki i butików jubilerskich.

Kupiła dla Lily gumową, piszczącą kaczkę oraz srebrną ramkę na zdjęcia w prezencie dla Roz. Poza tym zachwyciły ją mydełka w kształcie kaczuszek, a także mała, żółta czapeczka, akurat dla jej córeczki...

– Żaden mężczyzna przy zdrowych zmysłach nie pozostawia kobiety samej w sklepie z pamiątkami – dobiegł ją zza pleców głos Harpera.

– Nie mogłam się oprzeć. Wszystko tu jest takie słodkie. Nie! – rzuciła stanowczo, gdy sięgnął po portfel. – Chcę to sama kupić. – Gdy tylko cena metalowego pudełeczka została nabita na kasę, Hayley wręczyła je Harperowi. – To dla ciebie.

Szybko otworzył wieczko.

– Mydło w kształcie kaczuszki?

– By upamiętnić nasz pobyt w tym hotelu. Cudownie spędziliśmy tu czas – rzuciła w stronę sprzedawczyni.

– Miło nam, że się państwu u nas podobało. Czy przyjechali państwo w interesach czy na wypoczynek?

– Och, na wypoczynek – odparła Hayley, chwytając torbę z zakupami. – I rzeczywiście udało nam się wspaniale zrelaksować. – Wsunęła rękę w dłoń Harpera i wyszli do holu. – Ruszajmy do domu, zanim Lily zapomni, jak wyglądam i... o, rety, tylko spójrz na tę bransoletkę!

Gablota jubilerska błyszczała od klejnotów, ale wzrok Hayley przyciągnęła jedynie delikatna bransoletka z rubinów w kształcie serca, otoczonych małymi brylantami.

– Oszałamiająca, prawda? To znaczy, jest bardzo elegancka, a ten szlif w kształcie serc nadaje jej romantyczny charakter, a jednocześnie jest w niej coś takiego, co wręcz krzyczy: „Hej, jestem bardzo szczególną bransoletką". Może dlatego, że to stary wyrób. A stare klejnoty mają w sobie niepowtarzalnego... ducha, jak sądzę.

– Rzeczywiście ładna.

– Ładna? – Hayley wywróciła oczami ze zniecierpliwienia. – Jakże typowo męskie podejście. Ta bransoletka wprost zapiera dech w piersiach. Inne rzeczy tutaj są zrobione z okazalszych kamieni, mają więcej brylantów, ale właśnie ta bransoletka natychmiast rzuca się w oczy...

Harper zerknął na gablotę jubilera.

– Chodźmy więc ją kupić.

– Jasne. – Hayley wybuchnęła śmiechem – A po drodze wpadnijmy do salonu, żebyś mógł sobie wybrać nowe auto.

– Lubię swój samochód i na razie nie zamierzam go zmieniać. Ta bransoletka natomiast jest wprost dla ciebie stworzona. Rubiny to twoje kamienie.

– Harper, moim kamieniem jest co najwyżej stras.

Pociągnęła go stanowczo za rękę, on jednak wciąż wpatrywał się w bransoletkę. Im dłużej na nią patrzył, tym bardziej dochodził do wniosku, że powinien kupić ją dla Hayley.

– Porozmawiam z jubilerem.

– Harper... – Teraz już ogarnęła ją desperacja. – Ja tylko oglądałam wystawy. Tak właśnie robią kobiety, zachwycają się ekspozycjami...

– Chcę, żebyś ją miała.

Desperacja zaczęła się przeradzać w panikę.

– Nie możesz mi kupować tak cennych prezentów. Ta bransoletka zapewne kosztuje... aż się boję zgadywać ile.

– A więc się dowiedzmy.

– Harper, czekaj! Posłuchaj... Nie chcę, żebyś mnie obdarowywał kosztowną biżuterią. Nie chcę. – Potoczyła ręką po holu. – To była najpiękniejsza noc w moim życiu, ale nie dlatego, naprawdę nie dlatego jestem z tobą.

– Hayley, gdybym myślał inaczej, nigdy byś tu ze mną nie była. Dla mnie miniona noc również znaczy bardzo wiele. Poza tym, dobrze wiesz, że jestem podobny do mojej mamy, co oznacza, że zazwyczaj robię to, na co mam ochotę. A w tej chwili mam ochotę kupić ci tę bransoletkę. I jeżeli tylko będzie mnie na nią stać, z pewnością to zrobię. – Ucałował dziewczynę w czoło. – Poczekaj tu na mnie, proszę.

Z zapartym tchem patrzyła, jak Harper podszedł do menedżera.

A potem, oniemiała z wrażenia, przez całą drogę do domu wpatrywała się w nadgarstek, na którym połyskiwały rubinowe serduszka otoczone iskrzącymi się brylancikami.

# 11

*P*rzez resztę popołudnia gnębił ją niepokój, ale całą uwagę skoncentrowała na Lily. Czuła się dziwnie, bo z jednej strony poprzedniego wieczoru tęskniła za córeczką, a jednocześnie przeżywała najwspanialsze chwile swojego życia.

Poczucie winy objawia się w najprzeróżniejszy sposób, doszła do wniosku Hayley. Tak czy owak, zanim Roz pojawiła się w domu po pracy, Hayley już ledwie panowała nad wyrzutami sumienia.

– Witaj w domu. – Roz przeciągnęła się i spojrzała uważnie na dziewczynę stojącą w holu. – Czy dobrze się bawiłaś wczorajszego wieczoru?

– Owszem. Cudownie. Fantastycznie. Muszę powiedzieć, Roz, że wychowałaś Harpera na wspaniałego mężczyznę.

– Takie były wstępne założenia.

– I bardzo ci dziękuję, że zajęłaś się Lily. – Mimowolnie Hayley nakryła dłonią nową bransoletkę.

– Sprawiło mi to autentyczną przyjemność. A, gdy już o naszej szczebiotce mowa, gdzie ją schowałaś?

– Bardzo ją wymęczyłam – odrzekła Hayley z nieśmiałym uśmiechem. – Niemal zacałowałam ją na śmierć, więc teraz drzemie. Mam dla ciebie drobny upominek.

– Jak to miło z twojej strony. – Roz wzięła prezent z rąk Hayley i ruszyła w stronę salonu. Uśmiechnęła się promiennie na widok srebrnej ramki i umieszczonego w niej zdjęcia, na którym widniała razem z Lily. – Uwielbiam to zdjęcie. Ustawię je na swoim biurku.

– Mam nadzieję, że Lily nie przysporzyła ci wczoraj kłopotów.

– Najmniejszych. Obie bawiłyśmy się doskonale.

– Ja... My... Harper... Do diabła! Możemy usiąść na chwilkę?

Roz posłusznie opadła na sofę i oparła nogi na stoliku.

– Ciekawe, czy David przyrządził swoją słynną lemoniadę? Mogłabym wypić całą beczkę.

– Przyniosę ci pełen dzbanek – zaoferowała się Hayley.

Roz jednak machnęła niedbale ręką.

– Za chwilę sama się obsłużę. A teraz powiedz mi, co ci nie daje spokoju.

Hayley przysiadła nieśmiało na brzegu sofy i złożyła dłonie na kolanach.

– Miałam w życiu okazję poznać matki niektórych chłopaków, z którymi chodziłam na randki. I zazwyczaj nieźle się z nimi dogadywałam. Ale nigdy dotąd... Jezu, to czysty surrealizm... nigdy dotąd nie przyjaźniłam się z matką mężczyzny, z którym połączyły mnie intymne stosunki.

– Mam wrażenie, że w ogólnym rozrachunku to raczej zaleta.

– Oczywiście. Rzecz w tym, że pewnie czułabym się mniej skrępowana, gdybym cię poznała... gdybyśmy się zaprzyjaźniły już po tym, jak...

– Zdecydowałaś się na intymny związek z Harperem.

– Właśnie. I zupełnie nie wiem, jak z tobą na ten temat rozmawiać, tym bardziej że te sprawy ze swej natury bywają dość skomplikowane. Chciałam ci tylko jeszcze raz powiedzieć, że masz cudownego syna. Harper bardzo się postarał, żeby ów wieczór był wyjątkowy. Tacy mężczyźni to prawdziwy skarb – przynajmniej tak wynika z mojego doświadczenia.

– Harper jest rzeczywiście wspaniałym mężczyzną. Cieszę się, że to dostrzegasz i potrafisz docenić.

– O, potrafię. Wynajął elegancki apartament, zadbał o kwiaty, świece i szampana. Jeszcze nikt nigdy dla mnie czegoś podobnego nie zrobił. I wcale nie mam na myśli tych wszystkich luksusów. Bo widzisz, Roz, byłabym równie zachwycona, gdybyśmy usiedli nad talerzem żeberek w jakimś motelu. Jezu, to dopiero fatalnie zabrzmiało... – mruknęła i zacisnęła powieki.

– W żadnym razie. Rozbrajająco szczerze.

– Chciałam tylko powiedzieć, że nikt wcześniej nie zadał sobie dla mnie tyle trudu.

– Każda kobieta uwielbia, jak mężczyzna stara się ją oszołomić.

– No właśnie. Właśnie to miałam na myśli. Wciąż jeszcze z wrażenia mąci mi się w głowie. Chciałam ci tylko powiedzieć, że nigdy nie nadużyję dobroci Harpera.

– Widzę, że kupił ci piękną bransoletkę.

Hayley aż podskoczyła i odruchowo chwyciła za nadgarstek.

– Tak. Posłuchaj, Roz...

– Podziwiam ją od chwili, gdy weszłam do domu. I nie mogę zrozumieć, czemu wciąż zasłaniasz ją z miną winowajczyni. Jakbyś ją ukradła.

– Poniekąd tak się czuję.

– Och, daj spokój, Hayley. – Roz machnęła zniecierpliwiona ręką. – Nie irytuj mnie, proszę.

– Ja go o nią nie prosiłam. Wręcz przeciwnie – powiedziałam, żeby jej nie kupował. Tylko podziwiałam ją na wystawie, ale zanim się zorientowałam, Harper załatwił wszystko z jubilerem. Do tego nie chciał mi powiedzieć, jak dużo za nią zapłacił.

– I łaska boska – rzuciła Roz sucho. – Ostatecznie wychowywałam go na dżentelmena. Przykro by mi było, gdyby mnie zawiódł.

– Roz, to są prawdziwe kamienie, a sama bransoletka to prawdziwy antyk.

– Hayley, od rana jestem na nogach. Chętnie obejrzę twój skarb, nie każ mi się jednak podnosić z miejsca.

Zmieszana, Hayley podeszła do niej i wyciągnęła przed siebie dłoń. Roz wzięła dziewczynę za rękę i pociągnęła na sofę.

– Wyjątkowy okaz i bardzo do ciebie pasuje. Ile jest tych rubinowych serduszek?

– Nie liczyłam... – mruknęła, ale pod surowym spojrzeniem Roz natychmiast spuściła wzrok. – Czternaście – wyznała. – Otoczonych dziesięcioma brylancikami. A pomiędzy każdym z serduszek także jest brylant. Rany, ależ ze mnie bezdenna idiotka.

– W żadnym razie. Jesteś po prostu kobietą. I do tego masz dokonały gust. Nie noś jednak tej bransoletki do pracy, bo ją zniszczysz.

– Nie gniewasz się?

– Harper ma prawo wydawać pieniądze, na co mu się podoba, a jak widzę, wykazuje przy tym rozsądek. Podarował ci piękną rzecz. Czemu po prostu się nią nie cieszysz?

– Bałam się, że cię to wkurzy.

– Widzę, że mnie nie doceniasz.

– Nie! W żadnym razie! – Hayley ze łzami w oczach przytuliła się do Roz. – Ja cię kocham, Roz. I tak mi przykro. Ostatnio nie wiem, co się ze mną dzieje. Jestem taka szczęśliwa, a jednocześnie przerażona. I bardzo zakochana. Zakochana w Harperze.

– Wiem, skarbie. – Rosalind otoczyła dziewczynę ramieniem i zaczęła ją przyjaźnie poklepywać po plecach.

– Wiesz?

– Och, Hayley. – Roz z nieznacznym uśmiechem odgarnęła jej włosy z mokrych od łez policzków. – Siedzisz tutaj i płaczesz ze szczęścia i przerażenia. Tak zachowują się kobiety, które szaleją za mężczyzną, a jednocześnie nie mogą pojąć, jakim cudem to je spotkało.

– Do zeszłego wieczoru nie zdawałam sobie w pełni sprawy z tego, co czuję. Wiedziałam, że lubię Harpera, że mnie pociąga, że chciałabym się z nim kochać... O, Boże! O, Jezu! Co ja powiedziałam... – Przerażona i zawstydzona, zasłoniła oczy dłońmi. – Teraz rozumiesz, czemu mówię, że to czysty surrealizm? Właśnie powiedziałam matce mojego kochanka, że miałam ochotę uprawiać z nim gorący seks.

– Przyznaję, że sytuacja jest dość niezwykła. Nie zaburza jednak mojej równowagi.

– Wczoraj jednak zdałam sobie sprawę, że to jest dużo głębsze uczucie. Jeszcze nigdy dotąd nie byłam zakochana – Hayley przycisnęła dłoń do piersi, a rubiny zamigotały czerwonym blaskiem. – Nagle miałam wrażenie, że lecę w bezdenną przepaść. Roz... Nie mów mu o tym, proszę. – Dziewczyna chwyciła Rosalind za rękę. – Błagam, nic mu nie mów.

– To nie moja sprawa. Sama mu wszystko opowiesz, kiedy będziesz na to gotowa. Miłość to wielki dar, Hayley.

– Miłość to jedno wielkie kłamstwo, zwodnicza ułuda wymyślona przez słabe kobiety i perfidnych mężczyzn. Wymówka dla klas średnich, by ludzie się rozmnażali, skutecznie jednak ignorowana przez klasy wyższe, które żenią się tylko po to, by pomnażać bogactwo.

Roz wstrzymała oddech z wrażenia i poczuła, jak przebiega ją lodowaty dreszcz. Spojrzała dziewczynie prosto w oczy i dostrzegła, że nie są to już dobrze jej znane oczy Hayley.

– Czy w ten sposób usprawiedliwiasz wybory, jakich dokonałaś w życiu? – spytała.

– Dzięki swoim wyborom prowadziłam wygodne życie. – Hayley uniosła dłoń i przesunęła palcem po bransoletce. – Cudowne. O wiele lepsze niż to, jakie było mi pisane z racji urodzenia. Matka kontentowała się, pracując na kolanach. Ja wolałam pracować na plecach. Ten dom powinien od dawna należeć do mnie.

Dziewczyna wstała i zaczęła krążyć po salonie.

– No i wreszcie tu jestem. Tu też pozostanę. Już na zawsze.

– Mimo to jesteś nieszczęśliwa. Dlaczego? Co się stało?

– Urodziłam dziecko. – Obróciła się na pięcie i przycisnęła dłonie do brzucha. – Wiesz, jak wielką to daje kobiecie moc. Rozwijało się we mnie nowe życie, wydałam je na świat. A potem on mi je odebrał. Ukradł mi synka. – Rozejrzała się wokół rozgorączkowanym wzrokiem. – Mój synek. Przyszłam go odebrać.

– Jego tu nie ma – powiedziała Roz, powoli i dobitnie wymawiając słowa. – Nie ma go tu już od bardzo dawna. Był moim dziadkiem i bardzo dobrym człowiekiem.

– Dziecko. Moje słodkie maleństwo. Najdroższy synek. Mój. Tylko mój. Mężczyźni to kłamcy, oszuści i złodzieje. Powinnam go była zabić.

– Kogo? Swojego syna?

W oczach Hayley pojawił się lodowaty błysk, przywodzący na myśl brylanty połyskujące na jej dłoni.

– Nie. Jego ojca. Powinnam go była zabić, wymordować ich wszystkich. Spalić ten dom na popiół, posłać nas wszystkich razem do piekła.

Roz ponownie poczuła zimny dreszcz.

– I co zrobiłaś?

– Przyszłam tu. Przyszłam nocą. Zakradłam się po cichu jak myszka. – Przytknęła palec w zamyśleniu do ust, po czym wybuchnęła śmiechem. – Ale wszystko przepadło. – Obróciła się na pięcie, trzymając rękę w górze, tak że rubiny i brylanty znów rozbłysły ogniem. – Przepadło. Zostałam z niczym. – Przekrzywiła głowę i spojrzała uważnie na urządzenie monitorujące, z którego popłynął płacz Lily.

– Dziecko płacze.

W tym momencie Hayley osunęła się na podłogę.

– Mitch! David! – Roz przebiegła przez pokój i przyklęknęła obok dziewczyny.

– Trochę zakręciło mi się w głowie – wymamrotała Hayley, ocierając twarz dłonią. Potem rozejrzała się niespokojnie po pokoju i chwyciła Roz z całej siły za rękę. – Co takiego? Co się stało?

– Już wszystko w porządku. Posiedź spokojnie przez chwilę. David... – zwróciła się w stronę drzwi, gdy obaj mężczyźni stanęli w progu. – Przynieś nam wodę i brandy.

– Co się tu dzieje? – spytał Mitch.

– Hayley znowu to się przydarzyło.

– Lily. Lily płacze.

– Przyniosę ją tutaj. – Mitch delikatnie pogładził dziewczynę po ramieniu. – Zaraz ją przyniosę.

– Chyba przypominam sobie, co mnie spotkało. Tak przynajmniej mi się wydaje. O, rany. Ale mnie boli głowa.

– Wszystko będzie dobrze, skarbie. No chodź, usiądziemy na sofie.

– Wciąż jeszcze czuję się niepewnie na nogach – wyznała Hayley, gdy Rosalind pomogła jej się podnieść. – Słuchaj, Roz, to przyszło bez żadnego ostrzeżenia. Nagle i niespodziewanie. I tym razem... To doznanie było dużo silniejsze, bardziej przejmujące.

David wszedł z wodą i brandy i przysiadł na sofie koło Hayley.

– Proszę, skarbie. Wypij trochę wody.

– Dzięki, ale już wszystko w porządku. Jestem tylko trochę roztrzęsiona.

– Nie ty jedna – rzuciła Roz.

– Rozmawiałaś z nią.

– Rzeczywiście, odbyłyśmy drobną konwersację.

– Zadawałaś jej pytania. To nie do wiary, że zdołałaś zachować zimną krew.

– Napij się brandy – zaproponowała Roz, ale dziewczyna tylko zmarszczyła nos.

– Nie lubię brandy. Poza tym czuję się już dużo lepiej. Daję słowo.

– W takim razie ja zaaplikuję sobie podwójną porcję. – Roz chwyciła kieliszek i wypiła jednym haustem jego zawartość, akurat w tej samej chwili, gdy Mitch stanął w drzwiach z Lily na ręku.

– Trzeba jej dać sok. Zawsze pije sok po drzemce.

– Przyniosę – zaoferował się Mitch.

– Nie, ja to zrobię. Muszę choć na moment powrócić do normalności. – Hayley podniosła się z sofy i wzięła w objęcia córeczkę wyciągającą do niej rączki. – No, chodź, mój słodki skarbie. Pójdziemy po soczek. Za chwilę wrócimy.

Kiedy dziewczyna wyszła z pokoju, Roz poderwała się na równe nogi.

– Muszę zadzwonić do Harpera. Powinien wysłuchać relacji Hayley.

– Ja również – przypomniał jej Mitch.

– Będziesz potrzebował magnetofonu i swojego notesu.

– Po prostu siedziałyśmy i prowadziłyśmy miłą rozmowę Opowiadałam Roz, jak świetnie się bawiłam poprzedniego wieczoru, a potem pokazałam jej bransoletkę. I – wybacz Harper – wyznałam twojej mamie, że nieswojo się czuję z powodu tak kosztownego prezentu. Że gnębi mnie bliżej nieokreślone poczucie winy. W tym momencie trochę się rozkleiłam. – Hayley spojrzała Roz prosto w oczy, najwyraźniej niemo błagając o dyskrecję. – I nagle opętała mnie Amelia. Ni stąd, ni zowąd. Nie bardzo wiedziałam, co się dzieje ze mną i wokół mnie. Miałam wrażenie, jakbym słuchała czyjejś rozmowy, ale z oddalenia, albo przez ścianę – przez przyciśniętą do ściany szklankę. Był taki sam głuchy pogłos.

– Osobiście odniosłam wrażenie, że Amelia cynicznie bawi się tą sytuacją – wtrąciła Roz, po czym zrelacjonowała przebieg wydarzeń.

– Oblubienica przywykła do otrzymywania prezentów w zamian za seks. – Mitch zapisał coś szybko w notesie. – I tym właśnie była dla niej bransoletka Hayley. Dla Amelii pojęcia takie jak szczodrość płynąca z serca, czy przyjemność sprawiania komuś radości są zupełnie obce. Jeżeli coś dostawała, to tylko jako zapłatę. Dla niej prezenty nigdy nie stanowiły wyrazu uczucia.

Hayley kiwnęła głową i usadowiła się wraz z Lily na podłodze.

– Zgodnie z jej własnymi słowami – ciągnął Mitch – Amelia zakradła się tu pewnej nocy. Miała zamiar zabić Reginalda, być może chciała skrzywdzić całą jego rodzinę. Jednak tego nie zrobiła. Możemy więc założyć, że to wówczas spotkało ją coś złego. I od tamtej pory snuje się po tym domu.

– Tutaj postradała życie i tutaj pozostała. – Hayley pokiwała w zamyśleniu głową. – Owszem. Poczułam coś podobnego. Niemal… niemal widziałam, co się działo w jej głowie, gdy doszło do tragedii. I co wówczas tak naprawdę się stało. Amelia straciła życie w Harper House i dlatego wciąż tu przebywa. I wierzy, że jej syn jest nadal maleńkim dzieckiem. Ona pozostała taka, jaka była wówczas, gdy rozegrał się ten dramat i – w jej mniemaniu – jej synek również się nie zmienił.

– Dlatego tak bardzo pociągają ją dzieci – dorzucił Harper. – I dlatego traci nimi zainteresowanie, gdy dorosną – bo przestaje widzieć w nich synka. A już sprawy przybierają fatalny obrót, gdy te dzieci wyrastają na znienawidzonych przez nią mężczyzn.

– Przybyła mi na pomoc, gdy jej potrzebowałam – zauważyła trzeźwo Roz. – A więc ma świadomość łączących ją z nami więzów krwi. A w każdym razie przypomina sobie o nich, jeżeli tak jej wygodnie. Wzburzone emocje Hayley sprowokowały Amelię. Ale potem odpowiadała logicznie na moje pytania.

– A więc jestem dla niej czymś w rodzaju przekaźnika. – Hayley z trudem opanowała drżenie. – Tylko dlaczego właśnie ja?

– Może dlatego, że jesteś młodą matką – podsunął Mitch. – Mniej więcej w tym samym wieku, w jakim postradała życie Amelia. I wychowujesz sama swoje dziecko – robisz to, co jej nie było dane, a czego tak bardzo pragnęła. Amelia powiedziała, że wydała na świat nowe życie, które zostało jej odebrane. A gdy znika życie, co pozostaje?

– Śmierć – wyszeptała Hayley. Nie ruszyła się z miejsca nawet wtedy, gdy Lily zerwała się z podłogi i podbiegła do Harpera, wyciągając ręce, by podniósł ją w górę. – Amelia z każdym dniem staje się silniejsza. Wyraźnie to czuję. Czerpie moc z cudzego ciała. Ma satysfakcję, że wreszcie może przemawiać. I ciągle jej mało. Ona chciałaby…

Złapała się na tym, że cały czas obraca w dłoni bransoletkę i na chwilę aż zaniemówiła z wrażenia.

– O, rany. Zupełnie o tym zapomniałam – wyszeptała. – Wypadło mi to z pamięci. Wczorajszego wieczoru, kiedy się ubrałam, popatrzyłam w lustro. I wówczas ją dostrzegłam.

– Widziałaś ją przed naszym spotkaniem?! – wykrzyknął Harper.

– To było coś niezwykłego, nowego. Zamiast własnego odbicia w lustrze, ujrzałam Amelię… – Hayley w desperacji pokręciła głową. – Niby to byłam ja, ale wyglądałam jak Oblubienica. Nie powiedziałam wam wczoraj o tym incydencie, bo nie chciałam sobie psuć wieczoru. Chciałam wyrwać się do normalnego świata, a potem... ta sprawa zupełnie wypadła mi z pamięci. Aż do tej chwili. Amelia wyglądała inaczej niż zwykle.

– To znaczy? – ołówek Mitcha zawisł nad notesem.

– Miała na sobie czerwoną suknię, ale zupełnie inną niż moja. Jej kreacja była wymyślna, balowa, odsłaniała ramiona i sporą część biustu. Nosiła naszyjnik z rubinów i brylantów. Ten naszyjnik... – urwała i zszokowana zerknęła na swój nadgarstek.

– Rubiny i brylanty – powtórzyła z wolna. – O, rany! Ona miała na ręku tę bransoletkę. Dokładnie taką samą. Jestem tego absolutnie pewna. Teraz rozumiem, czemu bransoletka wydała mi się tak nieodparcie piękna, gdy ujrzałam ją w hotelu. Jakby coś mnie do niej przyciągało, nie dostrzegałam nic więcej, chociaż gablota była pełna oszałamiających klejnotów. Amelia miała na ręku tę bransoletkę. Ta bransoletka do niej należała!

Mitch przykucnął obok Hayley i zaczął oglądać kamienie.

– Nie znam się na tyle na biżuterii, by określić wiek tego wyrobu. Harperze, czy jubiler powiedział ci, jaka jest historia tej bransoletki?

– Powiedział tylko, że została zrobiona około tysiąc osiemset dziewięćdziesiątego roku – wykrztusił Harper z zaciśniętego gardła. – Przyznaję jednak, że nie przywiązywałem specjalnej wagi do jego słów.

– Może Amelia w jakiś sposób cię zmusiła, żebyś ją dla mnie kupił. – Hayley poderwała się z podłogi. – Jeżeli to ona...

– W żadnym razie. Miałem ochotę zrobić ci prezent, zanim jeszcze ujrzałaś tę gablotę. Niemniej, jeśli wolałabyś nie patrzeć na tę bransoletkę – jeżeli przyprawia cię ona o dreszcze – możemy zamknąć ją w sejfie.

Pełne zaufanie. Na tym polega miłość, przypomniała sobie Hayley.

– Nie. Ta bransoletka nie jest żadną zapłatą, a prezentem ofiarowanym z serca. – Podeszła do Harpera i delikatnie musnęła wargami jego wargi. – A więc pieprzyć Amelię.

– Brawo. Jesteś cudowną dziewczyną.

W tym momencie Lily zaczęła uderzać go rączkami po policzkach, i biła tak długo, póki nie odwrócił głowy w jej stronę, a wówczas cmoknęła go mocno w usta.

– Ale, jak widać, nie jedyną w moim życiu.

Kiedy Hayley, z Lily w objęciach, usiadła wieczorem w bujanym fotelu, była już niemal całkiem spokojna. Kochała te chwile tuż przed zmierzchem, gdy wokół panowała cisza, a ona kołysała córeczkę do snu. Czasami także jej śpiewała i choć nie miała najpiękniejszego głosu na świecie, Lily najwyraźniej to lubiła.

Zapewne do takich chwil najbardziej tęskniła Amelia. Chwil całkowitej jedności z dzieckiem, pełnego spokoju – tulenia maleństwa i usypiania go kołysankami.

Muszę o tym pamiętać, pomyślała Hayley. I przypominać sobie za każdym razem, gdy Amelia mnie przerazi lub doprowadzi do furii. Przecież ona utraciła coś tak bardzo cennego, okradziono ją z największego skarbu.

Zanuciła „Hush, Little Baby", ponieważ jedynie tę kołysankę znała w całości, więc kiedy kończyła śpiewać, główka Lily zazwyczaj sennie opadała na jej ramię.

Doszła już do ostatniej zwrotki, gdy kątem oka pochwyciła ruch przy drzwiach. Serce natychmiast zaczęło jej walić przyspieszonym rytmem. Szybko jednak się uspokoiła, gdy zobaczyła uśmiechniętą twarz Harpera. Tym samym miękkim tonem, którym śpiewała dziecku, zwróciła się do niego z ostrzeżeniem:

– Jeżeli cię zobaczy, nie będzie chciała zasnąć.

Skinął głową i zniknął w korytarzu.

Wciąż nucąc cichutko, Hayley ułożyła córeczkę w kołysce i dała jej do rączki ulubionego pluszowego pieska.

– Kiedy skończysz trzy latka, skarbie, mama kupi ci prawdziwego szczeniaczka. No może kiedy skończysz dwa – ale to moje ostatnie słowo. Dobranoc, kochanie.

Zostawiła zapaloną lampkę i wymknęła się cicho z pokoju. Weszła do swojej sypialni i zastała tam Harpera stojącego przy drzwiach na taras.

– Przedstawiałyście wraz z Lily piękny obrazek. Mama opowiadała, że właśnie w tym bujaku kołysała mnie i moich braci do snu.

– Dlatego tak dobrze się w nim czuję. Wydziela wiele dobrych fluidów.

– Dzisiejszy wieczór nie jest aż tak upalny. Może posiedzimy więc chwilę na dworze?

– Czemu nie. – Chwyciła ze stolika monitor i wyszła na taras.

Przy balustradzie stały trzy duże, miedziane donice pokryte zieloną śniedzią. Tego roku Hayley osobiście wybrała do nich rośliny, a potem zajęła się ich pielęgnacją. I przez całe lato patrzyła z zachwytem na mieszaninę kolorów, kształtów i liści.

– O tej porze dnia upał mi nie przeszkadza. – Pochyliła się, by powąchać fioletowe pąki. – A gdy słońce już całkiem zniknie za horyzontem, pojawią się świetliki i zagrają cykady.

– Przestraszyłem się, gdy po południu odebrałem telefon od mamy.

– Domyślam się.

– W związku z tym chciałbym zamienić z tobą kilka słów. – Pogłaskał ją odruchowo po nagim ramieniu. – Uważam, że po dzisiejszych wydarzeniach nie powinnaś dłużej mieszkać w Harper House. Jutro możesz się przenieść do Stelli i Logana. Wziąć wolne z pracy. Wypocząć – dorzucił, gdy spojrzała na niego z niedowierzaniem.

– Wziąć wolne z pracy?

– Centrum mieści się na terenie posiadłości, a ty, moim zdaniem, powinnaś na razie trzymać się od niej z daleka. Tymczasem ja i Mitch spróbujemy rozwikłać historię pochodzenia bransoletki. Może dopisze nam szczęście.

– Mam więc się spakować, wynieść do Stelli i zrezygnować z pracy!?

– Nie powiedziałem, że masz z czegokolwiek zrezygnować. Powiedziałem, że powinnaś wziąć sobie wolne. Udać się na przedłużone wakacje.

W jego głosie pobrzmiewała pełna wyższości perswazja, która podziałała na Hayley jak czerwona płachta na byka.

– Przedłużone wakacje.

– Uhm. Rozmawiałem już na ten temat z mamą, a także ustaliłem wszystko ze Stellą i Loganem.

– Doprawdy? Zdążyłeś ze wszystkimi poczynić stosowne ustalenia?

Harper wiedział, jak brzmi głos kobiety, która ma zamiar za chwilę rozerwać faceta na kawałki.

– Nie musisz się od razu wkurzać. Po prostu uznałem, że w obecnej sytuacji takie posunięcie będzie najrozsądniejsze.

– Uznałeś też, że najrozsądniej będzie podjąć za mnie decyzję, omówić sprawę ze wszystkimi za moimi plecami, a potem podać mi gotowe rozwiązanie na srebrnej tacy? – Zdecydowanie odsunęła się od niego na krok, jakby chciała podkreślić własną niezależność. – Nie masz prawa mówić mi, co powinnam robić, Harper. Poza tym, przyjmij do wiadomości, że nie opuszczę tego domu, póki Roz osobiście nie pokaże mi drzwi.

– Nikt nie ma zamiaru cię stąd wyrzucać. I zupełnie nie rozumiem, czemu robisz takie wielkie halo z pomieszkania przez jakiś czas u przyjaciółki.

Jego chłodny rozsądek doprowadzał ją do furii.

– Ponieważ teraz tu jest mój dom. Tutaj mieszkam i pracuję.

– To nadal pozostanie twój dom. I przecież wcale nie stracisz pracy. Czemu, do cholery, jesteś tak idiotycznie uparta?!

Dobrze, że się na nią wkurzył, bo mogła odpłacić mu tym samym.

– Nie życzę sobie, żebyś przeklinał i częstował mnie takimi epitetami.

– Ja nie... – Urwał gwałtownie, zmełł w ustach przekleństwo, wsadził ręce do kieszeni i zaczął nerwowo chodzić po tarasie. – Sama powiedziałaś, że Amelia jest coraz silniejsza. Czemu więc zawzięłaś się, by tutaj zostać i ryzykować, że spotka cię coś złego, jeśli wystarczyłoby się przenieść zaledwie kilka kilometrów dalej, by uniknąć nieszczęścia? I to przenieść się tylko na jakiś czas.

– To znaczy na jak długo? Czy to też udało ci się wykalkulować? Jak ty to sobie w ogóle wyobrażasz? Mam siedzieć u Stelli, kręcić bezmyślnie młynka palcami i czekać, aż łaskawie pozwolisz mi wrócić?

– Powinnaś tam zostać do chwili, aż Harper House stanie się bezpiecznym miejscem.

– A skąd wiesz, kiedy to nastąpi? I czy w ogóle nastąpi, gdy już o tym mowa? Poza tym, jeżeli jesteś tak bardzo przejęty obecną sytuacją, czemu sam się nie spakujesz i nie wyniesiesz gdzie indziej?

– Dlatego, że ja... – Odchrząknął gwałtownie i wbił wzrok w rozciągający się poniżej ogród.

– Szczęście, że nie dokończyłeś. Że nie powiedziałeś: „Dlatego, że jestem mężczyzną". Bo przecież właśnie te słowa miałeś na ustach, prawda? – Dała mu mocnego kuksańca w bok. – Dojrzałam to w twoich oczach.

– Nie mów mi, co zamierzałem powiedzieć i nie kończ za mnie zdań. Chcę żebyś była w bezpiecznym miejscu, żebym nie musiał się o ciebie martwić.

– Nikt cię nie prosi, żebyś się martwił, Harperze. Nie zapominaj, że sama potrafię o siebie zadbać. I nie jestem aż taką idiotką, żeby nie przejmować się tą całą sytuacją. Z drugiej strony, mam dość inteligencji, by zrozumieć, że moja obecność może się okazać katalizatorem, który pozwoli rozwiązać zagadkę Oblubienicy. Roz z nią rozmawiała, Harperze. Niewykluczone, że następnym razem Amelia wyzna nam, co się naprawdę wydarzyło, i co zrobić, by mogła spocząć w spokoju.

– Następnym razem?! Czy ty zdajesz sobie sprawę, co wygadujesz? Ja nie chcę, żeby ona zbliżała się do ciebie!

– Decyzja nie należy do ciebie, a ja tak łatwo nie ustępuję z pola walki. Czy ty mnie w ogóle nie znasz, Harperze? Naprawdę sądzisz, że wydasz mi polecenie, a ja grzecznie odpowiem: „Tak, jest" i jak posłuszny psiak podrepczę, gdzie mi każesz?

– Do diabła, Hayley, ja nie próbuję rządzić twoim życiem. Staram się tylko cię chronić.

Oczywiście. Starał się ją ochraniać. I w tym momencie miał tak zmartwioną minę, że niemal obudził w Hayley współczucie.

– Nie możesz tego robić w taki sposób. A jeżeli będziesz robić jakieś plany za moimi plecami, to osiągniesz tylko jedno – cholernie mnie wkurzysz.

– Słuchaj, mam więc inną propozycję. Przenieś się do Stelli tylko na tydzień. Na jeden tydzień, a ja tymczasem spróbuję...

– Harperze, oni odebrali jej dziecko. Doprowadzili ją do szaleństwa. Być może i bez tego postradałaby zmysły, ale tak czy owak, Reginald walnie się do tego przyczynił. A ja w tym wszystkim tkwię już od ponad roku. Nie porzucę teraz tej sprawy.

Uniosła dłoń i pogładziła bransoletkę z rubinów, którą wciąż miała na nadgarstku.

– Pokazała mi ją w lustrze. Noszę coś, co było jej własnością. I dostałam tę piękną rzecz od ciebie w prezencie. Musi się za tym kryć jakieś przesłanie. Chcę je odkryć, aby wreszcie wszystko zrozumieć. Poza tym, pragnę być tuż przy tobie. – Dotknęła czule jego policzka. – Musiałeś wiedzieć, że mnie nie przekonasz. Co powiedziała twoja mama, gdy jej oznajmiłeś, że zamierzasz mnie namówić na przeprowadzkę do Stelli?

Z irytacją wzruszył ramionami i oparł się o barierkę.

– No, jasne. I założę się, że Stella powiedziała ci to samo.

– Za to Logan poparł mnie w całej rozciągłości.

– To oczywiste.

Podeszła do Harpera, objęła go mocno i oparła policzek na jego plecach. Miał tak wspaniale umięśnione plecy. Człowiek pracy, a jednocześnie książę z bajki. Cóż za fascynująca kombinacja.

– Doceniam twoje wysiłki, choć nie popieram metody działania. Czy to choć odrobinę poprawi ci humor?

– Niespecjalnie.

– A co powiesz na to: Kochany, jak to miło z twojej strony, iż tak bardzo się o mnie troszczysz, że aż posuwasz się do rozstawiania mnie po kątach?

– Wcale nie rozstawiam cię po kątach, ja jedynie... – Stłumił przekleństwo, po czym z westchnieniem odwrócił się w jej stronę i wówczas ujrzał, że Hayley uśmiecha się szeroko. – Widzę, że nie zamierzasz ustąpić.

– Ani na jotę. Myślę, że wszyscy Ashby muszą mieć upór we krwi – i to muszą mieć go sporo, biorąc pod uwagę, jak rozcieńczona jest ta krew w moim wypadku. Poza tym, chcę się przyczynić do rozwiązania zagadki. To dla mnie zawsze było ważne. A teraz, gdy na swój sposób miałam wgląd w świadomość Amelii, stało się jeszcze ważniejsze. Rany, jakby mnie ktoś posłuchał, uznałby, że mi odbiło, ale zupełnie nie wiem, jak inaczej określić swoje przeżycia.

– Może powinnaś powiedzieć, że Amelia przywłaszcza sobie twoją osobowość?

Hayley natychmiast spoważniała.

– Może to i racja. Widzę też, że nadal jesteś na mnie zły, i rozumiem twoje powody. Na swój sposób mnie to nawet wzrusza.

– Jeżeli zaczniesz do tego podchodzić z taką cholerną racjonalnością, wkurzę się jeszcze bardziej. – Położył dłonie na jej ramionach. – Bardzo mi na tobie zależy, Hayley, więc się martwię.

– Wiem. Nie zapominaj jednak, że mnie też zależy na własnym życiu, więc staram się zawsze minimalizować ryzyko.

– W jednej kwestii nie zamierzam jednak z tobą dyskutować. Dzisiaj zostaję tutaj na noc.

– Świetnie, bo o niczym innym nie marzę. I wiesz co... – Zarzuciła mu ręce na szyję. – Jeżeli zaczniemy się kochać, to może sprowokujemy Amelię do działania. To będzie ważny naukowy test. – Wspięła się na palce i pocałowała go w usta. – Ciekawy eksperyment.

– Świetnie. Eksperymenty stanowią istotną część mojego, przynajmniej zawodowego, życia.

– To chodź do środka. – Chwyciła go za dłoń i pociągnęła w stronę sypialni. – Czas przygotować laboratorium.

Jakiś czas później leżeli w ciemnościach zwróceni ku sobie twarzami, a Hayley bawiła się włosami Harpera.

– Tym razem nie wykazała zainteresowania nami.

– Trudno przewidzieć zachowania ducha, który tak naprawdę powinien nawiedzać dom dla obłąkanych.

– Pewnie masz rację. – Przytuliła się do niego. – Harper, jesteś kimś w rodzaju naukowca, prawda?

– Uhm.

– A kiedy naukowcy prowadzą badania eksperymentalne, zazwyczaj powtarzają je kilkakrotnie, czasami wprowadzając drobne modyfikacje. Tak przynajmniej słyszałam.

– Masz absolutną rację.

– A więc... – przymknęła oczy i zamruczała jak kotka, gdy zaczął gładzić jej plecy – ...powinniśmy powtórzyć nasze doświadczenie, nie sądzisz?

– Owszem. I właśnie wydaje mi się, że nadszedł do tego odpowiedni moment.

# 12

David odwrócił mapę do góry nogami, po czym przesunął palcem wzdłuż zaznaczonej na niej drogi.

– Jesteśmy jak dwoje detektywów. Jak, na przykład, Batman i Robin.

– Batman i Robin nie byli detektywami – poprawił go Harper. – Oni walczyli z przestępcami.

– OK. Niech ci będzie. A więc jak Nick i Nora Charles.

– No, dobrze. Powiedz mi, gdzie mam teraz skręcić, Noro.

– Mniej więcej trzy kilometry prosto, a potem w prawo. – David odłożył mapę na kolana i zaczął się rozglądać po okolicy. – A więc jesteśmy na tropie odkrycia pochodzenia tajemniczej bransoletki. Co zrobimy, kiedy już poznamy jej historię?

– Wiedza to potęga. – Harper wzruszył ramionami. – Przynajmniej tak słyszałem. Przede wszystkim jednak miałem już dosyć siedzenia z założonymi rękami i biernego czekania na rozwój wypadków. Jubiler twierdzi, że bransoletka należała do Ethel Hopkins.

– Mydlenie oczu.

– Słucham?

– Mydlenie oczu – powtórzył David. – Do tego właśnie będziesz się musiał odwołać. „Moja dziewczyna zachwyciła się tą bransoletką. A ponieważ zbliżają się jej urodziny, jestem ciekaw, czy nie macie państwo czegoś odpowiedniego do kompletu. Czegoś również pochodzącego z tej rezydencji". Bo tak chyba mówił? Ten facet wprost wyłaził ze skóry, żeby udzielić wszelkich możliwych informacji, a przy okazji wcisnąć ci któryś z tych wulgarnych pierścionków. Niestety, gust Ethel Hopkins pozostawiał chwilami sporo do życzenia. Chociaż nadal uważam, że powinieneś był się zdecydować na kolczyki. Hayley wpadłyby w zachwyt.

– Dopiero co kupiłem jej bransoletkę. Kolczyki byłyby już przesadą.

– Uwaga, zbliża się nasz zakręt. Kolczyki nigdy nie są przesadą – dorzucił David, gdy Harper wjechał w odpowiednią drogę. – Teraz prosto, mniej więcej kilometr. Rezydencja znajduje się po lewej stronie.

Po paru minutach Harper skręcił w szeroki podjazd, zaparkował przy najmodniejszym modelu kombi i, bębniąc palcami po kierownicy, rozglądał się niespokojnie po otoczeniu.

Przed nimi stał duży, dobrze utrzymany, stary dom. Piętrowy, w stylu Tudorów, otoczony gustownie dobranymi roślinami, z rozłożystym dębem i umiejętnie przyciętym dereniem od frontu. Starannie przystrzyżone trawniki odznaczały się soczystą zielenią, co wymagało fachowej opieki ogrodnika, albo sporej ilości wody z regularnie włączanych spryskiwaczy.

– No dobrze. A więc co my tutaj mamy? – mruknął z zadumą w głosie. – Tak na oko, szacowna wyższa klasa.

– Mieszka tu jedyna żyjąca córka Ethel: Mae Hopkins Fitzpatrick. – David przebiegł wzrokiem notatki sporządzone na podstawie wyciągów sądowych. – Ma siedemdziesiąt sześć lat. Była dwukrotnie zamężna, dwukrotnie też owdowiała. Udało mi się tak szybko zdobyć te informacje, bo podpatrywałem metody pracy Mitcha. Jesteś pod wrażeniem, co?

– Sprawdźmy, czy uda nam się tak oczarować tę damę, by wpuściła nas do środka i zechciała powiedzieć cokolwiek o bransoletce. Jeżeli dopisze nam szczęście, może nawet będzie pamiętała, jak ten drobiazg znalazł się w posiadaniu jej matki.

Podeszli do drzwi, nacisnęli dzwonek i cierpliwie czekali na odzew w obezwładniającym upale.

Kobieta, która stanęła w progu, miała krótkie, gładko zaczesane, brązowe włosy i wyblakłe, błękitne oczy, spoglądające bystro zza okularów w modnej złotej oprawie. Była bardzo niska i szczupła, nosiła niebieskie, bawełniane spodnie i wykrochmaloną, białą koszulę. Na jej szyi widniał sznur pereł, na serdecznych placach obu rąk – pierścionki z wielkimi szafirami, w uszach zaś – delikatne, złote koła.

– Nie wyglądacie na komiwojażerów – skonstatowała chropawym głosem, stojąc za siatkowymi drzwiami.

– Bo nimi nie jesteśmy, proszę pani – Harper posłał jej jeden ze swoich najcieplejszych uśmiechów. – Nazywam się Harper Ashby, a to mój przyjaciel, David Wentworth. O ile to możliwe, chcielibyśmy porozmawiać z panią Mae Fitzpatrick.

– Właśnie to robicie.

Dzięki doskonałemu materiałowi genetycznemu lub – co bardziej prawdopodobne – dzięki usługom utalentowanego chirurga plastycznego, kobieta wyglądała co najmniej dziesięć lat młodziej, niż wskazywałaby na to jej metryka.

– Bardzo miło mi panią poznać, pani Fitzpatrick. Rozumiem, że to najście może wydawać się bardzo dziwne, czy jednak nie zechciałaby nas pani wpuścić do środka i zamienić z nami kilka słów?

Barwa jej oczu może i wyblakła, ale ich spojrzenie nadal było ostre jak skalpel.

– Czy wyglądam na bezmyślną kobietę, która wpuszcza do domu nieznajomych mężczyzn?

– W żadnym razie – odparł natychmiast Harper, zastanawiając się jednocześnie, jak kobieta, która uważa się za rozważną, mogła sądzić, że siatkowe drzwi będą stanowić jakąkolwiek zaporę dla dwóch młodych, dobrze zbudowanych mężczyzn. – Jeżeli nie miałaby pani nic przeciwko temu, chciałbym zadać parę pytań dotyczących...

– Powiedziałeś: Ashby, chłopcze?

– Tak jest.

– Czy łączy cię jakieś pokrewieństwo z Miriam Norwood Ashby?

– Tak jest, proszę pani. To moja babka ze strony ojca.

– Miałam okazję ją poznać.

– Ja, niestety, nie mogę powiedzieć tego samego o sobie.

– Naturalnie. Minęło bardzo wiele lat od jej śmierci. A więc musisz być synem Rosalind Harper.

– Owszem. Jestem jej pierworodnym.

– Spotkałyśmy się parę razy w życiu. Po raz pierwszy, na jej ślubie z Johnem Ashbym. Jesteś podobny do matki.

– Rzeczywiście.

Kobieta powędrowała wzrokiem w stronę Davida.

– Ale to nie twój brat.

– Nie, jestem przyjacielem rodziny, pani Fitzpatrick – wyjaśnił David z rozbrajającym uśmiechem. – Mieszkam w Harper House i pracuję u Rosalind. Myślę, że poczułaby się pani pewniej w naszej obecności, gdyby zechciała pani zadzwonić do Roz Harper. Z przyjemnością podamy pani numer telefonu, pod którym bez problemu ją pani zastanie. My tymczasem zaczekamy na werandzie.

W odpowiedzi kobieta otworzyła szeroko siatkowe drzwi.

– Nie sądzę, aby wnuk Miriam Ashby miał zamiar mnie ogłuszyć, po czym obrabować. Wchodźcie, proszę.

Dom był równie zadbany i elegancki jak jego właścicielka. Wielki salon o drewnianych, wywoskowanych podłogach i stonowanych, zielonych ścianach, umeblowano w nowoczesnym, niemal minimalistycznym stylu.

– Zapewne napilibyście się czegoś dla ochłody, chłopcy.

– Nie chcielibyśmy sprawiać kłopotu, pani Fitzpatrick – odrzekł natychmiast Harper.

– Mrożona herbata to żaden kłopot. Rozgośćcie się. Za chwilę będę z powrotem.

– Duża klasa – mruknął David, gdy kobieta zniknęła w głębi holu. – Dość ascetyczna forma, ale klasa bez zarzutu.

– Masz na myśli dom, czy jego właścicielkę?

– I jedno, i drugie. – David rozsiadł się na sofie. – Hasło Ashby-Harper to była idealna taktyka, Harp. Urokiem osobistym nic byśmy z nią nie wskórali.

– Zadziwiające, że znała moją babkę – jest od niej sporo młodsza – i że była gościem na ślubie moich rodziców. Cóż za niezwykłe powiązania. Ciekawe, czy ktoś z jej przodków znał Beatrice lub Reginalda.

– Tylko ludzie o ciasnych horyzontach uważają, że tak niezwykłe przypadki to jedynie zbiegi okoliczności.

– Czego jak czego, ale ciasnoty horyzontów nie możesz mi zarzucić. Ostatecznie, jak się mieszka pod jednym dachem z duchem, nie można być ograniczonym w poglądach – mruknął Harper, po czym poderwał się z fotela, gdy Mae pojawiła się w drzwiach z tacą zastawioną pełnymi szklankami. – Proszę pozwolić, że pomogę. Jesteśmy bardzo wdzięczni, że zechciała nam pani poświęcić czas. Mam nadzieję, że nie zabierzemy go zbyt wiele.

– Twoja babka była serdeczną, życzliwą kobietą, chłopcze. Nie znałyśmy się bardzo dobrze, za to mój pierwszy mąż wiele lat temu prowadził razem z twoim dziadkiem interesy. W branży obrotu nieruchomościami – dorzuciła. – Z satysfakcjonującymi rezultatami dla obu stron. Teraz jednak chętnie się dowiem, czemu jego wnuk zapukał dziś do moich drzwi?

– Chciałbym porozmawiać na temat bransoletki pochodzącej z domu pani matki.

– Z domu mojej matki? – Spojrzała na niego z wyraźnym zainteresowaniem.

– Owszem. Tak się złożyło, że kupiłem ową bransoletkę, a jubiler, który mi ją sprzedał, twierdzi, że należała do pani rodziny.

– Czy zgłaszasz zastrzeżenia do tej rzeczy?

– W żadnym razie. Miałem jedynie nadzieję, że mogłaby mi pani co nieco o niej opowiedzieć. Bardzo mnie interesuje jej pochodzenie. Wiem jedynie, że została wykonana około tysiąc osiemset dziewięćdziesiątego roku. Składa się z rubinów szlifowanych w kształcie serc, otoczonych brylantami...

– Tak. Wiem, o którą bransoletkę chodzi. Sprzedałam ją wraz z kilkoma innymi klejnotami. Nie były w moim guście, nie widziałam więc powodu, by dłużej spoczywały w bankowym sejfie – gdzie, notabene, leżały od czasu śmierci mojej matki, a więc już kilka ładnych lat. – Mae pociągnęła łyk herbaty, nie spuszczając przy tym wzroku z Harpera. – A więc interesuje cię historia tego cacka, chłopcze?

– Tak, proszę pani. Nawet bardzo.

– Nie kwapisz się jednak, by mi powiedzieć dlaczego.

– Jakkolwiek dziwnie to zabrzmi, mam powody przypuszczać, że owa bransoletka – lub bardzo do niej podobna – znajdowała się swego czasu w posiadaniu mojej rodziny. Kiedy się o tym dowiedziałem, postanowiłem – w miarę możliwości – prześledzić historię tego drobiazgu.

– Doprawdy? Muszę przyznać, że to rzeczywiście brzmi intrygująco. Ową bransoletkę mój dziadek podarował mojej babce w tysiąc osiemset dziewięćdziesiątym trzecim roku jako prezent z okazji rocznicy ślubu. Niewykluczone więc, że w tamtych czasach wykonano więcej niż jedną sztukę biżuterii według takiego samego projektu.

– To rzeczywiście prawdopodobne.

– Niemniej, akurat z tą bransoletką związana jest pewna historia, którą chętnie wam opowiem, jeśli tylko zechcecie posłuchać.

– Z największą przyjemnością.

Mae wyciągnęła przed siebie talerzyk z ciastkami, który przyniosła wraz z napojami. Poczekała, aż goście się poczęstują, po czym z uśmiechem na ustach rozsiadła się wygodniej na fotelu.

– Muszę przyznać, że małżeństwo mojej babki nie należało do najszczęśliwszych. Głównie dlatego, że dziadek nie odznaczał się wieloma przymiotami – lubował się w hazardzie, prowadził podejrzane interesy, większość czasu spędzał w towarzystwie kobiet lekkich obyczajów. Tak przynajmniej utrzymywała moja babka – a że dożyła dziewięćdziesięciu ośmiu lat, miałam okazję dobrze ją poznać.

Podeszła do etażerki i wzięła do ręki zdjęcie w delikatnej srebrnej ramce.

– Oto moi dziadkowie. – Podała fotografię Harperowi. – Oficjalny portret z tysiąc osiemset dziewięćdziesiątego pierwszego roku. Cóż, może i dziadek był łajdakiem, ale – jak widać – bardzo urodziwym.

– Oboje wyróżniali się urodą. – Harper natychmiast zauważył, że krój strojów, styl fryzur, a nawet koloryt zdjęcia, bardzo przypominał odbitki przyszpilone do korkowej tablicy Mitcha.

– Pani babka była prawdziwą pięknością – dorzucił skwapliwie David. – I widzę między paniami uderzające podobieństwo.

– Tak się rzeczywiście mówiło w rodzinie. Podobno byłyśmy do siebie podobne nie tylko fizycznie, ale i pod względem temperamentu. – Wyraźnie zadowolona, pani Fitzpatrick odstawiła zdjęcie na etażerkę. – Babka twierdziła, że dwa razy w życiu czuła się bezgranicznie szczęśliwa. Po raz pierwszy jak wychodziła za mojego dziadka, gdy była jeszcze zbyt młoda i niedoświadczona, żeby zrozumieć, w co się pakuje. Po raz drugi zaś – gdy dwanaście lat później owdowiała i pojęła, że nie musi już dłużej męczyć się z mężczyzną, któremu nigdy nie mogła ufać.

Mae ponownie rozsiadła się w fotelu i wypiła mały łyk mrożonej herbaty.

– Niemniej, jak widzieliście, chłopcy, był to przystojny mężczyzna i ponoć wyjątkowo czarujący. W dodatku miał szczęście w kartach i ciągnął duże zyski z tych swoich ciemnych interesów. Moja babka co prawda należała do wysoce moralnych kobiet – jednak potrafiła naginać swoje zasady o tyle, by cieszyć się owocami sukcesów dziadka, nawet jeżeli z całego serca potępiała ich źródło.

Mae odstawiła szklankę i rozsiadła się wygodniej.

– Swego czasu powiedziała mi, że bransoletka z rubinami w kształcie serc – prezent z okazji rocznicy ślubu – nie pochodziła z szacownego źródła. W stanie upojenia alkoholem dziadek zdradził, że pewien człowiek dał mu ją w ramach rozliczeń długów hazardowych. A był to jegomość mocno podejrzanej konduity – skupował cenne przedmioty od osób na tyle zdesperowanych lub pokrzywdzonych przez los, że wyzbywały się ich za grosze. Ponoć mówiło się nawet o nim – co osobiście uważam za wysoce prawdopodobne – że był najzwyklejszym paserem, handlującym kradzioną biżuterią.

Uśmiechnęła się szeroko, po czym oznajmiła:

– Podobno ta bransoletka należała do metresy pewnego bardzo bogatego mężczyzny i została ukradziona przez jednego ze służących tuż po tym, jak ów wpływowy protektor zostawił swoją kochankę. Moja babka opowiadała, że porzucona kobieta postradała rozum, i wkrótce wszelki słuch po niej zaginął. Przyznaję, że zawsze się zastanawiałam, czy ta historia jest prawdziwa.

Harper postanowił najpierw porozmawiać z matką. Gdy zobaczył Roz w ogrodzie, przyklęknął obok niej i odruchowo zaczął pomagać w pieleniu.

– Podobno wziąłeś sobie dzisiaj parę godzin wolnego? – zapytała.

– Miałem coś ważnego do załatwienia. Czemu nie włożyłaś kapelusza lub czapki?

– Zapomniałam. Wyszłam do ogrodu tyko na minutę, po czym zobaczyłam, jak bardzo rozpleniły się tu chwasty i odruchowo zabrałam się do roboty.

Harper ściągnął z głowy baseballówkę i nasunął matce na oczy.

– Pamiętasz, kiedy przychodziłeś ze szkoły, a ja akurat zajmowałam się pracą w ogrodzie, przykucałeś obok mnie, pomagałeś mi pielić lub sadzić nowe rośliny i jednocześnie opowiadałeś o porażkach i sukcesach odniesionych tego dnia?

– Pamiętam, że zawsze miałaś czas, żeby mnie wysłuchać. Mnie, Austina, Masona. A czasami nawet nas wszystkich naraz. Jak ci się to udawało?

– Matki mają wyjątkowo wyczulone ucho, gdy chodzi o własne dzieci. Są niczym dyrygent obdarzony absolutnym słuchem, który wychwytuje brzmienie każdego pojedynczego instrumentu, nawet w trakcie wykonywania skomplikowanej symfonii. Co cię gryzie, mój synku?

– Miałaś rację w sprawie Hayley.

– Naturalnie, bo ja zawsze mam rację. O co jednak dokładnie ci chodzi?

– O to, że ona nie chce się przenieść do Stelli. Nawet jeśli ją poproszę.

Roz uniosła wymownie brwi.

– A poprosiłeś?

– Poprosiłem, zażądałem. – Wzruszył ramionami. – Cóż to za różnica, jeżeli myśli się jedynie o bezpieczeństwie drugiej osoby?

Rosalind parsknęła śmiechem i poklepała syna po policzku.

– Typowy z ciebie facet.

– Jeszcze przed chwilą byłem twoim małym synkiem.

– Mój mały synek chwilami zachowuje się jak typowy facet. Osobiście nie uważam tego za wadę. Niekiedy mnie to bawi – jak na przykład teraz – niekiedy intryguje, a od czasu do czasu cholernie wkurza. Czyżbyście się pokłócili z Hayley? Nie odniosłam takiego wrażenia, gdy przyszliście dziś na śniadanie.

– Nie, nie. Wszystko między nami w porządku. Jeżeli jednak masz coś przeciwko temu, bym sypiał z nią w twoim domu, to zrozumiem.

– Uznasz świętość rodzinnego gniazda i będziesz z nią sypiał gdzie indziej?

– Uhm.

– Ja również sypiałam w Harper House z mężczyznami, z którymi nie łączył mnie formalny związek. To nie katedra, tylko dom, Harperze. I tak samo mój, jak i twój. Jeżeli uprawiasz z Hayley seks, równie dobrze możesz to robić w komfortowych warunkach. Z zachowaniem pełnego bezpieczeństwa – dorzuciła, spoglądając na syna znacząco.

Harper mimowolnie wtulił głowę w ramiona.

– W dzisiejszych czasach sam już sobie kupuję prezerwatywy.

– Miło mi to słyszeć.

– Nie o tym jednak chciałem z tobą porozmawiać. Udało mi się prześledzić historię bransoletki. Rzeczywiście należała do Amelii.

Roz spojrzała na syna ze zdumieniem.

– Jakim cudem zdołałeś to ustalić w tak krótkim czasie?

– Zbieg okoliczności i łut szczęścia. Bransoletka należała do niejakiej Ethel Hopkins, zmarłej przed kilkoma laty. Jej córka – Mae Fitzpatrick – zdecydowała się sprzedać trochę biżuterii po matce – rzeczy, które nie były w jej guście. A tak przy okazji – powiedziała mi, że się znacie.

– Mae Fitzpatrick... – Roz przymknęła powieki, przebiegając w myślach listę swoich znajomych. – Przykro mi, ale nie kojarzę.

– Jej nazwisko z pierwszego małżeństwa brzmi... zaraz, zaraz... ach, tak! Ives.

– Mae Ives? To także nic mi nie mówi.

– Cóż, ona w każdym razie utrzymuje, że kilkakrotnie się spotkałyście. Po raz pierwszy na twoim ślubie z tatą. Była jedną z osób zaproszonych na przyjęcie weselne.

– Naprawdę? To interesujące, ale nie dziwne. Moja mama do spółki z mamą Johna zaprosiły na nasz ślub chyba całe hrabstwo Shelby, plus połowę stanu Tennessee na dodatek.

– Mae znała babcię Ashby.

Harper rozsiadł się pośrodku ogrodowej alejki i zrelacjonował matce swoją rozmowę z panią Fitzpatrick.

– Zdumiewające, jak pewne wydarzenia się zazębiają, zachodzą na siebie.

– To prawda. Słuchaj, mamo, nie mam wątpliwości, że ona zorientowała się w sytuacji. Dobre wychowanie powstrzymało ją od komentarzy, ale widziałem wyraźnie, że szybko dodała dwa do dwóch. Zrozumiała, że to Reginald Harper był owym bogatym protektorem, który porzucił swoją kochankę. Musimy się liczyć z tym, że Mae Fitzpatrick zacznie plotkować.

– Myślisz, że będę się nią przejmować? W żadnym razie, skarbie. To że mój pradziadek miał kochanki, zmieniał je jak rękawiczki i określając rzecz delikatnie, nie odznaczał się małżeńską wiernością, nie ma z nami nic wspólnego My nie ponosimy odpowiedzialności za jego zachowanie – żałuję jedynie, że Amelia jakoś nie chce tego pojąć.

Roz z powrotem zabrała się do pielenia.

– Jeżeli zaś chodzi o jego postępowanie wobec Amelii, to z pewnością zasługuje na potępienie. My jednak nie możemy brać na siebie winy za jego łajdactwa. Poza tym, Mitch pisze książkę o naszej rodzinie. I o ile ty lub twoi bracia nie uznacie, że uczynki Reginalda powinny zostać głęboko ukrywaną, rodzinną tajemnicą, zamierzam pozwolić Mitchowi na publikację.

– Dlaczego?

– Bo nie ponosimy żadnej odpowiedzialności za postępowanie naszych przodków. Poza tym, książka będzie przedstawiać historyczne fakty. – Spojrzała uważnie na syna. – Mam głębokie przeświadczenie, że wyciągnięcie prawdy na światło dzienne będzie swoistym zadośćuczynieniem za krzywdy Amelii. Wreszcie przyznamy, że była ona członkiem naszej rodziny i została bardzo okrutnie potraktowana. – Chwyciła mocno dłoń syna. – Przecież to nasza krewna.

– Nie zmienia to faktu, że chcę, by odeszła, przepadła w nicość z powodu tego, co chciała zrobić tobie i co wyczynia z Hayley. Czy to czyni ze mnie zimnego sukinsyna?

– Skąd. To oznacza jedynie, że ja i Hayley jesteśmy ci bardzo bliskie. Zdecydowanie bliższe od Amelii. No, dobrze. Koniec na dzisiaj. – Otrzepała dłonie z ziemi o robocze spodnie. – Jeżeli jeszcze chwilę tu posiedzimy, ugotujemy się żywcem. Chodź ze mną do domu. Odpoczniemy w przyjemnym chłodzie i napijemy się lodowatego piwa.

– Powiedz mi coś, mamo. – Harper z zamyśleniem wodził wzrokiem po rezydencji, gdy ruszyli ścieżką przed siebie. – Skąd wiedziałaś, że tata to ten jedyny?

– Bo na jego widok cała promieniałam. – Zaśmiała się i wsunęła dłoń pod ramię syna. – Przysięgam. Promieniałam. Oczywiście, to było klasyczne zauroczenie. Tak naprawdę zrozumiałam, że to mężczyzna mojego życia, gdy pewnej nocy przegadaliśmy wiele godzin. Wymknęłam się potajemnie z domu, żeby się z nim spotkać. Gdyby mój ojciec to odkrył, obdarłby Johna żywcem ze skóry. Tymczasem my tylko rozmawialiśmy pod piękną, płaczącą wierzbą. Twój tata był wtedy praktycznie chłopcem, wiedziałam jednak, że będę go kochać do końca moich dni. Zrozumiałam to, gdy siedzieliśmy pod tym pięknym drzewem niemal do świtu, a John rozśmieszał mnie, pobudzał do głębokiej refleksji, pozwalał marzyć i rozpalał moje zmysły. Kiedy zginął, byłam przekonana, że już nigdy nikogo nie zdołam pokochać. A jednak pokochałam. Co w żaden sposób nie umniejsza roli twojego taty w moim życiu, Harperze.

– Wiem, mamo. – Uścisnął ciepło jej dłoń. – A jak to było z Mitchem?

– Cóż, stałam się już zbyt cyniczna, by promienieć szczęściem i radością – przynajmniej na początku naszej znajomości. Poza tym, byłam bardziej rozważna i pełna obaw. Mitch również mnie rozbawiał, zmuszał do myślenia i budził we mnie namiętność. W pewnym momencie zorientowałam się, że gdy na niego patrzę, robi mi się cieplej na sercu. Choć kiedyś myślałam, że już nigdy nie doświadczę tego uczucia.

– Mitch to dobry człowiek. I bardzo cię kocha. Widzę, jak nieustannie wodzi za tobą wzrokiem. Cieszę się, że go spotkałaś na swojej drodze.

– Ja też się cieszę.

– A wracając do taty. Która to była wierzba?

– Piękne, stare drzewo rosnące daleko stąd, za stajniami. – Roz skinęła ręką w stronę ruin. – Mieliśmy się tam spotkać wkrótce po owej nocy. John chciał wyciąć w pniu nasze inicjały. Jednak następnego wieczoru w wierzbę uderzył grom i rozłupał ją na dwoje... Och, mój Boże!

– Amelia – powiedział miękko Harper.

– Z pewnością. Wcześniej nie przyszło mi to do głowy, ale przypominam sobie, że tamtej nocy wcale nie było burzy. Wszyscy po prostu doszli do wniosku, że wierzbę musiał powalić piorun, bo nie znaleźli innego, logicznego uzasadnienia tego wypadku.

– A więc już wtedy postanowiła ci pokazać, co potrafi.

– To było z jej strony wyjątkowo małostkowe i podłe. Pod tym drzewem narodziła się miłość mojego życia. Strasznie płakałam, gdy ogrodnicy porąbali rozłupany pień i wykarczowali korzenie.

– Myślisz, że dawała o sobie znać i w inny sposób? Że dokonywała drobnych aktów złośliwości, które uznawałaś za nieszczęśliwe przypadki, tylko dlatego, że uważałaś Amelię za łagodny, nieszkodliwy byt? – Harper wrócił wspomnieniami do zjawy, śpiewającej mu wieczorem do snu. – Wreszcie do mnie dotarło, że nigdy nie była łagodna i dobra.

– Cały czas wrzał w niej straszny gniew. I nie mógł znaleźć ujścia.

– Ale sączył się niekiedy wąskim strumieniem niczym woda wypływająca z pęknięcia w tamie. Teraz jednak coraz częściej jej furia wydostaje się na powierzchnię. A my nie możemy temu zaradzić, mamo. Możemy tylko się postarać, aby wyciekła do ostatniej kropli.

– Jak?

– Musimy zburzyć tamę, póki jeszcze mamy taką możliwość.

Kiedy Hayley wyszła na spacer do ogrodu, powoli zapadał już zmierzch. Lily od jakiegoś czasu spokojnie spała w kołysce, a Roz i Mitch zgodzili się pełnić dyżur przy monitorze. Na podjeździe stał samochód Harpera, co oznaczało, ze sam Harper musiał się znajdować gdzieś na terenie posiadłości. Nie było go jednak w powozowni – Hayley długo pukała do drzwi domku, a potem nawet wsunęła głowę przez drzwi i głośno nawoływała.

Nie są przecież organicznie zrośnięci, napominała się w duchu. Niepokoiło ją jednak, że nie zjawił się na kolacji. Powiedział, że ma coś pilnego do zrobienia, i że przyjdzie dopiero po zmroku.

Cóż, właśnie zapadała ciemność. Czemu więc nie wyjść mu naprzeciw?

Poza tym lubiła przechadzać się po ogrodzie o wieczornej porze. Znajdowała tu spokój, a tego jej teraz było potrzeba, gdy poznała historię pochodzenia bransoletki.

Powoli zbliżali się do rozwiązania tajemnicy, Hayley nie miała co do tego najmniejszych wątpliwości. Nie była już jednak pewna, czy gdy odkryją prawdę, Amelia odejdzie cicho i bez protestu. Może wcale nie zechce pożegnać się z tym światem i potulnie przejść do następnego.

Bez wątpienia spodobało jej się zawłaszczanie cudzego ciała, jeżeli tak to można nazwać. Odkładając jednak na bok nomenklaturę, jedno już teraz nie ulegało wątpliwości – Oblubienica rozkoszowała się możliwościami, jakie zyskiwała, nabierając pozorów cielesności.

Najważniejsze, by – kiedy znowu się tak stanie – Hayley zachowała większą trzeźwość umysłu i spróbowała przejąć kontrolę nad sytuacją.

I w rzeczy samej, czy tego właśnie nie robiła, gdy teraz wędrowała samotnie po ogrodach w gęstniejącym zmierzchu? Czyż nie rzucała Amelii swoistego wyzwania? No już, uporna zjawo, stańmy do konfrontacji. Hayley czuła nieodpartą pokusę, by osobiście się przekonać, jak zdoła sobie poradzić w ciężkiej sytuacji, gdy obok niej nie znajdzie się żaden obrońca, gotów ruszyć jej na odsiecz.

Na razie nic złego się nie działo. Wieczór był cichy i spokojny, a Hayley nie miała poczucia, że próbują nią zawładnąć jakieś obce moce.

Ledwo to pomyślała, dały się słyszeć dziwne dźwięki, które sprawiły, że serce podskoczyło jej do gardła. Zatrzymała się, niepewna, czy powinna stanąć do walki, czy może raczej brać nogi za pas. Wytężyła słuch i powoli, ostrożnie, ruszyła przed siebie.

Te odgłosy wydawały się... Nie, to niemożliwe. Choć strach jej nie opuszczał, nadal posuwała się naprzód, a wyobraźnia podsuwała jej obraz mgławicowej zjawy zawzięcie kopiącej grób.

Grób Amelii. To przecież całkiem prawdopodobne. Reginald zamordował kochankę i pogrzebał ją gdzieś na terenie posiadłości. Więc jeśli Hayley zdobędzie się na odwagę, może już za moment zdoła rozwikłać zagadkę Oblubienicy – odkryć miejsce, gdzie owa nieszczęśnica została pochowana. A gdy duchowny poświęci grób i szczątki Amelii, może wreszcie jej duch przestanie nawiedzać Harper House.

Hayley na palcach okrążyła ruiny stajni, podkradając się do pozostałości budynku tak blisko, jak tylko pozwalała jej na to odwaga. Szła wciąż przed siebie, chociaż pociły jej się dłonie, brakowało tchu w piersiach.

Wyszła zza węgła z przekonaniem, że zaraz jej oczom ukaże się jakiś straszny widok.

Tymczasem ujrzała rozebranego do pasa Harpera (jego t-shirt leżał nieopodal na trawie), który kopał głęboki dół.

– Harperze, na Boga, śmiertelnie mnie przeraziłeś! Co ty wyprawiasz?

On jednak nie zareagował na jej słowa, tylko nadal wbijał łopatę w ziemię i przerzucał na rosnący obok kopczyk. Chociaż wciąż uginały się pod nią kolana, westchnęła zniecierpliwiona i zdecydowanym krokiem podeszła do ukochanego.

– Pytałam... – Podskoczył na pół metra w górę, gdy Hayley dźgnęła go gwałtownie palcem, a potem obrócił się szybko na pięcie, unosząc łopatę nad głową, jakby była kijem baseballowym. W ostatniej chwili zdążył się jednak opanować – zaklął pod nosem i opuścił ramię, podczas gdy cofająca się Hayley zaczepiła o coś nogą i klapnęła bezwładnie na ziemię.

– Wielki Boże! – Harper szybko zerwał z uszu słuchawki. – Czemu, do diabła, skradasz się za moimi plecami po nocy?

– Wcale się nie skradałam. Wołałam do ciebie. Gdybyś tak głośno nie włączył muzyki, usłyszałbyś, że zbliża się inna ludzka istota. Byłam przekonana, że zatłuczesz mnie tym szpadlem. – Z trudem zapanowała nad nerwowym chichotem. – Żałuj, że nie widziałeś w tym momencie swojej twarzy. Miałeś oczy wielkie jak spodki. – Uniosła dłonie i wyrazistym gestem pokazała, o co jej chodzi, po czym wybuchnęła niepohamowanym śmiechem.

– O, rany. Jeszcze chwila, a się zsiusiam. – Zacisnęła powieki, próbując powstrzymać atak wesołości. – No, już dobrze. Dochodzę do siebie. Może łaskawie pomożesz mi się podnieść po tym, jak mnie osobiście powaliłeś na ziemię?

– Wcale cię nie powaliłem. Chociaż niewiele brakowało. – Wyciągnął przed siebie rękę, chwycił dłoń Hayley i pociągnął dziewczynę do góry.

– Jak usłyszałam te dziwne odgłosy, pomyślałam, że to Reginald kopie dla Amelii grób.

Harper z irytacją pokręcił głową, oparł się na łopacie i obrzucił Hayley uważnym spojrzeniem.

– Więc przyszłaś tu... po co właściwie? ... żeby mu w tym pomóc?

– Przecież musiałam sprawdzić, co się dzieje. A tak à propos, czemu właśnie teraz, po nocy, kopiesz wielką dziurę w ziemi?

– Jeszcze nie zapadła noc.

– Zaledwie przed chwilą uważałeś, że zapadła, kiedy się na mnie wydzierałeś. No więc, powiesz mi, co właściwie wyprawiasz?

– Rozgrywam mecz na trzeciej bazie w drużynie Atlanta Braves.

– Zupełnie nie pojmuję, czemu się na mnie wściekasz. Ostatecznie to ja wylądowałam na tyłku i omal nie umarłam z przerażenia.

– Przykro mi. Bardzo się potłukłaś?

– Nie. Czyżbyś sadził drzewo? – W tym momencie Hayley dojrzała młodziutką, wysmukłą wierzbę. – Dlaczego robisz to po ciemku i czemu wybrałeś akurat to miejsce?

– Chcę zrobić mamie niespodziankę. Opowiedziała mi dzisiaj bardzo wzruszającą historię. Okazuje się, że pewnej nocy umówiła się z tatą na randkę, a potem cały czas przegadali pod wierzbą, która w owym czasie rosła dokładnie w tym miejscu. To właśnie wtedy mama na zabój zakochała się w ojcu. Następnego dnia zabłąkany piorun uderzył w drzewo. Sprawka Amelii – mruknął Harper ze złością i odrzucił na bok następną porcję wykopanej ziemi. – Przez dłuższy czas mama myślała, że to był nieszczęśliwy przypadek, wczoraj jednak wreszcie pojęła prawdę. – W zamyśleniu spojrzał na dół, a potem na korzenie wierzby. I ponownie zabrał się do kopania.

– To urocze z twojej strony, Harperze. Miód na moje serce. Czy mogę ci jakoś pomóc, czy wolałbyś zrobić to sam?

– Dół jest już mniej więcej odpowiedniej głębokości. Jeśli chcesz, to pomóż mi umieścić w nim tę wierzbę.

– Jeszcze nigdy w życiu nie sadziłam drzewa.

– To proste. Trzeba wykopać dół mniej więcej trzy razy szerszy od bryły korzeniowej, ale niewiele od niej głębszy. A potem nie można zbyt mocno uklepywać ziemi, by korzenie mogły się swobodnie rozrastać wszerz.

Uniósł wierzbę i umieścił w przygotowanym otworze.

– I co o tym sądzisz?

– Masz dobre oko. Dół jest taki, jak należy. Przynajmniej wedle twojego opisu.

– Doskonale. Teraz odchylimy jutę z tych korzeni, żeby zobaczyć, jak głęboko przedtem drzewko tkwiło w ziemi. To znaczy, pewnie uda nam się to dostrzec, jeżeli zechcesz włączyć moją latarkę. Teraz już naprawdę zapadły ciemności. Nie przypuszczałem, że kopanie zajmie mi aż tak wiele czasu.

Hayley skierowała snop światła w odpowiednie miejsce.

– I jak? – spytała.

– Idealnie. Widzisz? – Wskazał palcem na ciemny pasek na cienkim pniu. – A więc nasz dół jest w sam raz. Musimy teraz tylko przyciąć kilka bocznych korzeni, żeby się wzmocniły. Możesz mi to podać?

Hayley podniosła sekator i wyciągnęła w stronę Harpera.

– Przykro mi, ale odgłos kopania dołu do posadzenia drzewa, jest identyczny z odgłosem kopania grobu.

Harper spojrzał na nią rozbawiony.

– Czy kiedykolwiek byłaś świadkiem kopania grobu?

– Nie. Ale widziałam to na filmach.

– No dobrze. Teraz trzymaj za brzegi juty. Ulokujemy wierzbę na właściwym miejscu i zasypiemy korzenie ziemią. Trzeba to zrobić systematycznie i powoli. I uklepiemy tylko wierzchnią warstwę. Niestety, nie mam zapasowych rękawic. Proszę, weź moje.

– Nie chcę. – Hayley pokręciła zdecydowanie głową, gdy zaczął ściągać robocze rękawice. – Odrobina ziemi za paznokciami jeszcze nikomu nie zaszkodziła. Czy tak właśnie mam to robić?

– Uhm. Bardzo dobrze. Masz uklepywać tylko przy pniu.

– Przyjemnie czuć ziemię między palcami.

– Owszem. Znam to uczucie. – Skończyli sadzenie i Harper podniósł się na nogi. – Teraz musimy starannie podlać naszą wierzbę, głównie na brzegach dołu. – Dźwignął z ziemi jedno z wcześniej przyniesionych wiader. Skinął głową i Hayley wzięła drugie.

– No, proszę. I tak oto posadziłaś swoje pierwsze drzewo.

– Powiedzmy, że pomogłam przy sadzeniu. – Odeszła na krok do tyłu i chwyciła Harpera za rękę. – Ta wierzba jest naprawdę piękna. Roz będzie wzruszona, że ją dla niej posadziłeś.

– To było ważne i dla mnie. – Harper uścisnął dłoń dziewczyny, po czym schylił się i zebrał narzędzia. – Pewnie powinienem poczekać do wiosny, ale zależało mi, żeby zrobić to jak najszybciej i przytrzeć nosa Amelii. Mówię jej w ten sposób: OK. Chcesz niszczyć drzewa? Bardzo proszę. My jednak zawsze posadzimy tu wierzbę na nowo. Więc możesz się wypchać.

– Przemawia przez ciebie gniew.

– Już nie jestem małym chłopcem, którego można oczarować kołysankami. Wreszcie zobaczyłem ją taką, jaka jest naprawdę.

Hayley pokręciła nieznacznie głową i zadrżała w chłodnym powietrzu wieczoru.

– Obawiam się, że w gruncie rzeczy, nikt z nas jeszcze nie wie, do czego ona tak naprawdę jest zdolna.

# 13

Cieplarnia była dla Harpera czymś znacznie więcej niż tylko miejscem pracy. Pełniła funkcję placu zabaw, kryjówki i naukowego laboratorium. Nic dziwnego więc, że na całe godziny zapadał w tym wilgotnym, przepełnionym dźwiękami muzyki sanktuarium – pracując, prowadząc eksperymenty lub po prostu rozkoszując się faktem, że jest jedyną ludzką istotą pośród mnóstwa roślin.

Bo też często przedkładał towarzystwo roślin nad towarzystwo ludzi. I chociaż przypuszczał, że to wiele mówiło o jego osobowości, nigdy się nad tym nie zastanawiał ani tym nie przejmował.

Czuł się szczęśliwy, że mógł zarabiać na chleb, wykonując to, co lubił najbardziej – to, co było jego prawdziwą pasją.

Młodsi bracia wyjechali z Memphis, żeby odnaleźć swój cel w życiu. On był wielkim szczęściarzem – mógł pozostać w miejscu, które kochał i jednocześnie spełniać się zawodowo.

Miał ukochaną pracę, dom i rodzinę. Od kiedy dorósł, przez jego życie przewinęło się również sporo rozmaitych kobiet, które ofiarowały mu wiele pięknych przeżyć. Żadna jednak nie zdołała sprawić, by zaczął się zastanawiać, czy nie powinien związać się wreszcie z kimś na stałe. Pomyśleć o przyszłości.

I wcale go to nie martwiło. Jego wizję życia małżeńskiego ukształtowała pamięć o tym, jak wyglądał związek jego rodziców. Miłość, wzajemne oddanie, szacunek i spajająca wszystko niczym stalowy rdzeń szczera, niezachwiana przyjaźń.

Uważał, że jeśli jakiś układ nie dorasta do takiego poziomu, on, Harper, nie powinien zawracać sobie tym układem głowy. Nie powinien podejmować ryzyka wspólnego życia.

Cieszył się więc towarzystwem kobiet, o żadnej jednak nie myślał jako o TEJ JEDYNEJ.

Dopóki nie poznał Hayley.

To zmieniło wiele w jego życiu, choć – na szczęście – niektóre sprawy pozostały wciąż takie same.

Na użytek roślin wrzucił do odtwarzacza kompakt z muzyką Szopena, w jego słuchawkach natomiast dudnił ostry rock.

Na pierwszy rzut oka cieplarnia mogła wydawać się zagracona – na stołach znajdowały się tace z nożami, nożycami i zwojami gumek oraz pojemniki z wieloma gatunkami roślin w rozmaitych stadiach wzrostu, wokół walały się taśma samoprzylepna, kawałki rafii, zapinki i etykietki. Na podłodze stały wiadra ze żwirem i ściółką oraz doniczki różnej wielkości, a obok nich leżały jutowe płachty i torby z kilkoma rodzajami ziemi. Mimo pozornego chaosu, Harper jednak zawsze wiedział, gdzie znaleźć to, czego w danym momencie potrzebował do pracy.

Jak każdego ranka, ruszył wzdłuż stołów i zaczął zdejmować klosze oraz foliowe namioty ze swoich roślin. Kilka minut bez przykrycia wystarczało, by zniknęła para wodna, która mogła się zebrać na pędach. Infekcje grzybicze były potężnym zagrożeniem, należało więc ich się wystrzegać jak ognia. Niemniej zbyt długie działanie powietrza mogło przesuszyć miejsce złączenia szczepu. Odkrywając rośliny, Harper oglądał każdą z nich uważnie – sprawdzał tempo wzrostu, pilnie wypatrywał śladów jakiejkolwiek choroby. W obecnej chwili był szczególnie zadowolony z kamelii, nad którymi pracował ubiegłej zimy. Te okazy zakwitną nie wcześniej niż za rok, a może nawet dopiero za dwa lata, Harper był jednak przekonany, że warto tak długo czekać na rezultaty.

Praca, którą się zajmował, wymagała pasji i zaangażowania, ale także wiele cierpliwości i niezachwianej wiary.

Od czasu do czasu Harper robił notatki, które miał później umieścić w odpowiednich plikach komputera. Młodziutkie kaktusy meksykańskie, wciąż chronione szklanym kloszem, wzrastały zdrowo i w dobrym tempie. Równie dobrze wyglądały świeże szczepki powojnika.

Po pewnym czasie Harper raz jeszcze przeszedł się po cieplarni, na powrót okrywając wszystkie rośliny. Dzisiaj jeszcze musi pójść nad staw i sprawdzić, jak się miewają wyhodowane przez niego hybrydy lilii wodnych, z którymi wiązał duże nadzieje na przyszłość.

Przy okazji będzie miał okazję wskoczyć do chłodnej wody i choć na moment zapomnieć o obezwładniającym upale.

Teraz jednak zajmie się szczepieniem hordowiny.

Kiedy skończył, chwycił torbę z narzędziami, zdjął słuchawki i wyszedł z cieplarni, aby sprawdzić, co się dzieje na terenie upraw.

Po centrum, jak zwykle, kręcili się klienci – oglądali przecenione rośliny wystawione na stołach osłoniętych wiatami, lub zachodzili do ogólnie dostępnych szklarni. Harper miał świadomość, że jeżeli szybko nie zniknie ludziom z oczu, ktoś wcześniej czy później go zaczepi.

Zazwyczaj nie miał nic przeciwko temu, by odbyć krótką rozmowę na temat roślin lub skierować klienta do odpowiedniego sektora, nie lubił jednak, gdy coś go odciągało od najważniejszych spraw, na przykład w tej chwili – inspekcji upraw.

Jednak ledwo minął rabatę z portulaką, ktoś wykrzyknął jego imię. Harper natychmiast pożałował, że zdjął z uszu słuchawki, mimo to odwrócił się posłusznie i przywołał na usta uśmiech zarezerwowany dla klientów.

Zobaczył przed sobą drobną brunetkę o ponętnych kształtach, które niejednokrotnie miał okazję oglądać *sauté*. Teraz dziewczyna była ubrana w szorty biodrówki, i krótką, odsłaniającą brzuch bluzkę pomyślaną tak, by każdy mężczyzna dziękował Bogu za sierpniowe upały.

Z radosnym śmiechem brunetka wspięła się na palce, zarzuciła Harpero-wi ręce na szyję i mocno cmoknęła go w usta. Wciąż pachniała świeżymi wi-śniami i natychmiast zalała go fala rozkosznych wspomnień.

Instynktownie uścisnął dziewczynę, po czym odsunął ją na długość ramie-nia, by przyjrzeć się jej twarzy.

– Dory?! Co cię sprowadza do Memphis?

– Właśnie wróciłam tu na stałe. Dostałam pracę w renomowanej firmie PR. Miałam już dosyć Miami, zatęskniłam za domem.

Pewnie zmieniła fryzurę od ich ostatniego spotkania – ostatecznie kobie-ty nieustannie robią coś z włosami – ale ponieważ Harper nie był tego pe-wien, ograniczył się do standardowego: „Wyglądasz świetnie".

– Tak też się czuję. Ciebie natomiast nie muszę pytać o samopoczucie, wystarczy popatrzeć. Idealne mięśnie, piękna opalenizna. Od jakiegoś czasu zamierzałam do ciebie zadzwonić, nie byłam jednak pewna, czy wciąż miesz-kasz w swojej uroczej, małej chatce.

– Owszem. To nadal moje miejsce na ziemi.

– Miałam taką nadzieję. Zawsze zachwycał mnie twój dom. A jak się mie-wa twoja mama? Jak David i bracia? – Dory wybuchnęła radosnym śmie-chem. – Jezu, czuję się tak, jakbym ostatnie trzy lata spędziła na Marsie.

– Wszyscy są w doskonałej formie. Mama kilka tygodni temu ponownie wyszła za mąż.

– Wiem. Moja własna rodzicielka przekazała mi wszystkie najgorętsze miejscowe wieści. Przy okazji usłyszałam, że ty jeszcze się nie rzuciłeś na głębokie wody i wciąż jesteś wolny.

– Hm? Ach, tak, rzeczywiście.

– Powinniśmy więc się spotkać w najbliższym czasie, odnowić znajomość. – Dory przesunęła palcem po torsie Harpera. – Z wielką przyjemnością zno-wu odwiedzę twoją chatkę. Mogłabym przywieźć jakąś chińszczyznę, a do te-go butelkę dobrego wina. Jak za starych, dobrych czasów.

– Uh… cóż…

– W ten sposób podziękowałabym ci za pomoc w wyborze odpowiednich roślin do mojego mieszkania. Bo zrobisz to dla mnie, Harper, prawda? Pole-cisz mi coś naprawdę ładnego?

– Jasne. To znaczy, z wielką ochotą pomogę ci wybrać rośliny, jakich po-trzebujesz. Ale…

– Wejdźmy więc do środka, bo zaraz roztopię się w tym skwarze. Opo-wiesz mi, co u ciebie nowego, gdy będziemy oglądać kwiaty. Ale najlepsze ka-wałki zachowaj na bardziej intymne chwile.

Chwyciła go za rękę i pociągnęła do sklepu.

– Stęskniłam się za tobą – oznajmiła. – Kiedy w zeszłym roku wpadłam na parę dni, ledwo zdołaliśmy zamienić kilka słów. Wówczas chodziłam z pew-nym fotografikiem. Opowiadałam ci o nim. Pamiętasz?

– Tak. – Pamiętał jak przez mgłę. – Ja natomiast…

– Cóż, to już pieśń przeszłości. Nie rozumiem, jak mogłam zmarnować rok życia na tak egocentrycznego faceta. Wszystko zawsze sprowadzał do siebie, wiesz, co mam na myśli? Musiałam kompletnie stracić zdrowy rozsądek! Nie mam pojęcia, czemu mi się wydawało, że wytrzymam u boku rozkapryszonego artysty.

– Słuchaj, Dory...

– Pożegnałam go więc bez żalu i oto jestem!

Kiedy znaleźli się w środku, odwróciła się gwałtownie i wsunęła dłonie w tylne kieszenie jego dżinsów. To był jej stary zwyczaj, także przywołujący rozliczne wspomnienia.

– Naprawdę mi ciebie brakowało. A czy ty też się cieszysz, że mnie widzisz?

– Jasne. Bardzo się cieszę, Dory. Rzecz w tym, że już się z kimś spotykam.

– Ach, tak. – Wydęła ponętne usta. – Czy to coś naprawdę poważnego?

– Owszem. Nawet bardzo.

– No, cóż. – Powoli wyjęła ręce z jego kieszeni, po czym poklepała go po pośladku. – Musiałabym być rzeczywiście niewiarygodną szczęściarą, gdyby się okazało, że wciąż jesteś singlem. Czy to już długo trwa?

– Trudno powiedzieć. To znaczy, znamy się od wielu miesięcy, ale dopiero od niedawna jesteśmy parą.

– Szkoda więc, że wcześniej nie zdecydowałam się na powrót. Pozostaniemy jednak przyjaciółmi?

– Naturalnie. Przecież przyjaźnimy się od wieków.

– Rzeczywiście. I tego chyba najbardziej mi brakowało w związku z Justinem, tym fotografikiem. Nigdy się nie zaprzyjaźniliśmy, a gdy się rozchodziliśmy, to już wprost nie mogliśmy na siebie patrzeć. Z tobą jednak sprawy przedstawiają się zupełnie inaczej. Całkiem niedawno opowiadałam przyjaciółce, że nikt nigdy nie porzucił mnie z takim wdziękiem jak ty.

Zaśmiała się pogodnie, stanęła na palcach i pocałowała go w policzek.

– Jesteś cennym i unikalnym okazem, Harper.

Ledwo się od niego odsunęła, a przez szklane drzwi weszła do sklepu Hayley.

– Mam nadzieję, że nie przeszkadzam. Czy mogłabym w czymś pomóc?

– Nie, dzięki. Harper obiecał, że osobiście się mną zajmie. – Dory poklepała go po ramieniu. – Kompletnie nie znam się na roślinach, postanowiłam więc, że zwrócę się do eksperta.

– Pozwól, Hayley, to moja przyjaciółka, Dory. Chodziliśmy razem do college'u.

– Naprawdę? – Hayley uśmiechnęła się promiennie. – Nie pamiętam, abym cię tu wcześniej widywała.

– Bo bardzo dawno mnie tu nie było. Parę ostatnich lat spędziłam w Miami. Teraz jednak powróciłam do rodzinnego miasta. Dostałam doskonałą pracę i postanowiłam zacząć wszystko od nowa. Wiesz, jak to jest.

– O, tak. Bardzo dobrze – oznajmiła słodkim głosem Hayley, nieustannie się uśmiechając.

– Postanowiłam wpaść tutaj, dowiedzieć się, co słychać u Harpera, i przy okazji kupić kilka roślin, by ożywić moje mieszkanie. Tylko poczekaj, aż je zobaczysz, Harperze. To wielki krok naprzód w stosunku do tej nory, którą wynajmowałam w czasie studiów.

– Wszystko byłoby od niej lepsze. Mam nadzieję, że pozbyłaś się również tego strasznego materaca.

– Spaliłam go. Harper nienawidził mojego ówczesnego posłania – wyjaśniła Dory. – Nawet zaproponował, że kupi mi porządne łóżko, ale nic sensownego nie zmieściłoby się w tym maleńkim pokoiku. Wystarczyło, że znalazły się tam trzy osoby, a już był taki tłok, że ktoś postronny mógłby nas posądzić o orgię.

– Stare, dobre czasy – westchnął Harper, a Dory parsknęła radosnym śmiechem.

– Rzeczywiście wspaniałe. Teraz może jednak wybierzmy rośliny, bo jak tak dalej pójdzie, przegadamy cały dzień.

– A więc zostawię was samych. – Hayley ruszyła w stronę drzwi.

Wróciła do pracy, ale się postarała, żeby nie stać za ladą, gdy Dory przyszła płacić za rośliny wybrane dla niej przez Harpera. Niemniej, gdy ustawiała nowy towar na półkach, wciąż dobiegał ją śmiech tej dziewczyny – a właściwie cholernie drażniący chichot. Kątem oka Hayley spostrzegła, że Harper nie opuszczał starej znajomej. Gdy podeszli do kasy, oparł się leniwie o kontuar i nieustannie uśmiechał tym swoim seksownym uśmiechem, wymieniając jednocześnie uwagi na temat dawnych, dobrych czasów i starych znajomych.

Najgorsze jednak było to, że Dory nieustannie go dotykała i poklepywała. A już prawdziwa furia ogarnęła Hayley, gdy zobaczyła, jak Harper pcha wózek tej dziewczyny w stronę parkingu.

Oczywiście natychmiast zdecydowała, że koniecznie musi się zająć ustawieniem towaru na półkach stojących tuż przy oknie. A gdy przy okazji rzuci okiem przez szybę, to nie będzie żadne szpiegowanie, tylko naturalny odruch.

Dzięki temu odruchowi zdołała zauważyć, że Harper nachyla się nad Dory i całuje ją w usta.

A to sukinsyn!

Potem jeszcze pomachał swojej flamie z college'u na pożegnanie i dopiero ruszył w stronę sklepu i to z tak niewinną miną, jakby nie zdawał sobie sprawy, że jest kłamliwym draniem. Co gorsza draniem, który oszukiwał ją i zdradzał tuż pod jej nosem!

A wydawałoby się, że jest na tyle dobrze wychowany, by przynajmniej robić to za jej plecami.

No, cóż. Jego sprawa. Ona, do cholery, nie zamierza się tym ani przez chwilę przejmować. Teraz zaś wyjdzie na zewnątrz, jednak nie po to, by skopać mu tyłek, lecz aby sprawdzić, czy ktoś z klientów nie potrzebuje jej pomocy.

Ostatecznie za to jej właśnie płacono. A nie za flirtowanie, czy rozpamiętywanie przeszłości. A już z pewnością nie za obcałowywanie klientów i machanie im na do widzenia.

Kiedy znalazła się w pobliżu cieplarni, ujrzała Harpera na pobliskim poletku, przyglądającego się magnoliom, które niedawno wspólnie szczepili.

Podeszła bliżej, a Harper spojrzał na nią pogodnie i posłał jej ciepły uśmiech.

– Tylko spójrz, jak pięknie się przyjęły. Jeszcze parę tygodni, a będzie można zdjąć taśmę.

– Jeżeli tak uważasz.

– Uhm. Wyglądają naprawdę pięknie. Muszę też sprawdzić inne rośliny ozdobne. Intuicja mi podpowiada, że w przyszłym roku dochowamy się pięknych grusz wierzbolistnych. A tak przy okazji – czy już ci pokazywałem miniaturowe owoce mojego chowu?

– Nie. A czy twoja przyjaciółka znalazła to, czego szukała?

– Uhm. – Harper przeszedł do kolejnego rzędu. – Wybraliśmy rośliny niewymagające zbyt dużo pielęgnacji – odparł bez zastanowienia, bacznie wpatrując się w młode drzewko. – To trzyletnia *pyrus communis* zaszczepiona gruszami wierzbolistnymi. Trzeba uważać, w którym miejscu dokonuje się szczepienia, żeby w ostatecznej formie drzewko miało harmonijne kształty.

– Ty wyjątkowo dobrze znasz się na kształtach.

– Hm? Tylko spójrz, jak pięknie się rozwija.

– Nie tyko te drzewka rozwijają się w szybkim tempie. Dziwię się, że nie odstawiłeś jej tych roślin pod same drzwi.

– Komu? Masz na myśli Dory? – Posłał Hayley roztargnione spojrzenie, najwyraźniej nie wychwytując sarkazmu w jej głosie. – Bez problemu sama sobie poradzi.

Powoli ruszył przed siebie, cały czas oglądając swoje szczepki.

– Tyko popatrz, Hayley. Widzisz te ozdobne wiśnie? Są tak idealne, że w przyszłym roku wykorzystam je jako rośliny mateczne.

– To doprawdy fascynujące, Harperze. Czy Dory również zabawiałeś opowieściami o cholernych technikach rozmnażania i ulepszania roślin?

– Nieee. – Wyraźnie było widać, że nie słucha uważnie jej słów. – Dory ani trochę nie interesuje się ogrodnictwem. Jej działka to PR.

– O ile zdążyłam zauważyć, głównie interesują ją relacje intymne.

– Słucham?

– Miałam ochotę do was podejść i zasugerować, żebyście się zamknęli w jakimś odosobnionym pomieszczeniu. Kto jak kto, ale ty powinieneś rozumieć, że nie wypada się z nikim migdalić na oczach pozostałych klientów.

Harper aż rozdziawił usta ze zdumienia.

– Co takiego? Myśmy się wcale nie migdalili, myśmy jedynie...

– Harper, może nie zauważyłeś, ale mamy tutaj szklane drzwi. Dlatego widziałam was jak na dłoni i uważam, że powinieneś poważniej traktować własne obowiązki. Nikt tutaj nie obściskuje się ze swoimi byłymi czy obecnymi kochankami na oczach klientów, w godzinach pracy. Rozumiem jednak, że jako szef, możesz robić, co ci się żywnie podoba.

– Tutaj szefem jest moja mama. Ja natomiast nie obściskiwałem się z żadną kochanką. Dory jest moją starą przyjaciółką. My po prostu...

– Całowaliście się, obmacywaliście, flirtowaliście i umawialiście na randkę. W mojej opinii takie zachowanie w czasie godzin pracy jest wysoce nieprofesjonalne. A to, że pozwoliłeś sobie na podobne wybryki na moich oczach, uważam za wręcz obraźliwe.

– Wolałabyś, żebym się tak zachowywał za twoimi plecami?

Aż zaniemówiła z wrażenia, bo jego słowa były idealnym odzwierciedleniem jej niedawnych małostkowych myśli.

Po chwili jednak spiorunowała go wzrokiem.

– Pieprz się, Harper!

Ponieważ uznała, że taka odzywka idealnie kończy rozmowę, odwróciła się na pięcie i ruszyła przed siebie. Nie dość szybko jednak, bo Harper zdążył chwycić ją za ramię.

Teraz już nie patrzył na nią roztargnionym wzrokiem. Jego spojrzenie było przerażająco lodowate.

– Nie flirtowałem ani nie umawiałem się z nikim na randkę.

– Tylko się całowałeś i obściskiwałeś.

– Owszem, pocałowałem Dory, bo jest moją dobrą przyjaciółką, niewidzianą od długiego czasu. Pocałowałem ją tak, jak się całuje przyjaciół. A nie na przykład w taki sposób.

Przyciągnął ją mocno do siebie, tak że straciła równowagę i oparła się na jego piersi. Potem chwycił ją w ramiona i przycisnął usta do jej warg.

Nie był to jednak ciepły, namiętny pocałunek, ale raczej wyraz niepohamowanego gniewu. Hayley próbowała się wyrywać, Harper jednak przyciskał ją do siebie z taką siłą, że właściwie nie była w stanie się ruszyć. Kiedy zdała sobie z tego sprawę, w miejsce wściekłości ogarnął ją strach, na szczęście chwilę później Harper wypuścił ją z uścisku.

– Tak całuję kobiety, w stosunku do których nie żywię przyjacielskich uczuć.

– Jakim prawem traktujesz mnie w podobny sposób?!

– Jedynie odpłacam ci pięknym za nadobne. Pozwól, że odwrócę twoje pytanie. Jakim prawem ty oskarżasz mnie o coś, czego nie zrobiłem i wmawiasz mi, że jestem kimś, kim nie jestem. Ja, Hayley, nie mam zwyczaju nikogo zdradzać ani okłamywać. Nie zamierzam więc przepraszać za swoje zachowanie. Jeżeli interesuje cię mój związek z Dory, to po prostu mnie zapytaj. I nie rzucaj się na mnie z bezpodstawnymi oskarżeniami.

– Sama widziałam...

– Może widziałaś to, co chciałaś zobaczyć. A w takim razie to twój problem, Hayley. Wybacz, ale teraz muszę wracać do swoich zajęć. Jeżeli chcesz mi jeszcze coś powiedzieć w tej sprawie, zrób to w czasie wolnym od pracy.

Powiedziawszy to, zdecydowanym krokiem ruszył w stronę stawu, nie pozostawiając jej innego wyboru, jak tylko rzucić się biegiem w przeciwnym kierunku.

– Miał czelność potraktować mnie w taki sposób, jakbym to ja zachowała się niestosownie! – Hayley nerwowym krokiem chodziła po werandzie Stelli, podczas gdy Lily z radosnym piskiem biegała po trawniku za Parkerem. – Jakbym miała brudne myśli lub była jakąś oszalałą z zazdrości jędzą. I to tylko dlatego, że mu powiedziałam, iż nie powinien obcałowywać innej kobiety. W dodatku na moich oczach.

– Przed chwilą mówiłaś, że to ona go obcałowywała.

– To było wspólne i skoordynowane działanie. Widziałam to wszystko przez szybę, a kiedy do nich podeszłam, Harper zachowywał się tak, jakby nic się nie stało. Nie miał nawet dość przyzwoitości, żeby okazać skruchę.

– Już o tym wspominałaś. – Nawet dwukrotnie, dorzuciła w duchu Stella. Rozumiała jednak na tyle dobrze naturę kobiecej przyjaźni, by ani słowem nie wspomnieć na ten temat. – Skarbie, przecież obie już zdążyłyśmy dobrze poznać Harpera. Wiesz, że gdyby został przyłapany na czymś, czego nie powinien był robić, nie umiałby ukryć zażenowania.

– Po prostu nie jestem dla niego na tyle ważna, żeby czuł się zażenowany z powodu swoich ekscesów.

– Teraz już przesadziłaś. Przecież to nieprawda.

– Mimo to czuję się okropnie. – Hayley z rezygnacją przysiadła na schodkach.

– Rozumiem cię. – Stella przysunęła się do przyjaciółki i otoczyła ją ramieniem. – I przykro mi, że czujesz się dotknięta.

– Harper ma to w nosie.

– Nie opowiadaj bzdur. Może po prostu błędnie zinterpretowałaś to, co zobaczyłaś.

– On ją całował, Stello!

– Mnie też wielokrotnie całował.

– To coś zupełnie innego.

– A gdybyś mnie kompletnie nie znała i zobaczyła, że Harper mnie całuje, co byś pomyślała?

– Tuż przedtem czy po tym, jak wydrapałabym ci oczy?

– Au! Słuchaj, ja jednak nadal uważam, że nie zrozumiałaś tego, co się dzieje. I twierdzę tak ponieważ: po pierwsze – znam dobrze Harpera, po drugie zaś – on nie zachował się jak mężczyzna o nieczystym sumieniu.

– Chcesz mi więc powiedzieć, że zareagowałam nieadekwatnie do sytuacji.

– Chcę powiedzieć, że na twoim miejscu, spróbowałabym wszystko wyjaśnić.

– On z nią sypiał, Stello. No dobrze – dorzuciła, gdy tylko Stella spojrzała na nią surowym wzrokiem. – Wiem, że to było dawno temu i tak dalej. Ale ona jest taka ładna. Ma wspaniałe ciało i piękne, egzotyczne oczy. Do tego dużą klasę. Och, do diabła!

– Musisz porozmawiać z Harperem.

– Obawiam się, że masz rację.

– Czy chcesz, żebym zajęła się Lily w tym czasie?

– Nie. – Hayley westchnęła głęboko. – Muszę niedługo dać jej kolację. Poza tym, jeżeli wezmę ją ze sobą, może oboje powstrzymamy się od wrzasków.

– W porządku. Jak będziesz miała ochotę się przed kimś wygadać, opowiedzieć, jak ci poszło, to po prostu zadzwoń. Albo wpadnij. Wyjmę wielkie pudło lodów Ben & Jerry's.

– W obecnym stanie ducha mogłabym pochłonąć sama całe opakowanie.

Złapała Lily za rączkę i zapukała do drzwi powozowni. Harper musiał niedawno wyjść spod prysznica, pomyślała, gdy otworzył drzwi. Miał nadal wilgotne włosy. Jednak zacięty wyraz jego twarzy jasno sugerował, że chłodna woda nie ostudziła gniewu.

– Chciałabym z tobą porozmawiać – oznajmiła Hayley pogodnym tonem. – Jeżeli nie jesteś zbyt zajęty.

Harper schylił się w milczeniu i wziął na ręce Lily, która już na dzień dobry uczepiła się jego nogi. Potem, z dzieckiem w ramionach, odwrócił się i ruszył w kierunku kuchni.

– Witaj, skarbie – odezwał się do małej. – Tylko popatrz, co tu na ciebie czeka.

Jedną ręką otworzył szafkę, wyjął kilka plastikowych miseczek, a potem sięgnął do szuflady po plastikową łyżkę. Potem położył to wszystko na podłodze, obok zaś usadził Lily, która natychmiast zaczęła walić łyżką w co popadnie.

– Masz ochotę na coś do picia? – zwrócił się do Hayley.

– Nie, nie. Dziękuję. Chciałabym cię jedynie spytać...

– Poczekaj, muszę wyjąć sobie piwo. Czy mam dać Lily soku lub mleka?

– Nie zabrałam jej kubeczka z przykrywką.

– Mam taki.

– Naprawdę? – Poczuła, jak mięknie jej serce. – W takim razie może trochę soku. Trzeba rozcieńczyć go wodą.

– Wiem. Widziałem, jak to się robi. – Odpowiednio przygotował sok, podał kubek Lily, a potem wyjął dla siebie piwo z lodówki. – No, więc? – zapytał i podniósł butelkę do ust.

– Chciałam cię spytać... A właściwie, nie. Chciałam ci powiedzieć, że mam świadomość, iż niczego sobie nie obiecywaliśmy. Ale jeżeli idę z kimś do łóżka, to uznaję to za pewną formę zobowiązania, więc czuję się dotknięta, gdy widzę, jak mężczyzna, który ze mną sypia, całuje inną kobietę, a potem z nią flirtuje. Co więcej, nie uważam swoich odczuć za nieuzasadnione.

Harpera w zamyśleniu pociągnął kolejny długi łyk piwa.

– Gdybyś od razu ujęła sprawę w ten sposób, nie poczułbym się urażony ani wkurzony. Przyznaję, że flirtowałem z Dory, jednak bez podtekstu, który mi przypisujesz.

– Jeżeli wobec wszystkich kobiet jesteś tak wylewny...

– Nie wobec wszystkich. Więc uważaj, Hayley, bo jeszcze chwila, a znowu mnie rozzłościsz. Jeżeli chcesz się dowiedzieć, o co chodzi, czemu po prostu mnie o to nie spytasz?

– Bo nie lubię być w takiej sytuacji.

– A więc podobnie jak ja. Jeżeli więc nie masz w tej sprawie nic więcej do dodania, to pozwól, że przygotuję sobie coś do zjedzenia. Nie miałem dziś czasu na lunch.

– W porządku. – Schyliła się, żeby wziąć Lily na ręce, w porę jednak się opamiętała. – Czemu jesteś taki uparty?

– Czemu jesteś taka nieufna?

– Ponieważ na własne oczy widziałam, co się dzieje. Ta dziewczyna wsadziła ci ręce do kieszeni i obmacywała twój tyłek. Wieszała ci się na szyi. A ty, jak zauważyłam, jakoś szczególnie się nie opierałeś.

– OK. Rozumiem twój punkt widzenia. Musisz jednak wiedzieć, że Dory zawsze się tak zachowywała, więc po prostu nie zwróciłem na to szczególnej uwagi. Zapewne także dlatego, że cały czas się zastanawiałem, jak mam jej powiedzieć, iż nie może sobie robić nadziei i możemy zostać jedynie przyjaciółmi, ponieważ spotykam się z inną kobietą.

– Ile czasu ci potrzeba, żeby coś podobnego z siebie wykrztusić?

– Nie za wiele, pod warunkiem jednak że nikt akurat nie obmacuje mi tyłka. – Już otworzyła usta, żeby coś powiedzieć, ale gdy ujrzała, jak Harper w szczególny sposób unosi brew, natychmiast je zamknęła. – Najważniejsze jednak, że jej to powiedziałem, zanim jeszcze pojawiłaś się w drzwiach.

– Zanim...? Przecież kiedy do was podeszłam, zachowywałeś się tak, jakby nic się nie stało. Na dodatek oboje... – Urwała, w poszukiwaniu dobrego wyrażenia, którego jednak nie znalazła. – Nieustannie się dotykaliście. A potem, przy samochodzie, pocałowaliście się na pożegnanie.

– Podglądałaś nas – rzucił Harper, patrząc na nią zmrużonymi oczami.

– Nie... Tak. No i co z tego?

– Szkoda, że wcześniej nie zdołałaś mi podrzucić do kieszeni podsłuchu, wówczas bowiem moglibyśmy sobic podarować tę rozmowę.

Hayley splotła ręce na piersiach i wojowniczo spojrzała mu w oczy.

– Nie zamierzam przepraszać za moje postępowanie – oznajmiła.

– Doskonale. A więc przyjrzyjmy się twojej linii rozumowania. Po pierwsze, co w tym dziwnego, że zachowywałem się tak, jakby nic się nie stało? Przecież nie miałem niczego na sumieniu. Po drugie, Dory ma szczególny sposób bycia. Zawsze dużo gestykuluje i dotyka ludzi, których lubi. Szybko nawiązuje bliski kontakt z ludźmi, dlatego pewnie odnosi spore sukcesy w branży PR. Po trzecie zaś, owszem, pocałowałem ją na do widzenia. I zapewne zrobię to znowu, gdy ponownie się spotkamy. Lubię tę dziewczynę. Łączą nas wspólne przeżycia. Poznaliśmy się w ogólniaku, razem studiowaliśmy w college'u, a także przez rok ze sobą chodziliśmy. Przypominam jednak, Hayley, że było to przed wielu laty. Bardzo wielu, na Boga. Kiedy już przestaliśmy być parą, zostaliśmy przyjaciółmi. I jestem przekonany, że gdybyś przez chwilę zapomniała o swojej zazdrości, także szybko zaprzyjaźniłabyś się z Dory.

– Wcale mi się nie podoba, że nagle stałam się tak zazdrosna. To całkiem obce mi uczucie.

– Gdybyś przypadkiem usłyszała naszą rozmowę przy samochodzie, dowiedziałabyś się, że Dory miałaby ochotę spotkać się z nami na mieście, wypić wspólnie drinka i poznać cię lepiej. Powiedziała, że się cieszy z mojego szczęścia. Ja powiedziałem jej mniej więcej to samo, po czym pocałowałem ją na pożegnanie.

– Ja natomiast poczułam się strasznie, bo... wyglądaliście jak para zakochanych.

– Para zakochanych to ty i ja, Hayley. Takie przynajmniej są moje odczucia – dorzucił, gdy spojrzała na niego zdumionym wzrokiem. – Chcę być tylko z tobą, Hayley. I zupełnie nie pojmuję, czemu nie chcesz tego przyjąć do wiadomości.

– Nigdy przedtem mi nie mówiłeś...

Podszedł bliżej i ujął jej twarz w dłonie.

– Jesteś tą jedyną, Hayley. Czy to dla ciebie dość jasne?

– Uhm. – Dotknęła ustami jego palców.

– A więc już wszystko w porządku?

– Uhm. Słuchaj, powiedziałeś Dory, że się z kimś spotykasz na poważnie. Czy wyjaśniłeś jej, że chodzi o mnie?

– Nie musiałem. Kiedy odeszłaś, powiedziała: „Ta dziewczyna jest ode mnie wyższa, szczuplejsza i ma o wiele piękniejsze włosy". Czemu wy, kobiety, zawsze zwracacie uwagę na to, co wasze siostry mają na głowie?

– Nieważne. Co jeszcze o mnie powiedziała?

– Że jeżeli już jej nie chcę, to przynajmniej cieszy się, że z powodu takiej super laski jak ty. O ile dobrze zrozumiałem, to swoisty komplement.

– I do tego wyjątkowo uroczy. Teraz będzie mnie gnębić poczucie winy, że tak się do niej uprzedziłam. I myślę, że miałeś rację – z pewnością bym ją polubiła, co w pewnym sensie cholernie mnie wkurza. – Zamyśliła się na moment, szybko jednak spojrzała na Harpera z promiennym uśmiechem. – Ale jakoś to przeżyję. I nadal nie zamierzam cię przepraszać – ostatecznie ona macała cię po tyłku. Z przyjemnością jednak przyrządzę ci coś do jedzenia.

– Dobra – odparł bez wahania.

– Miałbyś ochotę na jakieś szczególne danie?

– Nie. Zrób mi niespodziankę. To znaczy zrób nam niespodziankę – poprawił się szybko i uniósł Lily z podłogi, trzymając ją za nogi, tak że wisiała głową w dół. – Zabiorę tego krasnala, aby nie wchodził ci w drogę. Tym bardziej że w sąsiednim pokoju czeka na nas mnóstwo atrakcji.

A więc życie wróciło do normy, pomyślała Hayley, otwierając lodówkę. Z salonu obok dobiegał ją niepohamowany chichot Lily i radosne okrzyki Harpera.

Czym ten facet się odżywia? To żałosne! Na półkach lodówki stały tylko butelki z piwem, napojami gazowanymi i wodą mineralną, leżała pieczona nóżka kurczaka sprzed wieków, dwa jajka, resztka masła i mały kawałek zapleśniałego sera.

Dopiero jak zajrzała do zamrażarki, odkryła sezam pełen skarbów. Starannie opisane pojemniki zawierały dania przygotowane przez Davida. Z pewnością były pyszne, Hayley żałowała jednak, że nie ma z czego samodzielnie przyrządzić kolacji, by olśnić Harpera.

*Tak naprawdę, kto tu jest żałosny? Facet obcałowuje się z obcą kobietą na twoich oczach, a ty się przed nim płaszczysz. Szykujesz mu jedzenie, jak najmarniejsza służąca. Kobiety zawsze są traktowane podle. Mężczyźni nieustannie wykorzystują je dla własnej wygody i przyjemności.*

*Twój mężczyzna też kłamie, bo oni wszyscy kłamią, ty zaś mu wierzysz tylko dlatego, że jesteś głupia i słaba duchem.*

*Każ mu zapłacić za tę niegodziwość. Oni wszyscy powinni ponieść karę.*

– Nie – odparła cicho, ale stanowczo Hayley, i zorientowała się, że nadal stoi przed otwartą zamrażarką. – Nie. To nie są moje myśli. Muszę je przezwyciężyć.

– Mówiłaś coś? – zapytał Harper z sąsiedniego pokoju.

– Nie odezwałam się słowem – odrzekła spokojniejszym tonem.

Nie ma sensu mu o tym wspominać. Nie ma sensu się nad tym zastanawiać. Przygotuje kolację i usiądą razem przy stole. Jak prawdziwe małżeństwo. A nawet – jak niewielka rodzina.

Usiądą we troje. Tylko we troje.

# 14

Wspólne wieczorne posiłki stały się rytuałem. Siadywali razem w kuchni – Lily w wysokim krzesełku, przytarganym przez Harpera z rezydencji – a on z Hayley przy stole. Prowadzili długie rozmowy i czuli się tak dobrze w swoim towarzystwie, że czasami aż niepokoiło to Harpera.

Zmierzali ku nowemu życiu – niczym statek podążający do przystani, popychany lekką bryzą. Pytanie tylko, czy dotrą tam cali i zdrowi, czy posiniaczeni i poobijani.

Te wieczorne wspólne posiłki – wymiana zdań na temat pracy czy najnowszych osiągnięć Lily – były wyjątkowo kojące, a jednocześnie przepełnione intensywnym uczuciem i przekonaniem, że oto jesteśmy ze sobą, przynajmniej na razie, przynajmniej na tę noc.

Pytanie jak długo jeszcze on, oni oboje, będą mieli ochotę utrzymywać stan tymczasowości, godzić się na owo „przynajmniej".

– Pomyślałem – odezwał się Harper – że jeżeli jutro w „Edenie" nie będzie wiele pracy, mógłbym ci pokazać, jak przeprowadza się hybrydyzację.

– Już co nieco wiem na ten temat. Roz mi to pokazała na przykładzie lwiej paszczy.

– Ja chciałbym się zająć liliami. Myślę o stworzeniu miniaturki w różowym kolorze o nazwie „Lily".

Hayley aż pojaśniała na twarzy.

– Naprawdę? Chcesz stworzyć kwiat dla mojej córeczki? Och, Harper, to niesamowite!

– Pomyślałem, że róż – mocny, zdecydowany róż – będzie najodpowiedniejszy. Może z odrobiną szkarłatu na płatkach. Czerwień to twój kolor, więc w ten sposób będziemy mieć najprawdziwszą „Lily, córkę Hayley".

– Jeszcze chwila, a się popłaczę.

– W takim razie zabierzemy się do pracy. A co ty o tym sądzisz, krasnalu? – zwrócił się do dziecka. – Chcesz mieć swój własny kwiatek?

Lily w odpowiedzi uniosła strączek fasolki szparagowej i z namysłem rzuciła go na podłogę.

– Założę się, zdecydowanie woli kwiatki od warzyw. To wyraźny znak, że już się najadła. – Hayley podniosła się z krzesła. – Muszę wytrzeć jej ręce i buzię.

– Ja się tym zajmę. Urządzę jej kąpiel.

Hayley ze śmiechem zabrała tacę z blatu wysokiego krzesełka.

– Czy kiedykolwiek kąpałeś takiego brzdąca?

– Nie, ale dobrze wiem, jak to zrobić. Trzeba napełnić wannę, wrzucić małą do wody i dać jej do ręki kawałek mydła. Wrócić do łazienki po wypiciu piwa, wyjąć dziecko z wody i wysuszyć ręcznikiem. Przecież żartuję! – zaśmiał się, gdy zobaczył przerażony wzrok Hayley. Wyjął Lily z krzesła i zarzucił ją sobie na ramię. – Twoja mama myśli, że jestem kompletnym idiotą i nie znam się na kąpielach. Zaraz jej pokażemy, jak bardzo się myli.

– Ale ja...

– Masz ją na głowie przez całe popołudnie. I ani na chwilę nie spuszczasz jej z oka. Tymczasem ja sobie świetnie poradzę. Woda ciepła, nie za gorąca, i tym podobne, i tak dalej, bla, bla bla – ciągnął, wchodząc na górę po schodach. Tymczasem Lily radośnie spojrzała na matkę i pomachała jej łapką na do widzenia.

Hayley trzy razy zajrzała do łazienki, starała się jednak robić to bardzo dyskretnie.

Kiedy uporała się ze sprzątaniem w kuchni, Lily już biegała po salonie, różowa i pachnąca pudrem, mając na sobie tylko pieluchę. Niektórzy mężczyźni, pomyślała Hayley, instynktownie wiedzą, jak obchodzić się z dziećmi. Harper najwyraźniej do nich nalczał.

– Co zazwyczaj Lily robi po kąpieli?

– Pozwalam jej się pobawić jeszcze godzinę, żeby się zmęczyła. A potem, jeśli wciąż jest na chodzie, czytamy książeczki. Harper, czy nie masz nas już dosyć na dzisiaj?

– Nie. Mam nadzieję, że zostaniecie u mnie na noc. Mogę ustawić ten jej przenośny leżaczek w gościnnym pokoju. Usłyszymy, jeżeli mała się obudzi. A ty będziesz u mnie. – Chwycił dziewczynę za ręce, pocałował ją w usta. – Zostań dziś ze mną, Hayley.

– Harperze... – Wysunęła się z jego objęć i pobiegła za dzieckiem. – Poczekaj, mały urwisie! – zawołała. Tymczasem Lily wpadła do salonu i jak rakieta ruszyła w stronę stosu plastikowych samochodzików i ciężarówck. – Skąd się tu wzięły te zabawki?

– Kiedyś się nimi bawiłem. Niektórych rzeczy nigdy się nie wyrzuca.

Hayley wyobraziła sobie Harpera w dzieciństwie, jak bawi się samochodzikami i naśladuje buczenie silnika, podobnie jak teraz jej córeczka.

– Wiesz, to bardzo trudne.

– Co takiego?

– Żeby się nie zakochać w tobie na zabój. Nie oszaleć na twoim punkcie jak ostatnia idiotka.

– A co by się stało, gdybyś tak się właśnie zakochała?

– Nie wiem i to mnie przeraża. Naprawdę nie mam pojęcia. Wszystko jest takie pogmatwane. Jesteśmy ze sobą zaledwie od kilku tygodni. Nie wiem, jakie są twoje oczekiwania, co jest dla ciebie najważniejsze w życiu.

– Ja sam chciałbym to wiedzieć.

– Ty możesz sobie na to pozwolić, Harperze. Mówię szczerze i bez ironii. Naprawdę. Co jednak się stanie, jeśli cię naprawdę pokocham? Pokocham cię, a ty uznasz, że chcesz pojechać do Belize, żeby przez następne sześć miesięcy wylegiwać się na plaży? Ja mam Lily. Muszę przede wszystkim dbać o jej dobro. Nie mogę...

– Hayley, gdybym miał inklinacje do wylegiwania się na plażach, już do tej pory bym o tym wiedział.

– Och daj spokój. Przecież świetnie rozumiesz, o co w gruncie rzeczy mi chodzi.

– Uhm. OK. A co będzie, jeżeli ja się w tobie zakocham do nieprzytomności, a ty zdecydujesz, że chcesz wrócić do Little Rock i założyć tam własne centrum ogrodnicze?

– To niemożliwe. Ja...

– To jak najbardziej możliwe, Hayley. Kiedy ludzie wiążą się ze sobą, narażają się właśnie na tego typu ryzyko. Można się na przykład zakochać w człowieku, który ma zupełnie inne priorytety życiowe. To dopiero pech.

– A więc postawimy na rozsądek? Będziemy żyć z dnia na dzień?

– Naturalnie, możemy podejść do naszego związku w taki sposób.

– A jeżeli ja tego nie chcę? – rzuciła zapalczywie. – Jeżeli marzę tylko o tym, aby ci powiedzieć, że jestem w tobie zakochana? Co wówczas zrobisz?

– Nie wiem. Sprawę zdecydowanie komplikuje fakt, że cię to denerwuje.

– Oczywiście, że mnie denerwuje! Jestem w tobie zakochana, Harperze, a ty chcesz, żebyśmy zachowali zdrowy rozsądek. Z mojego punktu widzenia to szaleństwo.

Harper uważał się za logicznego, zrównoważonego człowieka, chociaż zdolnego do gwałtownych wybuchów, które usilnie starał się kontrolować. Jakim więc cudem zakochał się w kobiecie o tak niesamowicie zmiennych nastrojach?

Cóż, to z pewnością jasny dowód na to, że w miłości nie można doszukać się logiki.

– Zamiast się wkurzać, powinnaś mnie uważniej słuchać. Powiedziałem, że możemy zachować rozsądek. Możemy żyć z dnia na dzień. Ale ponieważ ja też jestem w tobie zakochany, mnie również podobna koncepcja nieszczególnie przypada do gustu.

– Wydaje ci się, że jeśli się będziesz zachowywać jak filmowy amant, kąpać Lily, wykonywać urocze gesty, to ja... – Głos uwiązł jej w gardle, Harper natomiast uśmiechał się tym swoim leniwym uśmiechem. – Co powiedziałeś tuż po tym zdaniu o potrzebie słuchania?

– Powiedziałem, że jestem w tobie zakochany.

– Och... Ach... Nie mówisz tego tylko dlatego, że się wściekam?

– Z tego powodu zastanawiałem się, czy przypadkiem nie powinienem trzymać języka za zębami. Hayley, jeszcze nigdy nie powiedziałem tego żadnej kobiecie, bo takie słowa wiele ze sobą niosą. Mają duży ciężar gatunkowy. Jesteś tą pierwszą.

– I nie mówisz tak dlatego, że uwielbiasz Lily?

Zniecierpliwiony Harper przewrócił tylko oczami.

– Na miłość boską, Hayley!

– Byłam taka przerażona! – Wybuchnęła śmiechem i zarzuciła mu ręce na szyję. – Byłam taka przerażona, że oszaleję na twoim punkcie, a ty zdecydujesz, że chcesz się ze mną jedynie przyjaźnić – jak z tą dziewczyną, która przyszła dzisiaj do centrum. A ja nie chcę się z tobą przyjaźnić po tym, jak nasz związek się rozpadnie. – Spojrzała na niego poważnie, po czym mocno ucałowała go w usta. – Jeżeli dopuścisz, by wszystko między nami się skończyło, będę cię nienawidzić do końca życia.

– Dobrze.

Przytuliła policzek do jego policzka.

– I co teraz zrobimy?

– Przede wszystkim pobawimy się z Lily. Dobrze ją wymęczymy, żebyś mogła ją szybko położyć spać, a potem wskoczyć do mojego łóżka.

– Podoba mi się twój plan.

Kiedy Lily zasnęła, Harper włączył muzykę. Mimo że dopiero zapadał zmrok, w sypialni płonęły świece. Było tam też wiele ciętych kwiatów – ale tego akurat można się było spodziewać.

– Krasnal już śpi? – spytał, kiedy weszła do pokoju.

– Uhm. Co jeszcze nie oznacza, że tak będzie przez całą noc.

– Wykorzystajmy więc chwile błogiego spokoju. – Zaczął wodzić dłońmi po jej ramionach. – Uwielbiam się z tobą kochać. Uwielbiam cię dotykać. Uwielbiam, jak twoje ciało zespala się z moim w jednym, cudownym rytmie.

– Może to jedynie najzwyklejsza namiętność.

– Jasne, namiętność. – Zaczął całować ją po szyi. – A czy dla ciebie to tylko dzikie pożądanie?

Nic. Nie tylko.

– Nieustannie o tobie myślę, Hayley. O twoim głosie i twoim ciele. Zastanawiam się, co akurat czujesz.

Pociągnęła go za szyję i opadli na łóżko, a Harper zaczął pieścić jej piersi.

– Jesteś wspaniała. Idealna. Perfekcyjna. – Jednym zdecydowanym ruchem zsunął z niej bluzkę i zaczął błądzić ustami po jej ciele.

Hayley natomiast przepełniała euforia – musowała w niej niczym pienisty szampan. Harper ją kochał. Harper – ten mężczyzna o pięknych dłoniach i gorącym temperamencie – był w niej zakochany!

On tymczasem smakował jej skórę, wdychał jej aromat. Uwielbiał tę kobietę, kochał ją gorąco. Było to cudowne, całkiem nowe dla niego uczucie i niesamowicie wszechogarniające. Zawładnęło jego umysłem, sercem i duszą. Nic nie mogło się równać z doznaniami, jakich doświadczał, gdy ich ciała łączyły się we wspólnym rytmie.

Z ogrodu doleciały trele lelka, który uwił gniazdo w konarach jabłoni. W sypialni, w gęstym powietrzu unosiły się ciche westchnienia i jęki. Harper czuł, jak Hayley drży na całym ciele, a potem powoli, powoli dochodzi do szczytu.

Przewróciła go na plecy i usiadła na nim okrakiem. Widział wyraźnie rysy jej twarzy w łagodnym świetle świec, które kładło się ciepłym blaskiem na ciemnych włosach i podkreślało błękit oczu.

Hayley zaczęła go namiętnie całować, a potem z cichym pomrukiem sprawiła, by w nią wszedł.

– Tego właśnie chcesz, prawda? – wyszeptała chrapliwie. – Tylko na tym ci zależy.

Zmiana, która nagle w niej zaszła, była nagła i nieoczekiwana. W oczach dziewczyny pojawiły się lodowate błyski. Harper spojrzał uważnie na jej twarz i natychmiast zastygł w bezruchu.

– Nie.

– Myślisz jedynie o tym, jak zaspokoić swoją żądzę.

– Przestań! – Złapał ją w pasie i zmusił, żeby przestała się poruszać.

– I by osiągnąć swój cel, jesteś gotów kłamać. Oszukiwać. Składać nic niewarte obietnice, zapewniać o miłości, której wcale nie czujesz. Byle bym tylko rozłożyła przed tobą nogi.

Zacisnęła uda na jego biodrach. Niby było to ciało Hayley, ale teraz wydawało się jakieś obce, nie jej. Harper poczuł, jak wzbiera w nim odraza.

– Przestań natychmiast! – wykrzyknął, ale istota, która zawładnęła dziewczyną, tylko się roześmiała.

– Czy mam cię doprowadzić do szczytu rozkoszy? Mam cię dosiąść i zajeździć – aż będziesz wił się i jęczał?

Odepchnął ją, ale wciąż się śmiała, jej naga skóra połyskiwała w blasku świec.

– Zostaw Hayley w spokoju! Nie masz prawa przywłaszczać sobie jej ciała!

– Mam do tego takie samo prawo jak ty. A nawet większe. Bo jesteśmy do siebie bardzo podobne. Jesteśmy niemal identyczne.

– Nieprawda! Ty nie masz z nią nic wspólnego. Hayley nie idzie w życiu na łatwiznę. Jest ciepła i silna, szczera i uczciwa.

– Ja też mogłam być taka. – W jej oczach widniały teraz smutek, żałość i dziwny głód. – Mogę jeszcze stać się taka. Poza tym wiem lepiej niż ona, jak wykorzystać to ciało. – Znowu ścisnęła go udami, pochyliła się i zaczęła szeptać mu do ucha erotyczne propozycje.

Harper poczuł przypływ paniki. Stanowczo potrząsnął dziewczyną.

– Hayley! Do diabła, Hayley! Jesteś od niej silniejsza. Nie pozwól, żeby kierowała twoimi myślami! – I chociaż wciąż patrzyła na niego obcymi, zimnymi oczami, przemógł się i pocałował ją w usta. Zrobił to delikatnie, z czułością, mimo że wargi miała niczym z lodu. – Kocham cię, Hayley. Kocham cię. Wróć do mnie.

Ledwo to powiedział, a ujrzał, że ją naprawdę odzyskał. Dygotała, jak gdyby zmarzła, więc przycisnął ją mocno do piersi.

– Harper?

– Szsz... Już wszystko w porządku.

– Ona... Amelia... O, Boże. To nie były moje słowa, kochany. Ja wcale tak nie myślę. Posłuchaj...

Miał ochotę ją przytulić i obsypać pocałunkami, ale to nie była odpowiednia do tego chwila.

– Chcę tylko ciebie – wyszeptał i zaczął rozcierać jej zziębnięte ciało. – Tylko ciebie. Nie pozwólmy jej wdzierać się między nas, dobrze? Spójrz na mnie, proszę.

Chwycił ją z całej siły za ramiona.
– Spójrz na mnie. I zostań ze mną.
Lód szybko zmienił się w ogień, a przerażenie w radość i rozkosz. Hayley go nie opuściła. Znowu zaczęli się kochać.

Nie powiedziała ani słowa, nawet gdy już leżeli zrelaksowani, gdy Harper położył głowę na jej piersiach, a trele lelka ustąpiły miejsca perkusyjnym popisom cykad. Wciąż nie mogła dojść do siebie – nie umiała oddzielić szoku od strachu, a strachu od wstydu.
Harper musnął jej ramię wargami, po czym podniósł się z łóżka.
– Pójdę po wodę, a przy okazji zajrzę do Lily.
Hayley z trudem powstrzymała się od błagania, by nie wychodził, nie zostawiał jej samej ani na moment. Przecież byłoby to idiotyczne. I na dłuższą metę niewykonalne. Nikt nie mógł jej strzec przez dwadzieścia cztery godziny na dobę. Co więcej, Hayley nie była w stanie znieść myśli, że Harper czułby się zobligowany do czuwania nad nią i nerwowego wyczekiwania, kiedy Amelia znowu zawładnie jej ciałem.
Usiadła na prześcieradle i w obronnym geście podciągnęła kolana pod brodę. Harper wrócił po paru minutach i przycupnął obok niej.
– Zupełnie nie wiem, co powiedzieć – mruknęła.
– Przede wszystkim, wyjaśnijmy sobie jedną rzecz: nie ponosisz najmniejszej winy za to, co się stało. Poza tym, najważniejsze, że w końcu ją pokonałaś, wyrzuciłaś ze swojego umysłu, czy jak to do cholery nazwać.
– Nie rozumiem, jak po tym wszystkim jeszcze możesz mnie dotykać.
– Myślałaś, że pozwolę jej zwyciężyć? Dopuścić, by nad nami zatriumfowała? – W jego głosie pobrzmiewała ukrywana furia.
– Byłeś we mnie, gdy... gdy ona... To okropne!
– Proszę. – Wetknął jej w dłoń butelkę z wodą. – To było upiorne dla nas obojga. No i w moim wypadku zakrawało na kazirodztwo. Ostatecznie nienaturalnie się zbliżyłem do własnej praprababki.
– Nie myślała o tobie w takich kategoriach. Choć nie wiem, czy to dla ciebie jakakolwiek pociecha. – Skuliła się i oddała mu butelkę. – Ona... tak naprawdę widziała w tobie Reginalda. Najpierw on... mnie... ją podniecał, ale szybko dominującym uczuciem stał się gniew. Ten gniew ją jednak coraz bardziej pobudzał. A potem wszystko w moim umyśle się zamazało. I dopiero kiedy powiedziałeś, że mnie kochasz, kiedy mnie pocałowałeś, wróciłam do rzeczywistości.
– Chciała nas wykorzystać. Nie dopuściliśmy do tego. – Odstawił wodę, po czym pociągnął Hayley na łóżko i przytulił ją mocno do siebie. – Głowa do góry, najdroższa. Wszystko będzie dobrze.
Czuła się tak bezpiecznie w jego silnych, ciepłych ramionach, ale nie potrafiła uwierzyć w jego słowa.

Harper wiedział, że ta rozmowa będzie dla niego trudna i krępująca, uznał jednak, że Mitchell powinien wiedzieć o wszystkich incydentach w taki czy inny sposób związanych z Amelią. Nawet jeżeli do owego incydentu doszło wtedy, gdy kochał się z Hayley.

Postanowił jednak, że najpierw porozmawia z Mitchem w cztery oczy – jak mężczyzna z mężczyzną. Jeżeli jego matka musiała się dowiedzieć o wydarzeniach ostatniej nocy, wolał, żeby w odpowiedniej, przefiltrowanej formie te informacje przekazał jego ojczym.

– Jak długo to trwało? – spytał Mitch.

– Dość krótko. Oczywiście, w zaistniałych okolicznościach wydawało mi się, że trwa to całą wieczność, ale obiektywnie rzecz biorąc, myślę, że dwie, trzy minuty.

– Nie była agresywna.

– Nie. Ale... – Nie wiedział, jak ubrać w słowa swoje odczucia. Żeby nie patrzeć Mitchowi w oczy, wbił wzrok w korkową tablicę. – Cóż, gwałt nie zawsze musi się odznaczać wysokim poziomem agresji, niemniej... Tak czy owak, tak się właśnie czułem. Jak uwiedziony wbrew własnej woli. Coś w rodzaju: „Mam twojego fiuta, więc mam również nad tobą władzę".

– Takie zachowanie pasuje do profilu osobowościowego, jaki udało nam się do tej pory stworzyć. Amelia nie zareagowałaby jednak tak gwałtownie, gdyby łączył ją z Hayley tylko czysty seks. Coś musiało nią wstrząsnąć.

Harper jedynie skinął głową. Na wspomnienie niedawnych przeżyć wciąż robiło mu się niedobrze.

– Jak wiele jeszcze musimy się dowiedzieć, żeby wreszcie ją powstrzymać?

– Niestety, nie mogę ci odpowiedzieć na to pytanie. Wiemy, że z Amelią łączą was więzy krwi. Wiemy, że odebrano jej dziecko – jak sądzimy, wbrew jej woli. W każdym razie, jeżeli nawet na początku zdecydowała się oddać syna, to potem zmieniła zdanie. Wiemy też, że w pewnym momencie zjawiła się w Harper House i przypuszczamy, że tutaj właśnie umarła – najprawdopodobniej gwałtowną śmiercią. Może jeśli się dowiemy, co naprawdę ją spotkało, ona odejdzie. Jednak nie mamy takiej gwarancji.

Harper nie wierzył w coś takiego jak gwarancje – ani w życiu, ani w pracy. Gdy skończył zaledwie siedem lat, zginął jego ojciec, co położyło kres idyllicznemu życiu w pełnej rodzinie. Jego własna praca polegała na ciągłym eksperymentowaniu, kalkulowaniu ryzyka i wierze w łut szczęścia. A żaden z tych czynników nie gwarantował sukcesu.

Jego postrzeganie świata zmieniało się jednak zasadniczo, gdy w grę wchodziło szczęście i bezpieczeństwo kobiety, którą kochał.

Uświadomił to sobie w całej pełni, gdy zobaczył ją podlewającą skrzynki z flancami.

Była ubrana w bawełniane szorty i kusą bluzeczkę – strój, w którym zazwyczaj widywał Hayley w pokoju dziecinnym. Stopy wsunęła w płócienne klapki, które można było moczyć do woli, a na głowie miała baseballówkę z daszkiem naciśniętym głęboko na oczy.

Wyglądała na smutną i zamyśloną. Nieobecną duchem. Nic dziwnego więc, że gdy powiedział: „Cześć", podskoczyła niemal pół metra w górę.

– Boże, ale mnie przestraszyłeś!

– To cena, jaką trzeba zapłacić za śnienie na jawie o pierwszej po południu. A gdy już o czasie mowa, właśnie zamierzam się zabrać do hybrydyzacji i przydałaby mi się dodatkowa para rąk do pracy.

– Nadal chcesz wyhodować tę nową lilię?

– A czemu miałbym nagle zrezygnować?

– Pomyślałam, że po wydarzeniach ostatniej nocy może miałbyś ochotę przemyśleć kilka spraw, zachować pewien dystans.

Harper bez słowa podszedł do Hayley, przezornie odsunął na bok wąż, który trzymała w ręku, po czym zaczął całować jej usta.

– A więc źle myślałaś.

– Właśnie widzę. Jestem straszną szczęściarą.

– Przyjdź do cieplarni, jak tu skończysz. Już powiedziałem Stelli, że porywam cię na jakiś czas.

Czekając na Hayley, przygotował stanowisko pracy – naszykował odpowiednie akcesoria, ustawił rośliny, którymi miał zamiar się zajmować. Potem opisał właściwości kwiatów przeznaczonych do krzyżowania oraz pożądaną charakterystykę przyszłej hybrydy.

Kiedy Hayley pojawiła się w drzwiach cieplarni, akurat wyjmował z lodówki colę.

– Jestem strasznie podekscytowana.

Podał jej puszkę.

– Najpierw powiedz mi, co wiesz na temat krzyżowania roślin.

– Hm... No więc bierze się dwie rośliny – mamę i tatę, rodziców. Mogą to być okazy tego samego lub całkiem innego gatunku.

– Doskonale.

– No więc... Wybiera się rośliny o pożądanych cechach, po czym zapyla się je w kontrolowanych warunkach. To trochę przypomina seks – albo sztuczne zapłodnienie.

– Całkiem nieźle. Zajmiemy się tym miniaturkami. Widzisz, osłoniłem je folią, żeby owady ich nie zapyliły. Zrobiłem to już rok temu.

– A więc od tak dawna chciałeś stworzyć tę nową odmianę?

– Uhm. Mniej więcej od czasu narodzin Lily. No dobrze, dziś będziemy pracować z roślinami, od których pobierzemy pyłek. Wiesz, co robić?

– Widziałam, jak to robiła Roz. Ale tylko się przypatrywałam.

– Tym razem zabierzesz się samodzielnie do pracy. Ten kwiat ściąłem wczoraj, tuż poniżej kolanka i włożyłem do wody, dzięki czemu jest w pełni rozkwitły. Widzisz, jak rozszczepione są pylniki? To znaczy, że są gotowe do wydzielenia pyłku. No dobrze, wiesz, co teraz robić?

– Muszę powyrywać płatki, prawda?

– Owszem. Szybkimi, lekko skręconymi ruchami. Wówczas zobaczysz pylniki w całej okazałości.

– A więc do dzieła.

– Dobrze ci idzie. Tylko uważaj, żebyś nie uszkodziła pylników. Tak jest. Masz świetne wyczucie i palce wprost stworzone do tej pracy.

– Bardzo się denerwuję. Nie chciałabym czegoś schrzanić.

– Nic nie schrzanisz. – Szybko i zgrabnie odrywała płatki. – A gdyby nawet coś ci nie wyszło, weźmiemy następny kwiat. Co widzisz?

Przygryzła wargę.

– Małe pylniki, wszystkie już obnażone.

– OK. Teraz następny etap. – Podał dziewczynie czysty pędzelek. – Trzeba zebrać pyłek. Delikatnie przesuń tym pędzelkiem po pylnikach. Potem zbierzemy drobiny do specjalnych pojemniczków, by nie zawilgotniał. Widzisz, pylniki są puchate, a to znaczy, że dojrzałe. Dobrze. Teraz opiszę pojemniczek.

– Super zabawa. Nie uwierzysz, ale na zajęciach z chemii nie wychodziły mi żadne eksperymenty.

– Bo miałaś fatalnego partnera. Wszystkie dziewczyny pracujące razem ze mną w laboratorium dostawały najwyższe oceny. No dobrze. Teraz zajmiemy się roślinami, które będziemy zapylać. Widzisz to? – Podsunął jej pod nos jeden z kwiatów. – Wybieramy okazy o mało rozchylonych kielichach i dobrze rozwiniętych, ale niedojrzałych pylnikach – wtedy mamy pewność, że nie doszło do samozapylenia. Następnie usuwamy zarówno płatki, jak i pylniki.

– Kompletnie je ogołacamy.

– Można tak powiedzieć. Musimy to zrobić bardzo starannie, żeby zapobiec procesom gnilnym lub infekcjom grzybiczym, bo jeśli roślina zachoruje, cała nasza praca pójdzie na marne. Chcemy w efekcie mieć idealnie wyeksponowane znamiona.

– Ty to zrób. W ten sposób będziemy mogli z czystym sumieniem powiedzieć, że działaliśmy ręka w rękę.

– Dobrze. – Szybko oberwał płatki, wziął pęsetkę i starannie usunął pylniki. – Damy jej czas do jutra, żeby znamiona powlokły się specjalną, lepką substancją. Wtedy przeniesiemy na nie pyłek. Można użyć pędzelka, ja jednak najchętniej robię to palcami.

Odsunął się o krok od stołu.

– I to wszystko?

– Niezupełnie. Na razie przygotowaliśmy jedną roślinę. A do krzyżowania wyselekcjonowałem tuzin

Pracowali na zmianę – systematycznie, w zgodnym rytmie.

– Na jakiej zasadzie wybrałeś rośliny?

– Obserwowałem je uważnie. Śledziłem tempo wzrostu, rozwój form i kolorów.

– Od czasu narodzin Lily.

– Mniej więcej.

– Harperze, pamiętasz, jak wczoraj powiedziałam, że jeśli między nami coś się nie ułoży, to znienawidzę cię do końca moich dni?

– Uhm.

– A teraz chcę ci powiedzieć, że bez względu na inne uczucia będziesz miał zawsze specjalne miejsce w moim sercu, bo nigdy nie zapomnę, jak bardzo kochasz moją córeczkę.

– Rzeczywiście. Owinęła mnie sobie wokół małego palca. No dobrze. Jutro zajmiemy się zapylaniem. A następnie będziemy pilnie obserwować efekty naszej pracy. Mniej więcej po tygodniu zalążnia powinna zacząć nabrzmiewać, a kilka tygodni później powinien się uformować strąk nasienny. Potem będziemy musieli poczckać jeszcze miesiąc, żeby nasiona w pełni dojrzały. Nie umknie nam ten moment, bo wówczas zaczną pękać czubki strąków.

Podszedł do komputera i wprowadził informacje do odpowiednich plików.

– W końcu zbierzemy te nasiona, wysuszymy i późną jesienią zasiejemy. Jak wszystko dobrze pójdzie, na wiosnę wykiełkują.

– Posiejemy je w ogrodzie?

– Nie, tutaj, w cieplarni. Użyjemy specjalnej mieszanki ziemi, opracowanej przez mamę. Kiedy siewki będą dość duże i silne, wysadzimy je na rabaty. A potem przez kolejny rok będziemy czekać na kwiaty.

– O, rany! To tak jakby chodzić przez dwa lata w ciąży.

– Hm... Widzisz, jakie szczęście mają kobiety? Jedynie dziewięć miesięcy – to jak mgnienie oka.

– Dobra, dobra. Powinieneś sam spróbować, wówczas dopiero byś wiedział, jak dłużą się te miesiące.

– Osobiście jestem w tych sprawach tradycjonalistą i pozostawiam ciążę kobietom. No, już koniec. Wprowadziłem wszystkie istotne dane do komputera. I teraz tylko będziemy mogli czekać. Jeżeli szczęście nam dopisze, otrzymamy w efekcie taką hybrydę, jaką sobie wymarzyliśmy – albo bardzo do niej zbliżoną. Jeśli nie – trzeba będzie zacząć wszystko od nowa z innymi roślinami.

– A więc ten proces może potrwać wiele lat.

– Krzyżowanie nie jest dla słabych duchem.

– Bardzo mi się to podoba. Podoba mi się, że trzeba czekać na efekty, mieć nadzieję. I w efekcie zawsze otrzymuje się coś nowego. Niekoniecznie lepszego czy zgodnego z naszymi zamierzeniami, ale zawsze pięknego.

– Trafnie powiedziane.

– Świetnie się teraz czuję. – Odeszła na krok od stołu. – A miałam od rana taki kiepski humor. Wciąż rozmyślałam o wydarzeniach zeszłej nocy i robiło mi się słabo.

– To nie była twoja wina.

– Wiem. Ale zastanawiałam się, czy jeszcze będziemy czuć się dobrze i swobodnie razem w łóżku. Bałam się, że nasza miłość została poddana zbyt poważnej próbie. Że wszystko stracone.

– Jeżeli o mnie chodzi, nic się nie zmieniło.

– Wiem. – Oparła głowę na jego ramieniu. – I dzięki temu czuję się o wiele spokojniejsza.

– Muszę ci coś wyznać. Powiedziałem Mitchowi, co nas spotkało.

– No tak. – Wstrzymała oddech, mimowolnie wykrzywiła usta. – Cóż, miałeś rację. Cieszę się jednak, że mi oszczędziłeś tej rozmowy. I jak ci poszło?

– Dziwnie się czułem. Niemal przez cały czas obaj unikaliśmy spoglądania sobie w oczy.

– Nie będę się nad tym zastanawiać – zdecydowała Hayley. – Po prostu nie chcę o tym myśleć. – Odwróciła głowę i pocałowała Harpera w policzek. – No, dobrze. Czas, żebym się zabrała do pracy, za którą mi płacą. Do zobaczenia w domu.

Hayley nuciła pogodnie jakąś melodyjkę, tak że przechodząca obok Stella, aż przystanęła z wrażenia i oparła ręce na biodrach.

– Widzę, że krzyżowanie roślin doskonale wpływa na twój nastrój.

– To prawda. Jutro czeka mnie drugi etap.

– Cieszę się. Dziś z rana wyglądałaś na przygnębioną.

– Kiepsko spałam, ale teraz już mi dobrze. – Rozejrzała się uważnie na wszystkie strony, by się upewnić, że w zasięgu wzroku nie ma nikogo. – Jesteśmy w sobie zakochani – oznajmiła z uśmiechem i wyrysowała w powietrzu wielkie serce.

– To wspaniała wiadomość!

Hayley ze śmiechem zaczęła przenosić kolejny worek ziemi z wózka na półkę.

– Powiedzieliśmy to sobie.

– Bardzo się cieszę. – Stella uściskała przyjaciółkę. – Naprawdę.

– Ja też. Jednak... Muszę ci coś wyznać. – Hayley raz jeszcze rozejrzała się na boki, po czym opowiedziała Stelli o wypadkach poprzedniej nocy.

– Wielkie nieba! Czy już wszystko w porządku?

– Okropne przeżycie. Na samo wspomnienie od razu robi mi się słabo. Nie mam pojęcia, jak nam się udało przejść nad tym incydentem do porządku dziennego. Ale na szczęście nic się między nami nie zmieniło. Aż strach pomyśleć, co Harper wtedy czuł, jednak nie odwrócił się ode mnie, nie nabrał do mnie wstrętu.

– Kocha cię.

– Uhm. – To prawdziwy cud, dorzuciła w duchu. – Wiesz, Stello, zawsze myślałam, że pewnego dnia się zakocham, nie miałam jednak pojęcia, że to tak głębokie, intensywne uczucie.

– Tak, rozumiem, co masz na myśli. Zasługujesz na szczęście. I cieszę się, że potrafisz w tej sytuacji zdystansować się od szaleństw Amelii. Powinniście rozkoszować się z Harperem tymi szczególnymi błogimi chwilami pierwszego zauroczenia, bo one są najpiękniejsze.

– Mam wrażenie, że wszystko, co mi się przytrafiło w życiu – dobre i złe – prowadziło do jednego – do spotkania z Harperem. Akceptuję teraz moje porażki, bo dotarło do mnie, że w każdym doświadczeniu można znaleźć coś cennego. Pewnie gadam jak idiotka, ale...

– W żadnym razie. Mówisz, jak kobieta, która odnalazła szczęście.

# 15

$U$żywany laptop okazał się świetnym zakupem. Gdy Hayley go włączyła, miała poczucie, że nie czeka biernie na to, co przyniesie los, tylko bierze odpowiedzialność za swoje życie. Po godzinie poszukiwań w Internecie nie znalazła zbyt dużo informacji, które mogłaby efektywnie wykorzystać w obecnej sytuacji, ale przynajmniej odkryła, że nie ona jedna ma takie problemy.

Okazało się, że w samych Stanach żyje bardzo wiele osób przekonanych, że doświadczyły kontaktu z duchami. Hayley już wcześniej zbierała wszelkie informacje na temat sił nadprzyrodzonych, teraz jednak nie musiała ich już opisywać w notesie, tylko mogła gromadzić w specjalnie do tego celu utworzonych plikach.

Poza tym dużą przyjemność sprawiała jej wymiana mejli z przyjaciółmi z Little Rock.

Oczywiście, surfowanie po sieci bardzo ją wciągnęło – podobnie jak wcześniej czytanie ciekawych książek. W Internecie można było znaleźć całe mnóstwo fascynujących wiadomości na rozmaite tematy. Do tego na każdej stronie znajdowało się mnóstwo linków prowadzących do dodatkowych informacji na dany temat, więc Hayley musiała bardzo się pilnować, żeby nie spędzić całej nocy nad klawiaturą.

Właśnie wczytywała się w pewien raport z Toronto, dotyczący płaczącego ducha dziecka, gdy poczuła dotyk czyjejś dłoni na ramieniu.

Ostatnim wysiłkiem woli stłumiła krzyk, zacisnęła powieki, po czym powiedziała niemal naturalnym tonem:

– Bardzo proszę, niech się okaże, że ta ręka należy do żyjącej, ludzkiej istoty.

– Cóż, twoje prośby zostały wysłuchane.

– Roz! – Hayley odetchnęła z wielką ulgą. – Czy doceniasz to, że nie podskoczyłam kilka metrów w górę i nie rozpłaszczyłam się na suficie na podobieństwo kota z kreskówek?

– To mogłoby być doprawdy zabawne. – Rosalind przymrużyła oczy i spojrzała uważnie na ekran. – Lowcyduchow kropka com?

– Jedna z wielu witryn poświęcona gościom z zaświatów – wyjaśniła Hayley. – Można na nich znaleźć naprawdę mnóstwo cennych wiadomości. Czy wiesz na przykład, że jeżeli chcesz zapobiec przeniknięciu ducha do jakiegoś pomieszczenia, to powinnaś ponabijać framugę drzwi żelaznymi gwoździami? Zjawa o nie zaczepia i nie ma szans przedostać się do środka. Oczywiście, jeżeli zrobisz to zbyt późno, gdy duch już znajduje się w pokoju, to go tam uwięzisz.

– Jeśli przyłapię cię na wbijaniu gwoździ w moje futryny, to żywcem obedrę cię ze skóry.

– Tego właśnie się obawiałam. Ale nie bardzo wierzę w skuteczność takiej metody. – Hayley oderwała wzrok od ekranu. – W Internecie znalazłam też zalecenie, aby duchy traktować z respektem i uprzejmie. Jeżeli chcesz, żeby odeszły, powinnaś odezwać się mniej więcej w taki sposób: „Bardzo mi przykro, szanowna zjawo, że spotkał cię pech i już nie żyjesz, ale teraz to jest mój dom, a ty zakłócasz mi spokój, więc czy nie byłabyś uprzejma przenieść się w inne rejony?".

– Mam wrażenie, że swego czasu odwołaliśmy się już do jednego z wariantów tej metody.

– Uhm. Niestety bez powodzenia. – Kiedy Rosalind rozsiadła się na sofie, Hayley zrozumiała, że ich rozmowa nie będzie dotyczyła jedynie Amelii i poczuła się nieswojo. – Naturalnie, radzą też starannie opisywać wszelkie incydenty z udziałem duchów, ale Mitch już zdążył wyrobić w nas ten nawyk. No i prowadzić dokumentację fotograficzną. Można też ściągnąć egzorcystów, ale podejrzewam, że nie chciałabyś, żeby po Harper House biegała banda obcych ci ludzi.

– Twoje podejrzenia są słuszne.

– Można też poprosić duchownego, żeby poświęcił dom. To z pewnością nikomu by nie zaszkodziło.

– Jesteś przerażona, skarbie.

– Owszem. Bardziej niż kiedykolwiek przedtem. Zdaję sobie jednak sprawę, że te wszystkie informacje... – postukała w ekran laptopa – ...są zupełnie bezużyteczne w naszym przypadku, bo przecież my chcemy się dowiedzieć, kto, jak i dlaczego. A jeżeli udałoby nam się przegonić Oblubienicę, wtedy pewnie nigdy nie znaleźlibyśmy odpowiedzi na nasze pytania. Niemniej zbieranie różnych danych sprawia mi przyjemność.

– Pod tym względem moglibyście sobie podać ręce z Mitchem. A tak à propos danych, czy opisałaś to, czego kilka dni temu doświadczyliście z Harperem?

– Uhm. – Hayley poczuła, że policzki jej płoną. – Ale jeszcze... hm... nie oddałam moich notatek Mitchowi.

– To bardzo osobiste przeżycia. Prawdę mówiąc, nie miałabym ochoty dzielić się nimi z kimś obcym.

– Ty i Mitch nie jesteście dla mnie obcymi ludźmi.

– Każdy, bez względu na to jak ci bliski, staje się obcy, gdy w grę wchodzą tematy tak intymne jak seks, Hayley. Chcę, abyś wiedziała, że doskonale to rozumiem. Nie musisz więc czuć się skrępowana w moim towarzystwie. Specjalnie czekałam kilka dni, zanim poruszyłam ten temat, żebyś mogła ochłonąć i nabrać dystansu do sprawy.

– Wiem, że Harper opowiedział wszystko Mitchowi. Miałam też świadomość, że Mitch ci powie, co się stało. Ja sama nie umiałam się zdobyć na szczerą rozmowę. Nie byłam w stanie się przemóc, Roz. Gdyby chodziło o kogokolwiek innego, a nic o Harpera... To znaczy, nigdy nie chciałabym być z nikim innym, ale... Och, strasznie się zaplątałam.

– Wszystko rozumiem.

– Rzecz w tym, że Harper... to twoje dziecko.

– Owszem, to mój syn. – Roz, swoim zwyczajem, położyła stopy na stole.

– Wiedziałam jednak, że się w tobie zakochał, na długo przedtem, zanim ty to zauważyłaś, a nawet zanim on sam zdał sobie z tego sprawę.

– Przypuszczam, że stało się to tej nocy w Peabody.

Roz pokręciła stanowczo głową.

– To był cudownie romantyczny wieczór i powinnaś na zawsze zachować go w pamięci. Ale to nie wtedy mój syn kompletnie stracił dla ciebie głowę. Pamiętasz, kto trzymał cię za rękę, kiedy rodziła się Lily?

– O, rany! Harper. Harper ściskał moją dłoń i był chyba jeszcze bardziej przerażony ode mnie.

– Kiedy wówczas na niego spojrzałam, wszystko stało się dla mnie jasne i poczułam drobne ukłucie w sercu. Zrozumiesz, co mam na myśli, gdy Lily dla kogoś straci głowę. A jeśli będziesz miała tyle szczęścia, co ja, twoje dziecko zakocha się w kimś, kogo bardzo lubisz, szanujesz i podziwiasz. W kimś, kto umie cię rozbawić i sprawić, że świat wydaje się piękniejszy. I wówczas to ukłucie w sercu będzie też wdzięcznością za szczególny dar losu.

Hayley nie udało się już dłużej powstrzymywać łez.

– Och, Roz, jesteś dla mnie tak niesamowicie dobra. Nie, nie, proszę cię, nie kpij z moich słów. Nawet nie wiesz, jak wiele twoja przyjaźń dla mnie znaczy. Gdy tu jechałam, wydawało mi się, że jestem strasznie mądra i silna, gotowa dosłownie na wszystko. Powiedziałam sobie, że jeżeli mnie wyrzucisz, to i tak sobie doskonale poradzę. Znajdę dobrą pracę, wynajmę mieszkanie, urodzę dziecko. I wszystko potoczy się jak w bajce. Gdybym miała świadomość, co oznacza posiadanie dziecka – i nie chodzi mi tu o wysiłek i czas poświęcany maleństwu, tylko o tę wielką miłość i nieustającą troskę – na dzień dobry rzuciłabym ci się do stóp i błagała o pomoc. Ty jednak mi tego oszczędziłaś.

– Zaproponowałam ci pracę i dach nad głową, ponieważ należysz do rodziny i znalazłaś się w trudnej sytuacji życiowej. Ale nie byłyby to wystarczające powody, żeby zatrzymać cię tutaj aż tak długo. Własną pracą i siłą charakteru zasłużyłaś na swoją pozycję w „Edenie" i w tym domu. I możesz być pewna jednego – gdyby było inaczej, już dawno temu pokazałabym ci drzwi.

– Tak, wiem – odparła Hayley z uśmiechem. – Bardzo mi zależało, żeby się przed tobą wykazać i cieszę się, że mi się udało. Niemniej, Roz, teraz gdy mam Lily, rozumiem, jak wiele Harper musi dla ciebie znaczyć. I jestem tak bardzo przerażona głównie dlatego, że boję się, iż Oblubienica zrobi mu jakąś krzywdę.

– Czemu tak sądzisz?

– Amelia widzi w nim Reginalda. Może właśnie z tego powodu tak się na mnie uwzięła – bo pokochałam kogoś, kogo ona – przynajmniej niekiedy – bierze za swojego dawnego kochanka. I mimo nienawiści wciąż czuje do niego namiętność. Pamiętam, że kiedy pierwszy raz zobaczyłam Harpera, pomyślałam: „Rany, gdybym była w innej sytuacji, jemu bym z pewnością nie przepuściła".

Roz parsknęła śmiechem, a Hayley zarumieniła się gwałtownie.

– Tylko słyszysz, jakie głupoty dzisiaj wygaduję? Jezu, przecież ty jesteś jego matką!

– Zapomnij o tym na moment i opowiadaj dalej.

– Oczywiście, wówczas nie myślałam na poważnie o związku z jakimkolwiek mężczyzną. Po prostu uważałam Harpera za cholernie seksownego faceta, a gdy go lepiej poznałam, odkryłam na dodatek, że jest zabawny, inteligentny i uroczy. Bardzo go polubiłam i tylko niekiedy mnie wkurzało, że on jest tak nieprzytomnie przystojny, a ja byłam w ciąży, niezdarna i nieustannie rozdrażniona. A kiedy już urodziła się Lily, starałam się myśleć o nim jak o moim bracie czy kuzynie. To znaczy, on jest moim kuzynem, ale...

– Tak, wiem, co masz na myśli. Chciałaś go traktować tak jak moich młodszych synów albo jak Logana.

– No właśnie. Poza tym musiałam w szybkim czasie wiele się nauczyć, stanęło przede mną mnóstwo nowych wyzwań, więc udawało mi się ignorować to trzepotanie serca, które czułam na jego widok. Znasz to uczucie?

– Na szczęście tak.

– Z czasem jednak przychodziło mi to z coraz większym trudem. Moje uczucia do Harpera stawały się coraz gorętsze. A kiedy wreszcie zdałam sobie z nich sprawę, gdy zaczęłam sobie wyobrażać, jak byłoby nam razem – w moje życie wkroczyła Amelia.

– Im silniejsze stawało się twoje uczucie, tym bardziej stanowcze i gwałtowniejsze były jej obiekcje.

– Boję się, że go skrzywdzi i że będzie chciała to zrobić moimi rękami. Bo zapomni, że to jej praprawnuk, a zobaczy w nim jedynie Reginalda. Przeraża mnie myśl, że nie zdołam jej powstrzymać.

Roz zmarszczyła z irytacją brwi.

– Wydaje mi się, że nie doceniasz Harpera. Mój syn potrafi sobie radzić w trudnych sytuacjach.

– Pewnie masz rację, Roz. Ale jej moc z każdym dniem rośnie. – Hayley natychmiast przypomniała sobie, z jaką łatwością Oblubienica potrafiła teraz zawładnąć jej ciałem i umysłem. – I na dodatek miała cholernie dużo czasu, by przygotować zemstę.

– Harper jest o wiele silniejszy, niż ci się wydaje. To samo zresztą dotyczy ciebie.

Chciała wierzyć, że Roz ma rację. Leżąc bezsennie u boku Harpera, karmiła się nadzieją, że ma dość siły woli i inteligencji, by zapobiec destrukcyjnym działaniom mściwej zjawy. Co gorsza, zjawy, wobec której odczuwała również współczucie.

Niemniej Harper nie ponosił odpowiedzialności za nieszczęścia Amelii. Nikt, kto obecnie mieszkał w Harper House, nie był niczemu winien. Musi istnieć jakiś sposób, by uświadomić to Oblubienicy. Przypomnieć jej, że Harper to dziecko, któremu niegdyś śpiewała do snu, a na dodatek dobry, przyzwoity człowiek. W niczym niepodobny do Reginalda.

A jaki właściwie był ów bogacz sprzed wieku? Reginald Harper. Z pewnością wpadł w obsesję na punkcie spłodzenia syna – bo inaczej nie ponosiłby takich kosztów i starań, żeby mieć męskiego potomka z obcą kobietą, niebędącą jego żoną. I bez względu na to, czy Amelia zgodziła się oddać mu dziecko, czy też nie – a tego pewnie nigdy nie uda im się ustalić – postąpił egoistycznie i okrutnie. A potem z zimnym wyrachowaniem nakazał żonie, aby przyjęła jego syna jakby był jej własnym dzieckiem. Jedno więc nie ulegało najmniejszej wątpliwości. Reginald z pewnością nie kochał żadnej z tych kobiet – ani Amelii, ani swojej żony. Nie kochał także tego chłopca.

Nic dziwnego więc, że Amelia pogardzała nim i go nienawidziła, a z powodu swojego szaleństwa czy rozpaczy, uznała, że wszyscy mężczyźni są tacy, jak jej kochanek.

Ale co tak naprawdę wcześniej do niego czuła? Czy kiedykolwiek był jej bliski?

Siedziała przy toaletce i w świetle gazowej lampy starannie pokrywała policzki różem. Ciąża przyprawiała ją o bladość. To było kolejne nieszczęście dokładające się do okropnych porannych mdłości, pogrubienia talii i uczucia nieustannego zmęczenia.

Chociaż musiała przyznać, że czerpała również korzyści ze swojego stanu – o wiele większe, niżby się kiedykolwiek spodziewała. Uśmiechnęła się, powlekając usta karminem. Nie sądziła, że Reginald tak bardzo będzie się cieszył z dziecka. I że wykaże się przy tym tak wielką hojnością.

Uniosła dłoń, by uważniej się przyjrzeć zdobiącej jej nadgarstek bransoletce z rubinów i brylantów. Prawdę mówiąc, była zbyt cienka i delikatna jak na jej gust, kamienie jednak lśniły perfekcyjnym blaskiem.

Poza tym Reginald zatrudnił dla niej dodatkową służącą i dał Amelii *carte blanche* na zakup nowych sukien, dostosowanych do jej zmieniającej się sylwetki. I nieustannie obdarowywał ją kolejnymi klejnotami. Poświęcał jej wiele czasu i uwagi.

Obecnie odwiedzał ją regularnie, trzy razy w tygodniu, i nigdy się nie zjawiał z pustymi rękami. Przynosił choćby pudła czekoladek lub kandyzowanych owoców, szczególnie od czasu, gdy wyznała, że ma apetyt na słodycze.

Jakże to fascynujące – nigdy by nie podejrzewała, że mężczyzna może stać się tak powolny matce swojego nienarodzonego jeszcze dziecka.

Z pewnością swego czasu był równie troskliwy wobec własnej żony, ona jednak rodziła mu tylko same bezwartościowe córki i nie dała upragnionego syna.

Natomiast ona, Amelia, urodzi Reginaldowi wymarzonego chłopca i już do końca życia będzie z tego ciągnąć wielkie korzyści.

Na początek zażąda nowego, większego apartamentu. Poza tym nowych klejnotów, sukien, futer, a także bardziej okazałego powozu – no i może także niewielkiego domu na wsi. Tak bogatego mężczyznę z pewnością stać na zapewnienie jej wszelkich luksusów. Nie ulegało też najmniejszej wątpliwości, że Reginald nigdy nie poskąpi grosza na utrzymanie swojego potomka, choćby tylko bastarda.

A ona, jako matka jego syna, nie będzie już musiała szukać innego protektora – nie będzie musiała uwodzić bogatych wpływowych mężczyzn, oferować im seksu i zmysłowych doznań w zamian za wygody i luksus. Za życie w zbytku, o jakim zawsze marzyła. Na jakie zapracowała, jakie jej się należało.

Wstała od toaletki, by przejrzeć się w wielkim lustrze. Włosy lśniły złociście, klejnoty rzucały lodowo-ogniste błyski, srebrzysta, lejąca się suknia wdzięcznie opadała ku ziemi.

Amelia odwróciła się profilem. Wypukłość brzucha wydawała jej się dziwaczna – pogrubiała i zniekształcała sylwetkę, pomimo przemyślnie skrojonej sukni. A jednak Reginald nadal się zachwycał swoją metresą. Gładził czule jej brzuch, nawet w chwilach namiętności. Był też delikatniejszy niż zwykle. Amelia niekiedy odnosiła wrażenie, że takiego Reginalda mogłaby niemal pokochać.

Miłość jednak nie wchodziła w rachubę – nie była częścią tej wielkiej gry, w której dawało się rozkosz w zamian za wygodne życie. Poza tym, jakże ona mogłaby pokochać kogoś tak słabego, zakłamanego i aroganckiego zarazem? Mężczyźni są żałośni, podobnie jak ich zdradzane żony, które zaciskały swoje wąskie usta i udawały, że nie mają pojęcia, co wyprawiają ich mężowie. Które mijały ją na ulicy, jakby była powietrzem. Gardziła też kobietami takimi jak jej matka, zarabiającymi ciężką pracą marne grosze na nędzną egzystencję.

Ona, Amelia, była stworzona do wyższych celów, pomyślała, biorąc do ręki ciężki kryształowy flakon z perfumami. Do noszenia jedwabi i kosztownych klejnotów.

Kiedy zjawi się Reginald, ona lekko się nadąsa. A potem zacznie tęsknie wzdychać do wspaniałej, brylantowej broszy, którą widziała na wystawie jubilera zaledwie tego popołudnia.

A ponieważ smętne nastroje nie służyły dziecku, zapewne już jutro brosza znajdzie się w jej szkatułce.

Zaśmiała się, po czym radośnie obróciła na pięcie.

I zaraz potem zamarła w bezruchu.

Uniosła drżącą rękę i przycisnęła do brzucha.

Dziecko się poruszyło.

Wierzgnęło zabawnie, przeciągnęło się leniwie.

W owej chwili lustro odbiło obraz kobiety w połyskliwej, srebrzystej sukni, zaciskającej dłonie na brzuchu, jakby krył się tam największy skarb.

W jej ciele rozwijało się nowe życie. Jej maleństwo. Jej synek.

Coś, co należało tylko do niej.

Hayley wyraziście zapamiętała ten sen – każdy jego najdrobniejszy szczegół.

– Myślę, że w ten sposób chciała wzbudzić jeszcze większe współczucie, odwołać się do mojej empatii – powiedziała, ściskając w obu dłoniach filiżankę z kawą.

– Skąd wiesz? – Mitch przyszedł z magnetofonem i notesem do kącika śniadaniowego, tak jak poprosiła. – Czy w pewnym momencie przemówiła do ciebie bezpośrednio?

– Nie. Ponieważ to ja niejako byłam nią. Miałam wrażenie, nie tyle że śnię, ile że tkwię w samym środku akcji. Ona nic mi nie pokazywała, lecz przeżywała te chwile na nowo. Czy to co mówię ma ręce i nogi?

– Zabierz się do tych jajek – ponaglił ją David. – Jesteś ostatnio wymizerowana.

Hayley posłusznie nabrała trochę jajecznicy na widelec.

– W moim śnie wyglądała bardzo pięknie. Nie tak, jak nam się ukazuje. Emanowała seksem i energią, olśniewała urodą. Targały nią – mną – różne uczucia, przez głowę przebiegało wiele myśli. Najpierw dominowała irytacja, że ciąża deformuje ciało i uprzykrza życie. Potem Amelia zaczęła się zastanawiać, jakimi sztuczkami wyciągnąć od Reginalda więcej pieniędzy. Dziwiła się też entuzjastycznej reakcji kochanka na jej stan. Następnie ogarnęła ją pogarda dla mężczyzn takich jak on oraz ich małżonek. Wyraźnie wyczuwałam również zazdrość, gniew i chciwość, a wszystkie te myśli i emocje mieszały się bezładnie. – Hayley urwała i odetchnęła głęboko. – Uważam, że już wtedy była trochę niezrównoważona.

– Gdzie w tym wszystkim widzisz odwołanie do empatii? – spytał Harper. – Czemu miałabyś współczuć tego typu kobiecie?

– Niespodziewanie nastąpiła w niej zmiana, bo poczuła pierwsze ruchy dziecka. I sprawiła, że ja także je poczułam. Amelia przeżyła szok – zdała sobie nagle sprawę, że ma w sobie nowe życie. I obudziła się w niej potężna miłość. To dziecko nie było już dłużej uprzykrzeniem czy środkiem, mającym zapewnić jej luksus do końca dni. Stało się jej cząstką, jej najdroższym skarbem. – Hayley spojrzała znacząco na Roz.

– Tak, wiem, o czym mówisz – odparła Rosalind.

– I właśnie to Amelia chciała mi uświadomić. Chciała powiedzieć: „Kochałam moje dziecko i bardzo go pragnęłam. A mężczyzna, który zawsze tylko wykorzystywał kobiety, zabrał mi to, co dla mnie najcenniejsze". Oblubienica miała też na ręku bransoletkę z rubinami w kształcie serc. I wiecie co? Naprawdę zrobiło mi się jej żal. Uważam, że miała paskudny charakter, zapewne nawet nie była miła w stosunku do innych ludzi, ale z całego serca kochała swojego synka. Jestem przekonana, że z jej strony było to głębokie i szczere uczucie, a pokazała to akurat mnie, bo uznała, że jako młoda matka najlepiej ją zrozumiem. I przykro mi, że doświadczyła takiego koszmaru.

– Możesz jej współczuć – powiedział Mitch. – Jednak niech to ani na moment nie uśpi twojej czujności. Ona cię wykorzystuje, Hayley.

– Wiem i będę się mieć na baczności. Żal mi Amelii, ale ani trochę jej nie ufam.

Mijały dni. Hayley czekała na dalszy rozwój wydarzeń, ale upalny sierpień przeszedł w gorący wrzesień, a Oblubienica nie dawała o sobie znać. Najbardziej przykrym doświadczeniem było rozkraczenie się starego samochodu w drodze z pracy do opiekunki Lily i konieczność pogodzenia się z tym, że nadszedł czas na wymianę auta.

– Nie chodzi tylko o pieniądze – tłumaczyła Harperowi, gdy z Lily w spacerówce chodzili, oglądając auta na sprzedaż u pośrednika. – Ten samochód był ostatnim ogniwem łączącym mnie z dzieciństwem. Tata kupił go z drugiej ręki, jak byłam jeszcze mała. Na nim też uczyłam się prowadzić.

– Z pewnością pójdzie w dobre ręce.

– Do diabła, Harperze, oboje wiemy, że nie pójdzie w żadne ręce, tylko wyląduje na złomowisku. Biedny, żałosny staroć. Chce mi się płakać, ale przecież muszę zachować zdrowy rozsądek. Nie mogę wozić Lily w samochodzie, który nie spełnia podstawowych wymogów bezpieczeństwa. Będę miała wiele szczęścia, gdy ten sprzedawca, który zabrał moje auto do wyceny, nie każe mi zapłacić za jego złomowanie.

– Pozwól, że ja z nim pogadam.

– Mowy nie ma. – Zatrzymała się przy niewielkim hatchbacku i kopnęła w oponę. – Wiesz, co mnie wkurza najbardziej? Że sprzedawcy samochodów, mechanicy i inni tego typu fachowcy traktują każdą kobietę jak kompletną idiotkę tylko dlatego, że my, dziewczyny, nie mamy penisów. Jakby akurat w waszych fiutach mieściła się cała wiedza na temat pojazdów mechanicznych!

– Jezu, Hayley! – Harper wykrzywił usta, ale nie był w stanie powstrzymać śmiechu.

– Naprawdę. W związku z tym pilnie się przygotowałam do dzisiejszej wyprawy. Dobrze wiem, czego chcę i ile jestem gotowa zapłacić. A jeżeli facet nie będzie mnie traktować poważnie, ubiję interes z kimś innym.

Przystanęła przy pobliskim sedanie, oparła się o błotnik i zaczęła wachlować dłonią twarz.

– O, rany, ale upał. Mam wrażenie, że wyparowały ze mnie wszystkie płyny ustrojowe.

– Jesteś bardzo blada. Może wejdziemy do środka i posiedzimy przez chwilę w chłodzie?

– Nie, nie. Wszystko w porządku. Po prostu ostatnio nie mogę porządnie wypocząć. Nawet kiedy śpię, jestem napięta i czujna – tak samo jak przez kilka pierwszych tygodni po narodzinach Lily. Dlatego ciągle chodzę rozdrażniona i ospała. Więc jeśli nagle rzucę ci się do oczu, postaraj się znieść to w spokoju, dobra?

Harper pogładził ją po plecach.

– Tym się nie przejmuj.

– Jestem ci bardzo wdzięczna, że przyjechałeś tu dzisiaj ze mną. Naprawdę. Ale nie chcę, żebyś za mnie prowadził negocjacje.

– Czy kiedykolwiek przedtem kupowałaś samochód?

Popychając powoli przed sobą wózek z Lily, Hayley posłała mu pełne irytacji spojrzenie.

– Fakt, że tego nie robiłam, nie czyni ze mnie ciemnej wieśniaczki. Kupowałam mnóstwo innych rzeczy w życiu i założę się, że wiem dużo więcej na temat negocjowania cen niż ty, bogaty paniczu.

– Jestem tylko skromnym ogrodnikiem, w pocie czoła zarabiającym na chleb – odparł z szerokim uśmiechem.

– Może i pracujesz w pocie czoła, ale i tak masz to i owo w zanadrzu na czarną godzinę. Aha! Oto samochód, jakiego szukam.

Zaczęła się uważnie przyglądać solidnemu, pięciodrzwiowemu chevroletowi.

– Przestronny w środku, ale niezbyt wielki i ciężki. Poza tym czysty i zadbany. Z pewnością ma dużo mniej na liczniku niż mój staruszek, no i nie rzuca się w oczy. – Zmarszczyła brwi, gdy spojrzała na cenę. – Muszę tylko nakłonić pośrednika, żeby opuścił, a wtedy będzie mnie stać na to cudo.

– Nie mów mu tylko...

– Harper!

– Już się wycofuję. – Potrząsnął głową i wsunął ręce głęboko w kieszenie.

Z trudem jednak powstrzymał się od komentarza, gdy podszedł sprzedawca i z promiennym uśmiechem zaoferował Hayley śmiesznie niską sumę za stary samochód.

– O, rany, tylko tyle? – Dziewczyna otworzyła szeroko swoje duże, błękitne oczy i zatrzepotała rzęsami. – Cóż, sentymenty nie mają wpływu na cenę, prawda? Może jednak mógłby pan spojrzeć na mnie ciut łagodniejszym okiem – jeśli dokonam satysfakcjonującego pana wyboru. To auto, na przykład, bardzo mi odpowiada. Ma piękny kolor.

Podpuszcza go, pomyślał Harper, spostrzegłszy, że Hayley zmieniła nieco akcent. Nie odezwał się jednak, tylko powoli ruszył za sprzedawcą, który zaczął kierować uwagę dziewczyny na kosztowniejsze wozy. Ona tymczasem spoglądała na niego spod rzęs, przygryzała wargę i wciąż podprowadzała go do upatrzonego samochodu.

Facet jest ugotowany, zdecydował Harper w duchu, gdy Hayley przekonała pośrednika do obniżenia ceny, po czym wyjęła Lily z wózka i usiadła z dzieckiem na fotelu kierowcy. Wyglądały tak słodko, że nikt nie mógłby im się oprzeć.

Dwie godziny później wyjeżdżali chevroletem z salonu, z Lily drzemiącą w foteliku i rozpromienioną Hayley za kierownicą.

– „Och, panie Tanner, nie mam pojęcia o samochodach. Jak to uroczo z pana strony, że mi pan tak fachowo doradził i udzielił pomocy" – przedrzeźniał ją Hayley. – Kiedy siedzieliśmy w biurze i załatwialiśmy dokumenty, zrobiło mi się go niemal szkoda.

– Przeprowadził udaną transakcję, zarobił niezłą prowizję, a ja mam, co chciałam. I tylko to się liczy – odparła, po chwili jednak parsknęła śmiechem. – Mało się nie posikałam, kiedy próbował cię wciągnąć w negocjacje, otwierał przed tobą maskę, a ty drapałeś się bezradnie po głowie, jakbyś patrzył na pocisk samosterujący czy coś równie skomplikowanego. Myślę, że daliśmy mu poczucie, że zrobił dobry interes, a jednocześnie wyświadczył mi przysługę. I to też się liczy. Gdy następnym razem będę zmieniać samochód, także udam się do pana Tannera.

– By go rozmiękczyć, uroniłaś nawet kilka łez.

– Były szczere. Serce mi się ścisnęło, że muszę sprzedać mojego staruszka, no i ciężko przyszło mi się pożegnać z taką furą pieniędzy. – Ale najbardziej się wzruszyła, przyznała w duchu, gdy pan Tanner uznał ich trójkę za rodzinę.

– Jeżeli potrzebujesz kasy...

– Daj spokój, Harper – rzuciła ostro, ale zaraz poklepała go czule po ręku, by dać mu do zrozumienia, że docenia jego życzliwość. – Lily i ja świetnie sobie poradzimy.

– Może w takim razie dacie się przynajmniej zaprosić na lunch?

– Z przyjemnością. Umieram z głodu.

Tego dnia naprawdę wyglądali jak rodzina – młode małżeństwo, które kupiło używany samochód, a teraz cieszy się lunchem w kafejce i zabiera malucha na lody. Hayley nie wolno jednak zapominać, że on jest nadal wolnym mężczyzną, a ona matką samotnie wychowującą dziecko, i łączy ich jedynie romantyczny związek. To wszystko.

Kiedy dotarła do domu, postanowiła, że razem z Lily utną sobie drzemkę.

– Ależ jestem zmęczona – mruknęła, przytulając do siebie córeczkę. – mam milion rzeczy do zrobienia, a w tej chwili nie dam rady zmusić się do żadnej pracy. Jednak co się odwlecze, to nie uciecze, prawda?

Zamknęła oczy i w myślach zaczęła obliczać swoje wydatki i oszczędności, przerzucać pieniądze z jednego konta na drugie, nie mogła jednak porządnie się skoncentrować.

W myślach ujrzała znowu komis samochodowy i pana Tannera, który ściskał jej dłoń, życząc wszystkiego najlepszego jej samej, jej uroczej córeczce i uroczemu mężowi.

Widziała też siebie i Harpera popijających wino na tarasie w upalny wieczór.

A potem zobaczyła, jak obejmują się w romantycznym tańcu w apartamencie hotelu Peabody.

Jak pracują razem w cieplarni.

Jak Harper sadza sobie Lily na ramionach.

Zakochani nie powinni odczuwać żadnych trosk, pomyślała sennie. Skoro miłość jest tak cudowna i wszechogarniająca, nie powinno się pragnąć niczego więcej od życia.

Westchnęła cicho i doszła do wniosku, że musi bardziej się cieszyć z tego, co ma, a reszta przyjdzie z czasem sama.

Ból, który przeszył jej trzewia, był straszny i szokujący. Miała wrażenie, że ktoś wbija w nią noże. Próbowała walczyć z cierpieniem, ale tylko krzyknęła rozpaczliwie, bo zdawało jej się, że jakaś straszna siła rozrywa jej ciało na dwoje.

A do tego ten upał. Skwar nie do wytrzymania. Jak równie pożądane, równie kochane stworzenie może zadawać jej takie srogie katusze. Jeszcze chwila, a umrze z bólu. Nie zdoła przetrwać tej męki. I nigdy nie zobaczy swojego synka.

Pot spływał z niej strugami, a zmęczenie stawało się równie nieznośne jak ból.

Krew, pot, agonia. Wszystko dla niego, dla jej maleństwa. Dla synka, który stał się całym jej światem. Zapłaciłaby każde pieniądze, oddała wszystko, co ma, byle wydać go zdrowego na świat.

Ból pozbawiał ją świadomości. Zanim jednak na dobre zapadła w mrok, usłyszała kwilenie noworodka.

Hayley obudziła się zlana potem, wciąż jeszcze obolała. Jej własne dziecko spało błogo jak aniołek, z główką w zagłębieniu jej ramienia.

Hayley delikatnie odsunęła córeczkę i sięgnęła po słuchawkę telefonu.

– Harper, możesz do mnie wpaść?

– Gdzie jesteś?

– W swoim pokoju. Lily tu śpi, a nie chcę zostawiać jej samej. Wszystko w porządku – dorzuciła pospiesznie. – Jesteśmy całe i zdrowe, ale coś się przed chwilą wydarzyło. Czy przyjdziesz?

– Zaraz będę.

Obłożyła Lily poduszkami, ale i tak bała się wyjść z pokoju. Mała mogła się mimo wszystko stoczyć z łóżka, lub wdrapać na poduszki i spaść. Jednak Hayley nie była w stanie usiedzieć spokojnie, więc zaczęła krążyć nerwowo tam i z powrotem. A gdy tylko usłyszała kroki Harpera na schodach, podbiegła do drzwi i otworzyła je na oścież.

– Powiedzieli jej, że dziecko urodziło się martwe! – Zachwiała się, bo w tym momencie ugięły się pod nią kolana. – Oszukali ją, próbowali przekonać, że jej syn nie żyje.

# 16

*D*o salonu, przez firanki, wpadało miękkie światło, a w powietrzu unosił się zapach róż. Harper jednak pozostał niewrażliwy na te estetyczne doznania. Stanął przy oknie i wsunął w kieszenie dłonie zaciśnięte w pięści.

– To było dla niej straszne – rzucił, nie ruszając się z miejsca. – Kiedy przyszedłem, Hayley zaczęła lecieć mi przez ręce, i nawet jak już doszła do siebie, wciąż wyglądała na ciężko chorą.

– Amelia nie skrzywdziła jej fizycznie – odezwał się Mitch. Harper gwałtownie obrócił się na pięcie i Mitch uniósł dłoń w uspokajającym geście. – Wiem, co czujesz. Uwierz mi, świetnie cię rozumiem. Ale Hayley jest cała i zdrowa, a to najważniejsze.

– Tym razem jeszcze tak jest – żachnął się Harper. – Ale co będzie dalej? Sprawy zaczynają nam się wymykać spod kontroli. Ta cholerna zjawa robi się coraz bardziej nieobliczalna.

– A więc powinniśmy trzymać się razem i za wszelką cenę zachować spokój.

– Uspokoję się dopiero wtedy, gdy ona wyprowadzi się z tego domu.

– Masz na myśli Hayley czy Amelię? – spytał Logan.

– W tej chwili? Obie.

– Dobrze wiesz, że Hayley zawsze będzie u nas mile widzianym gościem. Na twoim miejscu spróbowałbym ją zmusić do wyprowadzki – spakował ją i wywlókł stąd choćby siłą. O ile mi jednak wiadomo, już tego próbowałeś – niestety, bezskutecznie. Ale jeżeli sądzisz, że tym razem pójdzie ci lepiej, chętnie pomogę ci dźwigać walizki.

– Ona nie ustąpi! Co też, do cholery, jest nie tak z tymi babami?

– Łączy je z Amelią siostrzana więź – wtrącił David. – Nawet jak widzą ją w najgorszym wcieleniu, odzywa się w nich kobieca solidarność, Harp. Czy ci się to podoba, czy też nie.

– Poza tym Harper House jest teraz domem Hayley – dorzucił Mitch. – Tak samo jak twoim czy moim. Ta dziewczyna nie zgodzi się wycofać na tym etapie. Chce doprowadzić sprawę do końca. Podobnie jak ty, ja i my wszyscy. Zabierajmy się więc do działania.

Logika tych wszystkich argumentów nie zdołała złagodzić gniewu Harpera.

– Dobrze ci mówić. Nie widziałeś, co się z nią działo na skutek tego incydentu.

– Nie, ale wysłuchawszy twojej relacji, mogę to sobie wyobrazić. Hayley mnie również jest bliska, Harperze. Mnie i każdemu z nas.

– Jesteśmy więc jak muszkieterowie. Jeden za wszystkich, i tak dalej. – Powędrował wzrokiem w stronę drzwi, a myślami na piętro, do Hayley. – Rzecz w tym, że teraz chodzi o jej, a nie nasze dobro.

– W porządku. – Mitch pochylił się w fotelu, by ściągnąć na siebie uwagę Harpera. – Przeanalizujmy jednak spokojnie to, co ją spotkało. Hayley doświadczyła tego samego, co Amelia w czasie porodu i tuż po porodzie, gdy powiedziano jej, że urodziła martwe dziecko. I to wszystko zdarzyło się, gdy Hayley drzemała z Lily. Mała jednak się nie obudziła, spała spokojnie i słodko. A więc Amelia w żadnym razie nie zamierza skrzywdzić, czy choćby przestraszyć dziecka. Gdyby było inaczej, jak myślisz, ile czasu zajęłoby Hayley spakowanie walizek?

– To racja. Nie ulega jednak najmniejszej wątpliwości, że dla osiągnięcia swojego celu – jakikolwiek on jest – Amelia zamierza wykorzystać Hayley. I to bezlitośnie.

– Zgadzam się. – Mitch skinął głową. – A postępuje tak, bo to działa. Poprzez Hayley przekazuje nam informacje, których prawdopodobnie nigdy nie udałoby nam się uzyskać w inny sposób. Teraz już wiemy na przykład, że nie tylko odebrano jej dziecko, ale zrobiono to, posuwając się do okrutnego podstępu. Trudno więc się dziwić, że z tego powodu ta, jak się wydaje, już wcześniej niezrównoważona kobieta kompletnie postradała zmysły.

– Teraz także możemy z powodzeniem założyć, że Amelia przyszła tu, by odebrać syna, i umarła właśnie z tego powodu – zauważył Logan.

– Cóż, jej syn jest martwy. Równie martwy jak ona. Jest pieśnią przeszłości, podobnie jak fryzury afro i muzyka disco. – Harper bezsilnie opadł na fotel. – A jaki z tego wniosek? Że Amelia nigdy go tu nie znajdzie.

Hayley przebudziła się z lekkiej drzemki. W pokoju panował półmrok, bo zasłony były zaciągnięte niemal szczelnie – tylko przez wąską szparę sączyła się smużka światła. Nieopodal siedziała Roz z książką w ręku, usadowiona tak, by wąski snop padał dokładnie na stronice.

– Lily – mruknęła Hayley.

Roz odłożyła książkę i podeszła do łóżka.

– Stella zabrała ją razem z chłopcami do drugiego skrzydła, by dzieci mogły swobodnie się bawić, nie zakłócając ci przy tym odpoczynku. Jak się czujesz?

– Wyczerpana. I wciąż jeszcze obolała od środka. – Westchnęła i spróbowała się uśmiechnąć, gdy poczuła, że Roz gładzi ją po włosach. – Ból był gorszy, niż kiedy rodziłam Lily. I trwał dużo dłużej. Wiem, że tak naprawdę przeżywałam to zaledwie kilka minut, miałam jednak wrażenie, że poród ciągnie się przez długie godziny. A na koniec ogarnęło mnie dziwne otępienie. Oni jej coś podali, Amelia odpłynęła w mrok i to było jeszcze gorsze od bólu.

– Najprawdopodobniej zaaplikowali jej laudanum. Nic nie działa skuteczniej od opiatów.

– Słyszałam też wyraźnie płacz noworodka. – Hayley zwinęła się w kłębek, odwróciła jednak głowę, by nie tracić Roz z oczu. – Wiesz przecież, jak to jest. Bez względu, co się z tobą działo wcześniej, ogarnia cię straszna euforia, gdy po raz pierwszy słyszysz płacz swojego dziecka.

– To jej dziecko, nie twoje – przypomniała Roz.

– Tak, wiem. Ale przez tę jedną, króciutką chwilę było także moje. Więc również doświadczyłam tej strasznej rozpaczy, niewyobrażalnej udręki, gdy lekarz powiedział mi, że maleństwo urodziło się martwe.

– Nigdy nie straciłam dziecka, ale mogę sobie wyobrazić, że cierpienie jest wówczas nie do zniesienia.

– Oni ją okłamali, Roz. I Reginald zapewne im za to sowicie zapłacił. Ale Amelia wiedziała, że została oszukana. Słyszała płacz dziecka, więc znała prawdę. To doprowadziło ją do szaleństwa.

Roz przysiadła na łóżku tak, by Hayley mogła położyć jej głowę na kolanach, po czym przez chwilę wpatrywała się w milczeniu w smużkę światła.

– Ona na to nie zasługiwała – odezwała się w końcu dziewczyna.

– Nie. Nie zasługiwała.

– Bez względu na to, kim była i co robiła, nie powinna zostać tak strasznie potraktowana. Amelia całym sercem kochała swoje dziecko, jednak...

– Jednak co?

– To był jakiś niezdrowy rodzaj miłości.

– Skąd wiesz?

– Wyczułam... – Obsesję, pomyślała, zaborczość. Jakiś niemożliwy do opisania głód uczuć. – Amelia pragnęła jedynie chłopca, rozumiesz, Roz? Los dziewczynki w ogóle by jej nie obchodził. Gdyby urodziła córkę, przeżyłaby tak straszne rozczarowanie, że wpadłaby w furię. Natomiast jeżeli syn zostałby przy niej, całkowicie wypaczyłaby mu charakter. Oczywiście, nie zrobiłaby tego celowo, jednak przy Amelii twój dziadek nigdy by nie wyrósł na człowieka, jakiego znałaś. Na mężczyznę, który tak kochał swojego psa, że własnoręcznie wyrył tabliczkę na jego grób. Na czułego mężczyznę, który uwielbiał twoją babcię i dał jej wiele szczęścia. Nikt nie byłby wówczas taki jak teraz.

Hayley spojrzała Rosalind prosto w oczy.

– Ani ty, ani Harper. Wszystko wyglądałoby inaczej. Co nie zmienia faktu, że Reginald popełnił rzecz straszną.

– Świat stałby się piękny, gdyby w ostatecznym rozrachunku wszystko się bilansowało. Gdyby dobro zwyciężało, a za zło trzeba było słono płacić.

Kąciki ust Hayley uniosły się w uśmiechu.

– Wówczas Justin Terrel, który w dziesiątej klasie zdradzał mnie za moimi plecami, byłby dzisiaj gruby i łysy, i pracowałby w McDonaldzie. A tymczasem jest współwłaścicielem modnego klubu i mógłby uchodzić za sobowtóra Toby'ego McGuire'a.

– Cóż, takie jest życie.

– Niewykluczone jednak, że gdyby świat został urządzony inaczej, ja smażyłabym się w piekle za to, iż nie powiedziałam biologicznemu ojcu Lily o jej istnieniu.

– Twoje intencje były czyste.

– To fakt. Niemniej to, co nam się wydaje najlepsze, nie zawsze bywa moralnie słuszne. Ale jedno nie ulega wątpliwości – Lily nie mogło spotkać nic piękniejszego niż dorastanie w Harper House.

– Nie możesz mylić pewnych pojęć, Hayley. W przypadku Oblubienicy nikim nie kierowały czyste motywy. Tam górę wzięły chciwość, oszustwo, przebiegłość, okrucieństwo i skrajny egoizm. Poza tym, aż się boję pomyśleć, jaki los spotkałby dziecko Amelii, gdyby to była dziewczynka. Czy już ci lepiej?

– O wiele.

– Może więc zejdę na dół i przygotuję ci coś do zjedzenia, a potem podam na srebrnej tacy?

– Zejdę z tobą. Wiem, że Mitch chciałby jak najszybciej nagrać moją relację. Harper z pewnością mu wszystko opowiedział, ale twojego męża zawsze interesują sprawozdania z pierwszej ręki. Myślę też, że gdy się wygadam, zrobi mi się lżej na sercu.

– Jeżeli tak uważasz.

Hayley stanowczo skinęła głową i podniosła się z łóżka.

– Dzięki, że siedziałaś przy mnie, jak spałam. – Zerknęła w lustro i wykrzywiła usta. – Zanim pokażę się komuś na oczy, muszę zrobić makijaż. To, że jestem opętana przez ducha, jeszcze nie znaczy, że sama mam wyglądać jak zjawa.

– Zuch dziewczyna! Ja tymczasem pójdę powiedzieć Stelli, że już jesteś na nogach i dzielnie się trzymasz.


Hayley pomyślała, że po raz kolejny ma za co dziękować Roz, bo to zapewne ona się postarała, by zostali z Mitchem sam na sam w bibliotece.

W ten sposób łatwiej jej przyszło wszystko z siebie wyrzucić. Mitchell był taki inteligentny i profesorski w sposobie bycia. Miał też w sobie dużo ludzkiego ciepła.

Poza tym Hayley kochała bibliotekę. Świetnie się czuła w otoczeniu tych wszystkich książek, cudownych opowieści, setek tysięcy pięknych słów. Z przyjemnością siadała w jednym z wielkich, wygodnych foteli i patrzyła na rozciągające się za oknem ogrody.

Na początku swojego pobytu w Harper House niekiedy zakradała się tutaj po nocy, tylko po to, by posiedzieć w tym przytulnym wnętrzu – w jej odczuciu najpiękniejszym w całym domu – i chłonąć jego atmosferę.

Podobał jej się też sposób, w jaki Mitch podchodził do sprawy Amelii – systematycznie, racjonalnie, naukowo, co działało na nią kojąco i sprowadzało jej przeżycia do odpowiednich proporcji.

Hayley wbiła wzrok w korkową tablicę pokrytą arkuszami papieru, na których – w formie stosownych tabel i wykresów – Mitch przedstawił drzewo genealogiczne Roz i Harpera.

– Czy jak to wszystko się już skończy, zechciałbyś odtworzyć historię mojej rodziny?

– Hm?

– Wybacz. – Spojrzała na Mitcha i machnęła ręką. – Czasami wędruję myślami nie wiadomo gdzie.

– Nic nie szkodzi. Masz teraz wiele na głowie. – Mitch odłożył notes i zwrócił się do dziewczyny. – Oczywiście, z przyjemnością to dla ciebie zrobię. Będziesz tylko musiała podać mi podstawowe, znane ci fakty – imiona i nazwisko twojego taty, dane mamy, daty urodzenia – i zabierzemy się do pracy.

– To ciekawe i ekscytujące. Łączy mnie z Harperem dalekie pokrewieństwo, gdzieś mamy wspólnych przodków, fajnie byłoby to wszystko prześledzić. Czy on jest na mnie bardzo wkurzony?

– Nie, skarbie. Dlaczego miałby się na ciebie złościć?

– Bardzo się zdenerwował. Chciał natychmiast wywieźć mnie i Lily do Stelli. Ale się nie zgodziłam. Nie mogłabym się teraz poddać.

Mitch kreślił w zamyśleniu jakieś znaki w swoim notesie.

– Gdybym kilka miesięcy temu mógł wyekspediować Roz z tego domu, zrobiłbym to bez wahania – nawet przy użyciu dynamitu.

– Czy kłóciłeś się z nią o to? Czy nalegałeś?

– Nieszczególnie. – W jego oczach pojawił się błysk rozbawienia. – Ale ostatecznie jestem od Harpera starszy i mądrzejszy, więc zdaję sobie sprawę z ograniczeń, przed jakimi staje mężczyzna, gdy ma do czynienia z upartą kobietą.

– Czy popełniam błąd, pozostając w Harper House?

– Nie mnie o tym sądzić.

– Ja jednak chciałabym usłyszeć twoje zdanie.

– Stawiasz mnie w bardzo trudnej sytuacji, moje dziecko. – Odsunął się od stołu i zdjął z nosa okulary w szylkretowej oprawie. – Wiem, co w tej chwili przeżywa Harper, doskonale rozumiem jego argumenty i uważam, że ma rację. Szanuję też twoje decyzje, rozumiem, jakimi kierujesz się motywami i sądzę, że ty też masz słuszność. I jak to brzmi?

Uśmiechnęła się kącikiem ust.

– Bardzo mądrze – ale w niczym mi nie może pomóc.

– Jednak jako mężczyzna o potencjalnie nadmiernie rozwiniętym zmyśle opiekuńczości muszę dodać jedno – powinnaś możliwie najmniej czasu spędzać w samotności.

– Całe szczęście więc, że lubię przebywać wśród ludzi. – Zabrzęczała komórka Mitcha i Hayley poderwała się z fotela. – Pójdę już, żebyś mógł porozmawiać w spokoju.

Ponieważ wcześniej zauważyła Harpera w ogrodzie, wyszła z domu bocznymi drzwiami w nadziei, że Stella nie będzie miała nic przeciwko temu, by zająć się Lily chwilę dłużej, niż to bezwzględnie konieczne.

Znalazła go przy rabatach z kwiatami.

Lato nadal nie dawało za wygraną, więc na zewnątrz wciąż panował upał, a ogród nieustannie czarował kolorami – olbrzymimi, niebieskimi kulami hortensji, eleganckimi, smukłymi kielichami złocieni i buszem delikatnych, fioletowych kwiatów passiflory pnącej się po pergoli.

W powietrzu unosiły się odurzające aromaty i ptasie śpiewy, a nad klombami motyle trzepotały wielobarwnymi skrzydłami.

Za zakrętem ścieżki stał Harper, lekko pochylony nad rabatą, i szybkimi, wprawnymi ruchami ogławiał kwiaty, wrzucając kielichy do torby, którą miał przy pasku. U jego stóp stał nieduży, płytki koszyk a w nim świeżo ścięte margerytki i lwie paszcze, ostróżki i onętki.

Ten obrazek był tak romantyczny – przystojny mężczyzna, nadchodzący wieczór, morze kwiatów – że aż serce podskoczyło jej do gardła.

Tuż nad głową Harpera przeleciały kolibry, po czym zawisły przy purpurowych, wyniosłych kielichach pysznogłówki.

Zatrzymał się w pół ruchu, by na nie popatrzeć, z dłonią zastygłą na wysmukłej łodydze kwiatu, i w tym momencie Hayley bardzo żałowała, że nie potrafi malować, by dzięki temu zatrzymać na zawsze magię tej niezwykłej chwili: żywe, wybujałe kolory późnoletnich kwiatów, a na ich tle młody mężczyzna, przepełniony zachwytem dla roślin i ptaków.

Miłość zalała ją wielką, gorącą falą.

– Harperze!

– Kolibry upodobały sobie nasz ogród. To dobrze.

– Harperze – powtórzyła. Podeszła i objęła go mocno ramionami – Wiem, że się martwisz, ale proszę, nie wściekaj się na mnie.

– Nie wściekam się. Przyszedłem tutaj, żeby ochłonąć. To zazwyczaj pomaga. Natomiast wciąż jestem zdenerwowany i zaniepokojony.

– Odszukałam cię, żeby dalej się z tobą kłócić. – Potarła policzkiem o jego koszulę i poczuła zapach mydła oraz męskiego potu. – Ale kiedy cię zobaczyłam, opuściły mnie wszystkie złe emocje. Nie chcę z tobą walczyć. Nie mogę zrobić tego, o co mnie prosisz, bo wszystko się we mnie przeciwko temu buntuje. Nawet jeżeli postępuję niesłusznie, nie mogę jeszcze zmagać się z samą sobą.

– Cóż, w takim razie nie pozostawiasz mi wyboru. – Ściął kilka następnych kwiatów do koszyka, ogłowił parę innych. – I od razu zaznaczam, że nie przyjmę sprzeciwu. Wprowadzam się do Harper House. Wolałbym, żebyście z Lily przeniosły się do mnie, ale sensowniej będzie, jeżeli ja zamieszkam u ciebie, bo jestem jeden, a wy dwie. Kiedy to wszystko się skończy, określimy na nowo priorytety.

– Na nowo.

– Owszem. – Nie spojrzał na nią, tylko ruszył dalej, by zająć się następnymi kwiatami. – W obecnej sytuacji trudno bowiem zdecydować, dokąd zmierzamy i co jest dla nas najważniejsze.

– A więc wymyśliłeś sobie, że będziemy mieszkać razem, jak dobre małżeństwo, a gdy sytuacja ulegnie zmianie, przyjrzymy się dokładniej naszemu życiu.

– Właśnie.

Może jednak nie opuściła jej całkiem ochota na kłótnię.

– Czy nie przyszło ci do głowy, że powinieneś mnie spytać o opinię w tej sprawie?

– Przyszło. Ale nie zamierzam tego robić. Podczas zajęć w „Edenie" będziesz zawsze pracowała razem z mamą, Stellą albo ze mną. Podkreślam – zawsze. Ani na chwilę nie możesz zostać sama.

– Skąd nagle przyszło ci do głowy, że masz prawo mi rozkazywać?

Harper nawet nie zaszczycił jej spojrzeniem, tylko nadal zajmował się kwiatami.

– Ktoś z nas będzie też cię woził do i z pracy.

– Czy któreś z was będzie także trzymać mnie za głowę, kiedy pójdę do toalety?

– Gdyby zaszła taka potrzeba. Jeśli masz tutaj zostać, to tylko pod tymi warunkami, które nie podlegają negocjacji.

Kolibry powróciły, teraz już jednak nie zdołały zauroczyć Hayley.

– Warunki, które nie podlegają negocjacji? Czyżbyś nagle został koronowany na udzielnego władcę? Słuchaj, Harperze...

– Nie. Nie mam zamiaru niczego słuchać. Postanowiłaś zostać – w porządku. Musisz się jednak liczyć z tym, że w takim razie ktoś nieustannie będzie cię pilnował. Kocham cię, Hayley, i nie zmienię zdania.

Otworzyła usta, szybko zamknęła je z powrotem, po czym dla uspokojenia głośno zaczerpnęła powietrza.

– Gdybyś zaczął od tego „kocham cię", byłabym bardziej otwarta na dyskusję.

– Tu nie ma o czym dyskutować.

Zerknęła na niego spod zmrużonych powiek. Kiedy wreszcie przestanie się zajmować tymi roślinami i skoncentruje na niej uwagę?!

– Zachowujesz się, jak tępy dyktator.

– To nietrudne. – Schylił się do koszyka po kwiaty i szybko ułożył z nich bukiet, po czym odwrócił się i wreszcie spojrzał na nią ciemnymi, podłużnymi oczami. – Proszę, to dla ciebie.

– Ściąłeś je dla mnie?

Posłał jej jeden z tych swoich seksownych, leniwych uśmiechów.

– A dla kogóż by innego?

Hayley uniosła bukiet do twarzy i odurzył ją narkotyczny aromat kwiatów tytoniu.

– To niesamowite. Jak możesz być tak autorytarny w jednej chwili i tak czarujący w następnej? Są naprawdę piękne.

– Jak i ty.

– Wiesz, inny mężczyzna zacząłby od tego bukietu, od pochlebstw i miłosnych wyznań, żeby mnie rozczulić i zmiękczyć. Ty natomiast musisz wszystko utrudniać.

Harper chłodno patrzył jej prosto w oczy.

– Wcale mi nie zależało na tym, żeby cię zmiękczyć i rozczulić.

– Och, rozumiem. A więc wcale nie czekasz aż powiem: „W porządku, postąpię tak, jak sobie życzysz". Ty po prostu zamierzasz mnie do tego zmusić.

– Jak chcesz, potrafisz być bardzo pojętna.

Nie mogła powstrzymać się od śmiechu.

– Jeżeli musisz wiedzieć, to bardzo się cieszę, że zamieszkamy razem – powiedziała, zarzucając mu rękę na szyję. – Kiedy poczuję, że swędzą mnie plecy, mam nadzieję, że będziesz akurat pod ręką.

– Będę.

– Pewnie masz tu jeszcze trochę pracy, więc... – Urwała, bo spostrzegła Logana zmierzającego ku nim spiesznym krokiem.

– Przepraszam, ale wydarzyło się coś ważnego – powiedział. – Powinniście wrócić do domu.

Kiedy weszli do biblioteki, w powietrzu niemal namacalnie wyczuwało się napięcie. Hayley od progu szybko obrzuciła wzrokiem obszerny pokój: Lily bawiła się samochodzikami z Gavinem i Lukiem tuż przy kominku, do którego latem David zawsze wstawiał duży wazon ze świeżymi kwiatami.

Na widok matki Lily zaczęła szybko gaworzyć, oderwała się od zabawy i przydreptała, by pokazać Hayley obślinioną ciężarówkę. Jednak gdy tylko dziewczyna schyliła się, by wziąć córeczkę w ramiona, mała natychmiast wyciągnęła ręce w stronę Harpera.

– Jak cię widzi, nikt inny dla niej się nie liczy – mruknęła Hayley.

– Bo wie, że świetnie znam się na cudach firmy Fisher-Price. Co się dzieje? – zwrócił się do matki.

– Mitch zaraz wszystko wyjaśni. Ach, David. Na ciebie zawsze można liczyć.

David toczył przed sobą wózek z zimnymi napojami i przekąskami dla dzieci.

– Trzeba dbać zarówno o ducha, jak i ciało – mrugnął szelmowsko do chłopców. – Szczególnie w tym domu.

– Niech każdy się częstuje tym, na co ma ochotę i siadajmy – zarządziła Roz.

Hayley z największą chęcią napiłaby się wina, ostatecznie jednak zdecydowała się na mrożoną herbatę. Jej żołądek nie doszedł jeszcze do idealnego stanu.

– Dziękuję, że zajęłaś się moją małą – spojrzała z wdzięcznością na Stellę.

– Wiesz, że to dla mnie sama radość. Poza tym zawsze patrzę z przyjemnością i zdumieniem, jak ładnie bawią się z nią chłopcy. – Stella pogładziła Hayley po ramieniu. – Jak się czujesz?

– Jeszcze trochę roztrzęsiona, ale poza tym wszystko w porządku. Czy wiesz, o co chodzi?

– Nie mam pojęcia. Lepiej jednak usiądźmy, Hayley. Wyglądasz na zmęczoną.

Hayley spojrzała na Stellę z figlarnym uśmiechem.

– Coraz więcej słów wypowiadasz z południowym akcentem. Chociaż wciąż słychać, że jesteś jankeską. Ta mieszanka brzmi całkiem seksownie.

– To rezultat tego, że jestem w mniejszości – odparła Stella, nie okazując, jak bardzo jest przejęta bladością przyjaciółki.

– Długo jeszcze zamierzacie trzymać nas w niepewności? – poskarżył się Logan i w odpowiedzi Mitch stanął w profesorskiej postawie za stołem.

Jak na prawdziwego wykładowcę przystało, pomyślała Hayley. Niekiedy zapominała, że Mitch spędził wiele lat na uniwersytecie.

– Wszyscy wiecie, że od kilku miesięcy jestem w stałym kontakcie z praprawnuczką ochmistrzyni, która pracowała tu za czasów Beatrice i Reginalda.

– Prawniczka z Bostonu – mruknął Harper i wraz z Lily rozsiadł się na podłodze.

Mitch skinął głową.

– Nasze poszukiwania ją zaintrygowały, a im więcej udawało jej się zdobyć informacji i z im większą liczbą krewnych rozmawiała na ten temat, tym bardziej wciągała ją cała sprawa.

– Nie wspominając o fakcie, że Mitch opracowuje dla niej drzewo genealogiczne. Gratis – dorzuciła Roz.

– Przysługa za przysługę – odparł Mitchell. – Tym bardziej że wielu informacji niezbędnych do opracowania historii jej rodziny i tak potrzebowaliśmy do naszych celów. Tak czy owak, do tej pory moja znajoma nie zdołała znaleźć niczego, co dotyczyłoby nas bezpośrednio, dzisiaj jednak wpadł jej w ręce prawdziwy skarb.

– Jeszcze chwila, a wyskoczę ze skóry – jęknęła Stella.

– Jest to list napisany przez wspomnianą ochmistrzynię. Roni – Veronica – owa prawniczka, znalazła na strychu wiekowej ciotki pudło pełne rozmaitych papierów. Sporo czasu zajmuje jej przeglądanie tego wszystkiego, dzisiaj jednak natknęła się na list od Mary Havers do pewnej kuzynki, datowany na dwunastego stycznia tysiąc osiemset dziewięćdziesiątego trzeciego roku.

– A więc kilka miesięcy po urodzeniu przez Amelię dziecka – zauważyła Hayley.

– Tak jest. Większość wiadomości dotyczy rodziny i spraw codziennych – jak to zazwyczaj bywało w czasach, gdy ludzie jeszcze pisywali długie, gawędziarskie listy. Jednak znajduje się tam pewien ustęp... – Mitch uniósł do góry kilka arkuszy papieru. – Roni przefaksowała mi kopię. Odczytam wam stosowne akapity.

– Mamo! – Luke odezwał się płaczliwym głosem. – Gavin znowu robi do mnie straszną minę!

– Gavin, uspokój się. To nie jest odpowiedni moment na wygłupy. Ja nie żartuję. Przepraszam. – Stella zwróciła się w stronę Mitcha. Odetchnęła głęboko, postanawiając nie zwracać uwagi na gorączkowe szepty dochodzące zza jej pleców. – Kontynuuj.

– Jeszcze chwilkę, Mitch. – Logan wstał z fotela, przykucnął obok chłopców i przeprowadził z nimi krótką, zdecydowaną rozmowę. Rozległy się entuzjastyczne okrzyki i obaj bracia poderwali się na równe nogi.

– Zabierzemy Lily do ogrodu i tam się z nią pobawimy – oznajmił Gavin, dumnie wypinając pierś. – Chodź, Lily. Chcesz porzucać piłką?

Nadal ściskając autko w rączce, mała bez żalu zostawiła Harpera, pomachała wszystkim na do widzenia i chwyciła wyciągniętą dłoń chłopca.

Logan szybko zamknął za dziećmi drzwi.

– Potem pojedziemy na lody – rzucił w stronę Stelli i z powrotem rozsiadł się w fotelu.

– A, przekupstwo. Doskonały pomysł. Przepraszamy, Mitch.

– Nie ma sprawy. A więc mamy tu list Mary Havers, który napisała do swojej kuzynki, Lucille.

Mitch oparł się o stół i podsunął wyżej okulary.

*Wiem, że nie powinnam o tym nikomu wspominać, ale ta sprawa bardzo mnie gnębi. Pamiętasz, zeszłego lata pisałam ci, że moim chlebodawcom urodził się syn. Panicz Reginald jest ślicznym dzieckiem o słodkim usposobieniu, a pan Harper zatrudnił do niego bardzo dobrą niańkę, która jest szczerze przywiązana do malca i odnosi się do niego z prawdziwą czułością. Natomiast, o ile mi wiadomo, nasza pani jeszcze nigdy nie przekroczyła progu pokoju dziecinnego, niańka zaś odpowiada jedynie przed panem Harperem i tylko jemu składa raporty o postępach syna. Wspomniana niańka, Alice, w skrzydle dla służby, ma zwyczaj mielić językiem, jak to dziewczęta w jej wieku. Nieraz więc dotarło do moich uszu, że pani nigdy nie odwiedza dziecka, nigdy nie wzięła go na ręce ani nie zapytała o jego zdrowie czy postępowanie.*

– Zimna suka – skomentowała cicho Roz. – Cieszę się, że nie łączą mnie z nią żadne więzy krwi. Wolę już wariatkę niż wiedźmę bez serca. Wybacz, Mitchell. Nie powinnam ci przerywać.

– Nie ma o czym mówić. Miałem okazję już kilkakrotnie przeczytać ten list i całkowicie przychylam się do twojej opinii. Oto, co Mary Havers pisze dalej.

*Oczywiście, nie przystoi nam, służbie, krytykować chlebodawców. Jednak zawsze wydawało mi się bardzo nienaturalne, że matka nie objawia najmniejszego zainteresowania swoim dzieckiem – w szczególności synem, od dawna tak wyczekiwanym w tym domu. W rzeczy samej, muszę przyznać, że nasza pani nie należy do owych serdecznych kobiet o silnie rozwiniętych uczuciach macierzyńskich, lecz gdy chodzi o panienki, zdradza jednak niejakie zainteresowanie ich rozkładem codziennych zajęć. Trudno byłoby mi też zliczyć, ile do tej pory przewinęło się przez ten dom nianiek i guwernantek, pani Harper jest bowiem bardzo wobec nich wymagająca. Tymczasem Alice ani razu nie otrzymała od niej żadnych instrukcji względem wychowania panicza Reginalda.*

*Powiadam ci, Lucy, od dawna mniemałam, że za tym wszystkim kryje się coś bardzo podejrzanego. I dłużej już nie zdołam tłumić w sobie mych podejrzeń.*

– A więc wiedziała, że coś jest grubo nie w porządku – odezwała się Hayley, po czym powiodła wzrokiem po zgromadzonych. – Wyraźnie czuje się to w tonie jej listu.

– Jest również zauroczona dzieckiem. – Stella zaczęła obracać kieliszek w dłoni. – I martwi się o małego. To również jest oczywiste. Czytaj dalej, Mitch.

*Choć pisałam ci o przyjściu chłopca na świat, nie wspominałam wcześniej, że w miesiącach poprzedzających jego narodziny, nic nie wskazywało na to, że pani Harper jest przy nadziei. Ostatecznie, służba, chcąc nie chcąc, ma wgląd w intymne życie państwa. To nieuniknione. I powiadam ci, nie było żadnych przygotowań, świadczących o rychłych narodzinach dziecka. Nikt nie wspomniał ani słowem o niańce czy o wyprawce. Pani Harper nie polegiwała w ciągu dnia i w domu ani razu nie pojawił się doktor. To maleństwo po prostu pewnego ran-*

*ka zjawiło się w pokoju dziecinnym, jakby rzeczywiście przyniósł je bocian. Oczywiście, w skrzydle dla służby zaczęły się szepty, a nawet głośne komentarze po kątach, wszakże rychło je ukróciłam, bo nie naszą sprawą jest wtykanie nosa w sprawy chlebodawców.*

*Jednakowoż, Lucille, ona jest tak obojętna wobec tego chłopczyka, że gdy na to patrzę, wprost serce mi się kraje. Więc, naturalnie, mnie też zaczęły nachodzić różne podejrzenia. Nie ulega najmniejszej wątpliwości, kto jest ojcem dziecka – malec kubek w kubek jest podobny do pana Harpera. Jednak tożsamość matki nie wydaje się już tak bardzo pewna.*

– Wszyscy wiedzieli. – Harper zwrócił się ku matce. – Ta Havers wiedziała, cała służba miała świadomość sytuacji, nikt jednak nic nie zrobił.

– A co niby mogli zrobić? – zaperzyła się Hayley. – Byli służącymi, na łasce i niełasce Harperów. Nawet gdyby narobili szumu, kto by im uwierzył? Straciliby pracę, wylecieliby z hukiem bez referencji i na tym by się skończyło.

– Hayley ma rację. – Mitch wypił łyk wody mineralnej. – Nic by się nie zmieniło. Ale na tym nie koniec listu Mary.

Ponownie poprawił okulary i wziął w dłoń kolejną kartkę.

*Dzisiaj, koło południa, w Harper House zjawiła się pewna kobieta. Była, nieboga, blada i wychudła, a z jej oczu wyzierała straszna desperacja, a nawet obłęd. Danby...* – W owym czasie kamerdyner – wyjaśnił Mitch. – *Danby wziął ją za dziewczynę szukającą pracy, ona jednak wdarła się do domu od frontu. Oznajmiła, że przyszła zabrać dziecko. Swoje dziecko. Syna, którego nazywała James. Powiedziała, że słyszy jego płacz, słyszy, jak mały ją wzywa. Musisz wiedzieć, Lucille, że nawet gdyby chłopiec płakał, nikt nie zdołałby go usłyszeć w holu, bo pokój dziecinny mieści się na drugim piętrze. Nie miałam jednak serca wyrzucić tej niebogi, chciałam wprowadzić ją do bawialni i uspokoić, ale ona wymknęła mi się spod ręki i popędziła w górę po schodach, wykrzykując w głos imię synka. Nie wiem, co bym dalej uczyniła, w tym momencie jednak pokazała się pani i kazała wprowadzić kobietę do swojego saloniku. Ta biedaczka trzęsła się na całym ciele, gdy ją podtrzymywałam. Pani nie pozwoliła przynieść czegokolwiek do picia. A potem... Zrobiłam coś, do czego w ciągu tylu lat służby nigdy się nie posunęłam. Zostałam pod drzwiami i podsłuchiwałam.*

– A więc rzeczywiście tu była. – W głosie Stelli brzmiało współczucie. – Przyjechała po swoje dziecko. Biedna Amelia.

Mitch tymczasem odchrząknął i podjął czytanie.

*Słyszałam okrutne słowa, które padły z ust naszej pani. Słyszałam, z jaką nienawiścią mówiła o dziecku. Ona – niech Bóg ma nas w swojej opiece – życzyła mu śmierci, Lucy. Życzyła śmierci malcowi oraz tej zdesperowanej kobiecie, która przedstawiła się jako Amelia Connor. Nieszczęsna, błagała, żeby oddać jej dziecko, tym bardziej że było tak niechciane, tak znienawidzone. Pani wszakże odmówiła. Groziła tamtej policją, a potem ją odprawiła. Teraz więc już wiem z całą pewnością, kto jest matką panicza Reginalda. Wiem, że to kochanka, ko-*

*bieta lekkich obyczajów, powiła panu Harperowi upragnionego syna. Wiem też, że on jej go odebrał i zmusił żonę, by przyjęła dziecko pod swój dach i wychowywała na dziedzica majątku. Z podsłuchanej rozmowy dowiedziałam się również, iż lekarz oraz akuszerka odbierający poród tej niebogi, powiedzieli jej, że urodziła martwą córeczkę.*

*Od dawna wiedziałam, że pan Harper jest człowiekiem twardym w interesach, uparcie dążącym do osiągnięcia swoich celów. Wiedziałam też, że do spraw rodzinnych również podchodzi chłodno i z wyrachowaniem. Nie widziałam nigdy, by okazywał afekt swojej żonie, lub by czule odnosił się do córek. Mimo to nigdy nie przyszłoby mi do głowy, że jest zdolny do czynu równie odrażającego. Nie przypuszczałabym też, że żona zgodzi się w tym uczestniczyć. Niemniej, to ona odprawiła pannę Connor – tę biedawczkę o oczach pełnych rozpaczy, odzianą w źle dopasowaną, szarą suknię. Groziła jej i zabroniła mówić komukolwiek o tym, jakie słowa padły między nimi w saloniku, potraktowała ją z zimnym okrucieństwem. Spełniłam swoją powinność, Lucille, wyprowadziłam tę kobietę za drzwi. Patrzyłam za nią, gdy odjeżdżała powozem spod domu i od tej pory nie mogę znaleźć w sercu spokoju.*

*Czuję, że powinnam była jej jakoś pomóc, co jednak mogłam zrobić? Z drugiej strony, czyż moim chrześcijańskim obowiązkiem nie było zaoferowanie jej wsparcia? Niemniej mam też zobowiązania wobec mych chlebodawców – ludzi, którzy zapewniają mi dach nad głową i strawę oraz pieniądze, pozwalające na niezależność w przyszłości. A oni oczekują ode mnie, że będę milczeć i nigdy nie zapomnę, gdzie moje miejsce.*

Mitch odłożył kartki na stół. Wokół panowała cisza.

Hayley siedziała od dłuższego czasu ze spuszczoną głową, a z oczu płynęły jej łzy. Teraz jednak podniosła wzrok i, choć policzki jeszcze miała mokre, uśmiechnęła się z zimną satysfakcją.

– Ja jednak wróciłam.

# 17

*H*ayley!

– Zostaw ją. – Mitch postąpił krok do przodu, by zatrzymać Harpera. – Zaczekaj.

– Wróciłam – powtórzyła Hayley. – By odebrać, co moje.

– Ale nie udało ci się zbliżyć do dziecka – powiedział Mitch.

– Czyżby? – Hayley uniosła ręce i spojrzała Mitchowi prosto w oczy. – Przecież wciąż tu jestem, nieprawdaż? Czuwałam nad nim, śpiewałam mu do snu, siedziałam przy nim każdej nocy. A potem śpiewałam też innym – tym, co przyszli po nim. I nikomu nie udało się mnie usunąć z tego domu.

– Teraz jednak już ci to nie wystarcza.

– Bo wreszcie chcę odebrać, co mi się należy. Chcę... – Urwała i rozejrzała się gorączkowo po pokoju. – Gdzie są dzieci? Co z nimi zrobiliście?

– Poszły się pobawić do ogrodu – odparła spokojnym głosem Roz.

– Lubię dzieci – powiedziała Hayley rozmarzonym głosem. – Kto by pomyślał, że przypadną mi do serca te egoistyczne, hałaśliwe istotki. Potrafią jednak być bardzo słodkie, szczególnie gdy śpią. Najbardziej lubię je odwiedzać, kiedy są pogrążone we śnie. A mojemu Jamesowi pokazałabym cały świat. Caluteńki. On zaś nigdy by mnie nie opuścił. Myślicie, że dbam o jej litość? – rzuciła niespodziewanie z furią w głosie. – Litość tej ochmistrzyni? Tej najzwyklejszej sługi? Niech będzie przeklęta razem z innymi! Powinnam była wymordować ich wszystkich we śnie.

– Czemu tego nie zrobiłaś?

Przeniosła powoli spojrzenie na Harpera.

– Są inne sposoby, by posłać ludzi do piekła. Jesteś taki przystojny. Taki do niego podobny.

– Nieprawda. Jestem natomiast twoim potomkiem. Prawnukiem twojego syna.

Oczy jej zaszły mgłą, zaczęła nerwowo skubać nogawkę spodni.

– Jamesa? Mojego Jamesa? Nad tobą też czuwałam. Byłeś słodkim maleństwem. Ślicznym chłopczykiem. Często cię odwiedzałam.

– Wiem. Pamiętam. Czego jednak teraz chcesz?

– Musisz mnie odnaleźć. Jestem taka zagubiona.

– Co cię tu spotkało?

– Przecież ty wiesz najlepiej! Sam mi to zrobiłeś! I zostaniesz za to potępiony! Przeklęłam cię, gdy wydawałam ostatnie tchnienie. I czy chcesz tego, czy nie, odbiorę, co moje. – Głowa Hayley opadła do tyłu, dziewczyna kurczowo chwyciła się ręką za brzuch, po czym jej całym ciałem wstrząsnął silny dreszcz. – O, Boże – wyszeptała cicho. – Co za intensywne doznanie.

Harper chwycił ją za ręce, ukłęknął u jej boku.

– Hayley!

– Tak. Słucham. – Była blada jak płótno. – Czy mogłabym dostać wody?

Harper przycisnął usta do jej dłoni.

– To musi się skończyć.

– Jestem za. Rany, tym razem naprawdę była nieźle wkurzona. Dzięki – zwróciła się do Davida, gdy podał jej szklankę. Wypiła wodę duszkiem, łapczywie – jakby wprost konała z pragnienia. – Wkurzona, potem smutna, potem znów rozgniewana. Popadała z jednej skrajności w drugą. Ten list nią wstrząsnął. Wstrząsnął i mną – choć zapewne z innej przyczyny.

Obróciła się w stronę Mitcha, nie zabierając jednak dłoni z rąk Harpera.

– Bardzo mi żal i Amelii, i tej ochmistrzyni. Widziałam tę sytuację bardzo wyraźnie. Jakbym czytała książkę, a przed oczami przewijały mi się sceny z jej kart. Widziałam ten dom i mieszkających tu ludzi. Fizycznie czułam, co by się ze mną działo, gdyby ktoś odebrał mi Lily, a ja w żaden sposób nie mogłabym jej odzyskać. Naturalnie, na początek miałabym ochotę zatłuc Beatrice. Co za wredna suka! Sądzę, że ten list wywołał mnóstwo sprzecznych emocji i to ułatwiło Amelii zawładnięcie moim ciałem i umysłem.

Hayley ścisnęła mocno palce Harpera.

– Ona jest okropnie skołowana, jeżeli chodzi o ciebie. Pamięta cię jako dziecko – małego chłopczyka – i kocha cię, bo jesteś jej praprawnukiem. Problem w tym, że płynie w tobie również krew Reginalda. Że go pod pewnymi względami przypominasz. Takie przynajmniej odnoszę wrażenie. Chociaż czasami sama się w tym wszystkim gubię.

– Jesteś silniejsza od Amelii – zapewnił Harper.

– Z pewnością dużo zdrowsza na umyśle – zaśmiała się Hayley.

– Doskonale sobie poradziłaś. – Mitch odstawił na bok magnetofon. – Ale myślę, że czas kończyć na dzisiaj.

– To był rzeczywiście dzień pełen wydarzeń. – Hayley z lekkim uśmiechem rozejrzała się po bibliotece. – Czyżbym kogoś przestraszyła?

– Można tak powiedzieć. Posłuchaj, może pójdziesz na górę i położysz się na moment? – zaproponowała Stella. – Logan tymczasem sprawdzi co u dzieci. Co ty na to?

– Z przyjemnością zajmę się tą bandą. – Logan ruszył w stronę drzwi, wcześniej jednak podszedł do Hayley i pogłaskał ją po głowie. – Ruszaj na górę, nasza piękna, wyciągnij się i odpocznij.

– Chyba rzeczywiście tak zrobię, dzięki. – Chwyciła wyciągniętą rękę Harpera i dała się podnieść z fotela. – Rany, zupełnie nie wiem, co bym bez was wszystkich poczęła.

Roz poczekała, aż Hayley z Harperem znikną za drzwiami, po czym powiedziała:

– Ta historia wyczerpuje ją fizycznie i psychicznie. Jeszcze nigdy nie widziałam, by wyglądała na tak zmordowaną. Przecież normalnie ta dziewczyna aż tryska energią.

– Musimy to zakończyć – zdecydował Logan, otwierając drzwi. – I to jak najszybciej – dorzucił, po czym zniknął w głębi holu.

– Rzeczywiście, musimy coś zrobić. Tylko co? – odezwała się Stella. – Bierne czekanie na rozwój wypadków nic nie da. Nie wiem, jak wy, ale ja byłam wstrząśnięta, gdy widziałam, co się działo z Hayley.

– Mogę pojechać do Bostonu. Pomóc Veronice uporządkować te papiery – rzucił Mitch bez przekonania w głosie. – Nie chciałbym jednak was zostawiać w obecnej sytuacji.

– Razem bezpieczniej? – Roz ścisnęła dłoń męża. – Też mi się tak wydaje. I jeśli mam być szczera, zaczęłam się nawet ostatnio niepokoić, że David tak wiele czasu spędza sam w tym domu.

– Amelia nigdy mi się nie naprzykrzała. – David uniósł kieliszek wina do ust. – Pewnie dlatego, że nie łączą mnie z nią żadne więzy krwi. Do tego jestem gejem, więc ta dama nie ma powodu się mną interesować. Ale przede wszystkim widzi we mnie zwykłego służącego – a więc najniższą istotę w łańcuchu pokarmowym.

– Dla nas to czysty absurd – odrzekła Roz. – Jednak ona rzeczywiście może cię tak postrzegać. To dobrze – w takim wypadku z pewnością nie będzie próbowała cię skrzywdzić, kamień spadł mi z serca. A wracając do meritum, dzisiaj Amelia, zresztą nie po raz pierwszy, powiedziała, żeby ją odnaleźć. O co jej może chodzić?

– O odnalezienie miejsca, gdzie ją pochowano.

– Zapewne masz rację. – Roz podeszła do Davida i upiła łyk wina z jego kieliszka. – Tylko jak, do diabła, mamy to zrobić?

Był późny wieczór, w domu panowała już cisza, a Lily spała od dawna w swojej kołysce, Hayley jednak wciąż nie mogła znaleźć sobie miejsca.

– W jednej chwili mam wrażenie, że zaraz padnę na nos, a w następnej zaczyna mnie nosić. To musi być dla ciebie cholernie denerwujące.

– No, może trochę. – Harper z uśmiechem pociągnął ją na sofę. – Może popatrzysz przez chwilę na mecz. Ja tymczasem skoczę do kuchni i poszukam czegoś niezdrowego do przegryzienia.

– Chcesz, żebym tu siedziała i oglądała baseball?

– Wydawało mi się, że to lubisz.

– Owszem, ale nie aż tak, żeby jak zombi tkwić przed telewizorem.

– OK. – Parsknął wymuszonym śmiechem. – W takim razie zgodzę się na największe poświęcenie. Możesz wybrać film na DVD. Pooglądamy go razem, nawet jeżeli będzie to najgłupszy babski wyciskacz łez.

– Naprawdę? – Nawet nie próbowała ukryć radości.

– Pod warunkiem że zrobisz popcorn.

– Chcesz powiedzieć, że będziesz ze mną oglądać romantyczny film i powstrzymasz się od kpiących komentarzy?

– Nie przypominam sobie, żebym wspominał coś o komentarzach.

– Wiesz, ja lubię także filmy akcji.

– To brzmi zdecydowanie bardziej zachęcająco.

– Teraz jednak miałabym największą ochotę na melodramat, przy którym mogłabym się porządnie wypłakać. Dzięki! – Cmoknęła go mocno w usta, po czym zerwała się z kanapy. – Wrzucę do naszego popcornu mnóstwo masła – dorzuciła i poczęstowała Harpera promiennym uśmiechem. – Od razu poczułam się lepiej.

Jeszcze nigdy w życiu nie przeżywała takiej huśtawki nastrojów jak ostatnio. Ze stanu maniakalnej aktywności popadała w kompletne wyczerpanie, z nagłej euforii – w bezdenną rozpacz. I tak działo się teraz każdego dnia. A do tego wszystkiego dochodziło nerwowe wyczekiwanie – co ją jeszcze spotka ze strony Amelii. I kiedy.

Gdy czuła, że nachodzi ją przygnębienie, starała sobie natychmiast przypominać, jak wiele osiągnęła w życiu. Miała piękne dziecko, a do tego wspaniałego, kochającego mężczyznę, serdecznych przyjaciół, rodzinę i interesującą pracę. A mimo to, gdy wpadała w spiralę mrocznych nastrojów, nie potrafiła się z niej wyzwolić.

Czasami ogarniało ją przerażające przekonanie, że jej obecny stan jest wynikiem jakiejś poważnej choroby. Zaburzeń równowagi neuroprzekaźników albo guza mózgu. Niekiedy w panice dochodziła do wniosku, że – podobnie jak Oblubienica – zaczyna tracić zmysły.

W pierwszy poranek wolny od pracy, zmęczona i niespokojna, postanowiła wybrać się do Wal-Mart po pieluchy, szampon i kilka innych drobiazgów. Cieszyła się, gdyż dzięki tej wyprawie mogła spędzić trochę czasu w samotności. A raczej jedynie w towarzystwie Lily, poprawiła się w duchu, sadzając córeczkę w zakupowym wózku.

Na szczęście nikt jeszcze nie wpadł na pomysł, by pilnować jej, gdy przebywała poza terenem posiadłości. Natomiast w „Edenie" i w rezydencji wszyscy strzegli jej na każdym kroku. Jak jastrzębie.

Oczywiście, dobrze rozumiała, dlaczego to robili, i była im wdzięczna za troskę i starania. Co nie zmieniało faktu, że czuła się osaczona i ubezwłasnowolniona. Jak tak dalej pójdzie, gdy rano wejdzie do łazienki, żeby umyć zęby, ktoś z domowników wyskoczy z kąta, by wycisnąć jej pastę na szczoteczkę.

Wędrowała wzdłuż półek, wrzucając od wózka najpotrzebniejsze rzeczy. A potem skierowała się w stronę działu z kosmetykami, bo pomyślała, że może nowa szminka poprawi jej humor. Ale wystawione odcienie wydawały jej się zbyt ciemne lub zbyt jasne, zbyt jaskrawe lub zanadto przytłumione.

Ostatnio była taka blada i wymizerowana, że gdyby kupiła pomadkę w żywym kolorze, jej usta wyglądałyby jak umazane krwią.

Może więc raczej nowe perfumy? Jednak gdy tylko powąchała pierwsze dwa testery, natychmiast zrobiło jej się niedobrze.

– Och, daj sobie spokój – mruknęła, po czym zerknęła na córeczkę, która wyciągała rączkę, by dosięgnąć obrotowego stojaka z tuszami do rzęs i ołówkami do oczu.

– Jeszcze musisz na to długo poczekać, młoda damo. Ale przyznaję, że fajnie jest być dziewczyną – można się świetne bawić takimi drobiazgami. Kiedyś się o tym przekonasz. – Hayley na chybił trafił wzięła któryś z tuszów i wrzuciła do wózka. – Tyle że dzisiaj coś nie jestem w rozrywkowym nastroju. Więc może lepiej chodźmy poszukać twoich pieluch. A jeżeli będziesz naprawdę grzeczna, mama kupi ci jakieś nowe książeczki z obrazkami.

Ruszyła przed siebie bardzo wolnym krokiem, bo wiedziała, że kiedy stąd wyjdzie, będzie musiała odwieźć Lily do opiekunki, a potem pojechać do pracy, gdzie przez cały czas ktoś będzie siedział jej na głowie.

A tymczasem ona tęskniła do normalności!

Rzut oka na najbliższą półkę sprawił, że stanęła jak wryta.

Poczuła nudności i przypływ paniki – ostre, podszyte strachem ściskanie w dołku. Przeprowadziła w głowie szybkie obliczenia.

Zacisnęła z całej siły powieki, odmawiając w duchu błagalną modlitwę. A potem zerknęła na szczęśliwą buzię Lily i sięgnęła po test ciążowy.

Ze sztucznym uśmiechem przyklejonym do twarzy oddała Lily w ręce opiekunki. A potem postanowiła, że w drodze do domu nie będzie o niczym myśleć. Postara się zachować idealny spokój. Natomiast jak już dotrze do Harper House, pobiegnie na górę i zrobi test. Dwa razy. A kiedy ujrzy negatywny wynik – bo przecież to oczywiste, że będzie negatywny – ukryje gdzieś opakowanie i pozbędzie się go dyskretnie w odpowiedniej chwili, by nikt się nie zorientował, że przeżyła atak paranoi.

Zaparkowała przed domem i starannie ukryła test pod innymi zakupami. Ledwie jednak postąpiła dwa kroki w stronę frontowego ganku, gdy tuż przed nią ukazał się David – niczym dżin z butelki.

– Cześć, skarbie. Pomóc ci z tymi paczkami?

– Nie! – Przycisnęła torby kurczowo do piersi, jakby zawierały najcenniejsze skarby. – Nie, dziękuję – powtórzyła bardziej opanowanym głosem. – Nie są ciężkie, zaniosę je od razu do siebie na górę. Poza tym chciałabym się w spokoju wysikać, jeżeli nie masz nic przeciwko temu.

– Nic zupełnie. Sam czasami muszę to robić.

Hayley poniewczasie zdała sobie sprawę, że potraktowała niegrzecznie przyjaciela i zmęczonym gestem przesunęła dłonią po twarzy.

– Przepraszam cię. Jestem w kiepskim nastroju.

– To także mi się zdarza. – Wyciągnął z kieszeni rulonik wiśniowych dropsów. – Proszę, poczęstuj się. Zazwyczaj pomagają.

Uśmiechnęła się i posłusznie sięgnęła po cukierka.

– To przynajmniej odrobinę osłodzi ci życie. – Sam też wsunął dropsa do ust. – Nie mogę się przestać o ciebie martwić, skarbie.

– Tak, wiem. Jeżeli nie zejdę na dół za piętnaście minut, możesz wezwać kawalerię, OK?

– Umowa stoi.

Hayley pognała do swojego pokoju i rzuciła torby na łóżko. A niech to szlag! Zapomniała o pieluchach! Przeklinając szpetnie pod nosem, chwyciła oba testy i wskoczyła do łazienki.

Przez chwilę bała się, że nie uda jej się wydusić ani kropli moczu. Jak pech, to już na całego. Nakazała sobie spokój, odetchnęła głęboko kilka razy, a na koniec zmówiła krótką modlitwę.

Kilka minut później, wciąż czując w ustach smak wiśni, wpatrywała się w okienko testera, w którym jak byk widniał napis CIĄŻA.

– O, nie! – Zaczęła potrząsać testerem niczym termometrem, jakby w ten sposób mogła zmienić wskazanie. – Nie, nie, nie! Co to w ogóle ma być? Kim ty, do diabła jesteś, kobieto? – Zwiniętą w pięść dłonią uderzyła się w brzuch tuż poniżej pępka. – Co ty tam masz? Jakiś wabik na spermę?

Przerażona i zdesperowana, usiadła na ubikacji i zakryła twarz dłońmi.

Chociaż najchętniej wpełzłaby do szafki pod umywalką, zwinęła się w kłębek i nie wychodziła stamtąd przez następnych dziewięć miesięcy, nie miała zbyt wiele czasu na sesję użalania się nad sobą, bo musiała jechać do pracy. Umyła ręce, po czym ochlapała zimną wodą twarz, by zminimalizować efekty płaczu.

– Płacz, jasne, płacz – przemówiła do siebie drwiącym tonem. – Wystarczy, że będziesz ryczeć dostatecznie długo, a z pewnością zmieni się napis na tym idiotycznym teście. Jak spojrzysz, przeczytasz: „Prima aprilis, Hayley, nie będziesz miała dziecka". Boże, jak można być tak bezdenną idiotką!

Z trudem zapanowała nad kolejną falą łez, pociągnęła kilka razy nosem i spojrzała w lustro.

– Za przyjemności trzeba w życiu płacić. Musisz się z tym pogodzić.

Szybko poprawiła makijaż i poczuła się nieco lepiej. A jeszcze bardziej przypadła sobie do gustu, gdy wsunęła na nos ciemne okulary.

Drżącymi rękoma, rozglądając się na boki niczym kryptonarkomanka, wsunęła pudełka z testami na dno szuflady z bielizną, po czym wyszła z pokoju.

David już się wynurzał zza zakrętu schodów.

– Właśnie miałem wyciągnąć swoją sygnałówkę.

Spojrzała na niego nieprzytomnym wzrokiem.

– Co takiego?

– Żeby wezwać kawalerię, skarbie.

– Przepraszam. Ja... Po prostu wybacz.

Spodziewała się, że David zaraz się uśmiechnie, on jednak stanowczo pokręcił głową.

– Nie. Nie zamierzam udawać, że nie widzę, co się dzieje. Dlaczego płakałaś?

– Słuchaj, nie mogę teraz rozmawiać – odparła łamiącym się głosem. – Spóźnię się do pracy. Muszę jechać.

– „Eden" się bez ciebie nie zawali. W tej chwili musisz przede wszystkim zejść ze mną do mojego gabinetu. – Chwycił ją za rękę i pociągnął w dół, by usiadła z nim na schodach. – A teraz opowiedz wujkowi Davidowi o swoich kłopotach.

– Ja nie mam kłopotów. Ja jestem w kłopocie. – Nie zamierzała mu o tym mówić, nie chciała mówić nikomu. Przynajmniej dopóki wszystkiego nie przemyśli, nie uładzi się sama ze sobą. David jednak otoczył ją ramieniem, przytulił mocno do siebie, i nagle, zupełnie nie wiadomo kiedy, słowa same popłynęły z jej ust.

– Jestem w ciąży.

– Ach, tak. – Zaczął ją gładzić delikatnie po ramieniu. – Cóż, obawiam się, że moje cudowne trufle temu nie zaradzą.

Hayley wcisnęła twarz w jego koszulę.

– Jestem jakąś cholerną bombą płodności, Davidzie. I co ja teraz zrobię? Co ja, do cholery, mam począć?

– To, co dla ciebie najlepsze. Zacznijmy jednak od najważniejszego. Jesteś pewna swojego stanu?

Pociągając nosem wyciągnęła tester z kieszeni.

– Widzisz, co tu jest napisane?

– Uhm. Orzeł wylądował. – Ujął ją delikatnie pod brodę i spojrzał jej w oczy. – I jak się czujesz?

– Jestem przerażona, ze strachu zbiera mi się na mdłości. Czuję się jak ostatnia idiotka. Myśmy się zabezpieczali, Davidzie. Nie zachowywaliśmy się jak para oszołomionych hormonami nastolatków na tylnym siedzeniu chevroleta. Ja po prostu muszę mieć jakieś superjajeczka, które nie znają żadnych barier i po prostu zasysają spermę.

Wybuchnął śmiechem, po czym znowu ją przytulił.

– Przepraszam, wiem, że dla ciebie to wcale nie jest zabawne. Zastanówmy się jednak spokojnie nad sytuacją. Przecież kochasz Harpera.

– Oczywiście, ale...

– I on kocha ciebie.

– Tak, ale... Och, Davidzie, jesteśmy razem od tak niedawna. Od tak niedawna jesteśmy w sobie zakochani. Może i wyobrażałam sobie, jak się to dalej potoczy, ale tak naprawdę nie robiliśmy jeszcze żadnych planów na przyszłość. W ogólne nawet nie wspominaliśmy o wspólnym życiu.

– Cóż, zrobicie to teraz, skarbie.

– Czy istnieje jakiś mężczyzna, który nie czułby się złapany w pułapkę, gdy kobieta przychodzi do niego i oznajmia, że jest w ciąży?

– Chcesz mi powiedzieć, że samodzielnie doprowadziłaś do poczęcia?

– Och, to nie w tym rzecz.

– Hayley. – David zsunął palcem jej ciemne okulary nisko na nos, po czym spojrzał dziewczynie prosto w oczy. – Właśnie dokładnie w tym rzecz. W przypadku Lily zrobiłaś to, co uznałaś za najlepsze dla siebie, dziecka i jego biologicznego ojca. Osobiście uważam, że postąpiłaś słusznie – chociaż mogę się mylić – z pewnością jednak bardzo odważnie. Teraz znowu musisz wykazać się odwagą i zrobić to, co najlepsze dla wszystkich zainteresowanych stron. Musisz powiedzieć Harperowi.

– Nie wiem jak. Na samą myśl o podobnej rozmowie robi mi się niedobrze.

– W takim razie powiem ci jedno: może go i kochasz, ale nie potrafisz docenić, jak przyzwoitym jest człowiekiem.

– Problem właśnie w tym, że potrafię. – Raz jeszcze zerknęła na okienko testera, a widniejące tam złowrogie słowo wydawało się odbijać zdwojonym echem w jej głowie. – Harper zachowa się jak na przyzwoitego mężczyznę przystało. Skąd jednak będę wiedzieć, czy zrobi tak, bo mnie kocha, czy dlatego, że uważa to za słuszne?

David się nachylił i pocałował ją w skroń.

– Nie martw się, skarbie. Będziesz wiedzieć.

Wszystko, co mówił David, było rozsądne i logiczne. I dojrzałe. Niestety, ani trochę nie ułatwiało czekającego ją zadania.

Jakże chciałaby odwlec tę rozmowę o kilka dni, zlekceważyć sytuację, zapomnieć o kłopocie. A nawet udawać, że to wszystko nieprawda, że to tylko zły sen. Podobne zachowanie byłoby jednak bezmyślne, egoistyczne i dziecinne.

Kiedy tylko przyjechała do „Edenu", wśliznęła się do najbliższej toalety, żeby przeprowadzić drugi test. Szybko wypiła pół litra wody i zacisnęła dłonie na kciukach, zaraz jednak powiedziała sobie, że czas najwyższy skończyć z podobnymi idiotyzmami.

Mimo to spojrzała na okienko drugiego testera tylko jednym okiem.

Kolejny test potwierdził wskazania poprzedniego. Cóż, nadal w ciąży, pomyślała. Tym razem jednak nie wybuchnęła płaczem ani nie zaczęła przeklinać losu. Wetknęła tester do kieszeni spodni i otworzyła drzwi ze stanowczym przekonaniem, że musi zrobić, co do niej należy. Musi zawiadomić Harpera.

Chociaż właściwie dlaczego? Niby czemu miałaby mu o tym powiedzieć? Mogłaby się szybko spakować i wyjechać. Zniknąć bez słowa. Ostatecznie to dziecko było jej. Jej własne.

Harper to bogaty, wpływowy mężczyzna. Odbierze jej maleństwo, a ją odprawi. Pragnie mieć jej syna. Dla chwały swojego nazwiska wykorzysta ją niczym rozpłodową klacz, a potem wydrze jej to, co najdroższe.

Tymczasem on nie ma żadnego prawa do jej własności. Nie ma prawa odbierać jej tego, co rozwija się w jej łonie.

– Hayley!

– Co takiego? – Podskoczyła niczym złodziej przyłapany na gorącym uczynku i nieprzytomnym wzrokiem spojrzała na Stellę.

Okazało się, że stoi wśród wielkolistnych roślin, kilkadziesiąt metrów od toalety.

Jak długo tkwiła w tym miejscu zatopiona we własnych myślach?

– Dobrze się czujesz?

– Jestem dziś trochę zakręcona. – Hayley odetchnęła głęboko. – Przepraszam za spóźnienie.

– Nie ma o czym mówić.

– Nadrobię stracony czas, obiecuję. Ale... muszę porozmawiać z Harperem. Muszę z nim porozmawiać, zanim na dobre zabiorę się do pracy.

– Jest w cieplarni. Prosił, żeby go zawiadomić, jak przyjdziesz. Hayley, bardzo bym się chciała dowiedzieć, co się stało.

– Najpierw muszę porozmawiać z Harperem.

Ruszyła szybko przed siebie pomiędzy stołami zastawionymi skrzynkami pełnymi sadzonek, przecięła asfaltową alejkę, minęła szklarnie. Po okresie letniej stagnacji interes znowu zaczynał się kręcić. Upały nieco zelżały i ludzie zaczęli myśleć o sadzeniu typowo jesiennych kwiatów. Chłopcy Stelli mieli lada dzień rozpocząć szkołę po wakacyjnej przerwie. Dni stawały się coraz krótsze.

Życie nie przestanie się toczyć własnym rytmem tylko dlatego, że ona znalazła się w tarapatach.

Zawahała się przed drzwiami cieplarni, bo w głowie – jeszcze przed chwilą pełnej najróżniejszych myśli – miała w tej chwili przerażającą pustkę.

Zebrała się jednak na odwagę i weszła do środka. Uderzyła ją fala ciepłego, wilgotnego powietrza i dźwięków. Nie rozpoznała kompozytora ani utworu – była to jakaś kompozycja na harfę i flet. Hayley wiedziała jednak dobrze, że w słuchawkach Harpera dudni zupełnie inna muzyka.

– Aha, oto osoba, którą właśnie chciałem zobaczyć. – Jedną ręką machnął w stronę dziewczyny zapraszającym gestem, drugą ściągnął z uszu słuchawki. – Tylko sama popatrz.

– Na co?

– Na nasze maleństwa.

Hayley aż się wzdrygnęła, słysząc te słowa, ale Harper na szczęście tego nie zauważył, bo akurat odwrócił się w stronę stołu.

– Rozwijają się wprost książkowo – ciągnął. – Widzisz? Zalążnie już nabrzmiały.

Hayley posłusznie stanęła przy nim i spojrzała na rośliny, które razem krzyżowali kilka tygodni temu.

– Strąki nasienne są już dobrze uformowane. Damy im jeszcze trzy do czterech tygodni, by nasiona dojrzały. Wówczas czubek pęknie, a wtedy zbierzemy nasiona i wsadzimy je do doniczek. Na wiosnę powinny zakiełkować. Kiedy będą miały około dziesięciu centymetrów, przeniesiemy je na rabaty.

– I co potem? – spytała.

Rozmowa na temat wspólnego ogrodniczego przedsięwzięcia nie była żadnym odwlekaniem nieprzyjemnego momentu. Ostatecznie tego... wymagała grzeczność.

– W następnym roku powinny zakwitnąć. Wówczas porównamy ich wygląd z naszymi wstępnymi założeniami. Będziemy mieć też nadzieję, że otrzymamy przynajmniej jedną – a stawiam na to, że nawet dwie – minililię o jaskraworóżowych płatkach z odrobiną szkarłatu. Właśnie ją nazwiemy „Lily, córka Hayley".

– A jeśli nie?

– Pesymizm nie jest sprzymierzeńcem ogrodnika, ale jeżeli nie otrzymamy takiej lilii, o jakiej marzyliśmy, będziemy mieli coś innego, zapewne także pięknego. Podejmiemy wtedy kolejną próbę. A gdy już o próbach mowa, pomyślałem, że może chciałabyś popracować ze mną nad różą – specjalną różą dla mojej mamy.

– Uhm... – Jeżeli to będzie dziewczynka, czy powinni nazwać ją Rose? – Z przyjemnością. Jak to uroczo z twojej strony, że o tym pomyślałeś.

– Tak naprawdę to pomysł Mitcha, ale on nie byłby w stanie wyhodować choćby rzeżuchy. Chciałby, żeby ta róża była czarna. Jeszcze nikomu nie udało się uzyskać prawdziwej czerni, chętnie jednak się pobawię i zobaczę, co z tego wyniknie. To najlepszy czas na takie eksperymenty. Zazwyczaj właśnie o tej porze czyszczę cieplarnię, odkażam, wietrzę i suszę. Higiena jest tu niezwykle ważna, a róże są pod tym względem wyjątkowo wymagające. Trzeba im też poświęcić wiele czasu i pracy, ale pomyślałem, że może uznasz to za niezłą rozrywkę.

Jest taki podekscytowany myślą o powołaniu do życia czegoś całkiem nowego i niepowtarzalnego, pomyślała Hayley. Ciekawe, czy nadal będzie taki zadowolony, gdy się dowie, że już czegoś podobnego dokonał.

– Kiedy zajmujesz się krzyżowaniem, wybierasz odpowiednie rośliny – dawcę pyłku i znamienia. Dokonujesz starannej selekcji, by otrzymać określone, pożądane cechy.

Ona ma niebieskie oczy, Harper – brązowe. On jest cierpliwy, ona – impulsywna. Jaki będzie efekt takiego połączenia?

– Owszem. W zamierzeniu ma powstać roślina o najlepszych cechach obojga rodziców.

Jego gwałtowność, jej upór. Boże!

– Ludzie nie kierują się podobnymi zasadami.

– Hm. – Włączył komputer i wprowadził odpowiednie dane. – Pewnie nie.

– Niekiedy nawet nie mogą starannie zaplanować stworzenia nowego życia. To znaczy, nie spotykają się i nie mówią: Hej, może się zhybrydyzujemy?

Harper parsknął śmiechem.

– Nigdy na to nie wpadłem, żeby tak zagadać do dziewczyny w barze, muszę jednak zapamiętać ten tekst. I odłożyć ad acta, bo skoro mam już dziewczynę, na nic mi się on teraz nie przyda.

– Mnie nigdy nie zagadywałeś w żaden sposób – wypomniała mu. – A tak przy okazji, przypominam ci, że celem hybrydyzacji jest przede wszystkim powołanie do życia czegoś zupełnie innego niż to, co już istnieje. A nie zabawa i rozrywka.

– Uhm. Słuchaj, czy pokazywałem ci moją kalinę? Miałem z nią na początku trochę kłopotów, teraz jednak jestem bardzo zadowolony z rezultatów.

– Harperze. – Już nie mogła dłużej powstrzymywać płaczu. – Kochany, tak bardzo mi przykro.

– Nie ma o czym mówić. Wiem, jak sobie radzić z kalinami.

– Jestem w ciąży.

Stało się. A więc mu powiedziała. Szybko i bez zawracania głowy. Jakby jednym, gwałtownym ruchem zerwała plaster z rany.

– Co takiego?

Przestał uderzać w klawisze komputera i powoli obrócił się w jej stronę.

Nie umiała zinterpretować wyrazu jego twarzy. Może dlatego, że z powodu łez, obraz rozmywał jej się przed oczami. Nie umiała zinterpretować tonu jego głosu. Pewnie dlatego, że w uszach słyszała jedynie tępe dudnienie.

– Powinnam się była domyślić. Ciągle się czułam zmęczona, nie dostałam okresu – o którym zresztą całkiem zapomniałam – kręciło mi się w głowie, miałam nudności i przerażająco zmienne nastroje. Ale kompletnie zatraciłam trzeźwość myślenia. Byłam przekonana, że te wszystkie dolegliwości są skutkiem moich zmagań z Amelią. Nie pokojarzyłam oczywistych faktów. Bardzo więc cię przepraszam...

Ta przemowa była tak bezsensowna, że Hayley praktycznie nie rozumiała samej siebie. Zamilkła więc gwałtownie, a wówczas Harper uniósł rękę.

– Powiedziałaś, że jesteś w ciąży? W ciąży?

– Rany, czy mam ci to przeliterować. – Niepewna, czy wpaść w gniew czy wybuchnąć płaczem, Hayley gwałtownym ruchem wyciągnęła test z kieszeni. – Proszę. Sam przeczytaj: c-i-ą...

– Zaraz, zaraz. – Harper wziął od niej test i popatrzył w okienko. – Kiedy się o tym dowiedziałaś?

– Dzisiaj. Niecałą godzinę temu. Pojechałam do Wal-Mart po kilka najpotrzebniejszych rzeczy. Zapomniałam o pieluchach Lily, za to kupiłam tusz do rzęs. Co ze mnie za matka?!

– Uspokój się. – Podszedł, wziął ją za ramiona i posadził na najbliższym stołku. – Dobrze się czujesz? Nic cię w związku z tym nie boli?

– Oczywiście, że nie. To ciąża, na Boga, a nie nowotwór w ostatnim stadium.

– Nie musisz mi się od razu rzucać do gardła. – Podrapał się po karku, po czym zaczął jej się uważnie przyglądać – mniej więcej tak samo, jak swoim roślinom. – To ostatecznie mój pierwszy dzień w roli przyszłego ojca. Ja bardzo jesteś w ciąży?

– Że bardziej już być nie mogę.

– Do diabła, Hayley, dobrze wiesz, o co pytam. Od jak dawna, czy jak to się tam fachowo nazywa?

– Myślę, że w piątym, szóstym tygodniu.

– Jak duże jest teraz dziecko?

Przesunęła dłonią po włosach.

– Nie wiem. Pewnie mniej więcej jak ziarnko ryżu.

– Coś podobnego! – Położył dłoń na jej brzuchu. – A kiedy zacznie się poruszać? Kiedy będzie miało... rączki i paluszki?

– Harper!

– Nie mam o tym wszystkim zielonego pojęcia. A chciałbym wiedzieć. Musisz iść do lekarza, prawda? – Chwycił ją gwałtownie za rękę. – Najlepiej jedźmy od razu.

– Na razie nie ma takiej potrzeby. I co my teraz zrobimy?

– Jak to, co zrobimy? Będziemy mieli dziecko! Ale heca! – Poderwał ją ze stołka i uniósł w ramionach, uśmiechając się przy tym od ucha do ucha. – Będziemy mieli dziecko!

– Nie jesteś wściekły?

– A czemu miałbym być?

– Ponieważ... ponieważ...

Delikatnie posadził ją z powrotem na stołku.

– Nie chcesz tego dziecka – powiedział chłodnym tonem.

– Nie wiem. Skąd mam wiedzieć, czego chcę? Nie jestem w ogóle w stanie myśleć.

– Czyżby ciąża zakłócała fale mózgowe? To ciekawe.

– Ja...

– Dobrze. W takim razie pomyślę logicznie za ciebie. Najpierw pójdziesz do lekarza, żeby sprawdzić, czy wszystko w porządku. Potem się pobierzemy. A na wiosnę urodzi nam się dzidziuś.

– Pobierzemy? Harperze, ludzie nie powinni się żenić tylko dlatego, że...

– W moim świecie, gdzie niebo jest niebieskie, a słońce wschodzi i zachodzi, ludzie, którzy się kochają i oczekują dziecka, po prostu biorą ślub. Może w naszym wypadku sprawy nabrały nieoczekiwanego przyspieszenia, więc plan zostanie zrealizowany wcześniej, niż się spodziewaliśmy, ale to nie szkodzi.

– Czyżbyśmy mieli jakiś plan?

– Ja miałem. – Miękkim ruchem założył jej włosy za uszy. – Chcę, żebyś była moja, Hayley. Pragnę tego dziecka. Dlatego zrobimy wszystko, jak należy. Koniec, kropka.

– A więc rozkazujesz mi, żebym za ciebie wyszła?

– Miałem zamiar nakłonić cię do tego moim osobistym urokiem. Ale skoro sytuacja uległa zmianie – a ciąża zaburzyła twoje procesy myślowe – zrobimy to po mojemu.

– Nawet nie jesteś zmartwiony.

– Nie. Może trochę zaskoczony, ale z pewnością szczęśliwy. Lily też będzie zachwycona. Mały braciszek lub siostrzyczka, którymi można dyrygować. A tylko poczekaj, jak moi bracia się dowiedzą, że zostaną wujkami, mama zaś, że zostanie...

– Babcią – dokończyła za niego Hayley, w cichości ducha rozbawiona, bo po raz pierwszy ujrzała w oczach Harpera błysk niepokoju. – Myślisz, że ją to ucieszy?

– Wkrótce się dowiemy.

– Rany! Mnie nadal to wszystko nie mieści się w głowie. – Hayley przycisnęła dłonie do skroni. – Nawet nie mogę zdecydować, co właściwie czuję w tej chwili. – Opuściła ręce na kolana i spojrzała uważnie na Harpera. – Słuchaj, nie sądzisz, że to wielka pomyłka?

– Nasze dziecko nie jest żadną pomyłką. – Chwycił ją w ramiona, a tymczasem Hayley z trudem walczyła ze łzami. – Ale z pewnością to wielka niespodzianka.

# 18

$P$rzez resztę dnia chodził oszołomiony. Tyle rzeczy trzeba było rozważyć, zaplanować, przygotować.

Pierwsze kroki zdawały się oczywiste – najpierw trzeba zabrać Hayley do lekarza, żeby sprawdził, czy z nią i z dzieckiem wszystko w porządku. On natomiast musi jak najszybciej znaleźć odpowiednią lekturę – dowiedzieć się dokładnie, co się dzieje z dzieckiem w macicy, żeby łatwiej mógł sobie wyobrazić wszystkie stadia rozwoju.

Pobiorą się najszybciej jak to możliwe, ale nie w jakimś dzikim pędzie. Ceremonia nie może być banalna, zorganizowana na chybcika. Nie chciał tego ze względu na Hayley, ale także – jak doszedł do wniosku po zastanowieniu – i ze względu na własne uczucia.

Najbardziej pragnąłby, żeby uroczystość odbyła się w Harper House – w ogrodach, które pomagał pielęgnować, w cieniu jego rodzinnego domu. Właśnie tam chciałby przysiąc Hayley wierność i miłość, przysiąc miłość Lily i temu dziecku, które teraz przypominało ziarenko ryżu.

Potem Hayley i Lily wprowadzą się do niego. Poprosi mamę, żeby wyraziła zgodę na rozbudowę powozowni, oczywiście przy zachowaniu charakteru i atmosfery budynku.

Dzieci będą potrzebowały przestrzeni, a Harper marzył o tym, żeby wychowywały się na terenie rodzinnej posiadłości – wśród jej ogrodów i zagajników, w atmosferze przepojonej tradycją i historią, której one też staną się cząstką.

Ale przede wszystkim musi zrobić jedno.

Znalazł matkę w ogrodzie, Roz obsadzała dużą rabatę astrami i chryzantemami.

Miała na dłoniach cienkie, bawełniane rękawiczki – mocno sfatygowane, bo przeżyły wiele sezonów ogrodniczych. Do tego bawełniane spodnie już poplamione trawą i ziemią. Na bose stopy wsunęła klapki – Harper wyraźnie widział jej gołe pięty, gdy klęczała na skraju ścieżki.

Kiedy był dzieckiem, wierzył, że mama jest niezniszczalna – niczym superwoman z kreskówek i komiksów. Była wszystkowiedząca, umiała odgadnąć jego najtajniejsze sekrety. Potrafiła udzielić odpowiedzi, gdy ich potrzebował. Przytulała go, a czasami rozdawała klapsy. Chociaż do dziś uważał, że nie na wszystkie z nich zasłużył.

Ale przede wszystkim zawsze była przy nim, gdy jej potrzebował. W złych chwilach i dobrych, a także tych całkiem przeciętnych.

Spojrzała na niego, gdy się zbliżał, i odruchowo otarła czoło dłonią. Po raz kolejny uderzyła Harpera jej niezwykła uroda – z tym niezwykle spokojnym wyrazem twarzy wyglądała przepięknie nawet w czapce naciągniętej na oczy.

– Świetnie mi się dzisiaj pracowało – powiedziała. – Postanowiłam iść za ciosem i upiększyć tę rabatę. Dziś w nocy ma padać.

– Uhm. – Odruchowo spojrzał w niebo. – Przydałaby się niezła ulewa.

– Oby wysłuchały cię dobre moce. – Roz, siedząca pod słońce, zmrużyła oczy i spojrzała uważnie na syna. – Rety, ale masz poważny wyraz twarzy. Może zechcesz przysiąść obok mnie, żebym nie musiała tak boleśnie wykręcać szyi?

Przykucnął u jej boku.

– Musimy porozmawiać.

– Wiem. Wystarczy spojrzeć na twoją minę.

– Hayley jest w ciąży.

– No, no. – Rosalind powolnym, precyzyjnym ruchem odłożyła na bok rydelek. – No, no, no.

– Dzisiaj się dowiedziała. To jakiś szósty tydzień. W pierwszej chwili nie skojarzyła symptomów – zdaje się, że nazywacie to symptomami – bo wszystko kładła na karb ostatnich przeżyć.

– To całkiem zrozumiałe. A jak przyjęła dobrą nowinę?

– Jest trochę przygnębiona i przestraszona.

Roz wyciągnęła rękę i zdjęła synowi z oczu przeciwsłoneczne okulary.

– A ty? – spytała.

– Oswajam się z tą wiadomością. Ja kocham Hayley, mamo.

– Wiem, synku. Ale czy jesteś szczęśliwy?

– Kłębi się we mnie mnóstwo emocji. Szczęście jest jedną z nich. Wiem, że wolałabyś, aby sprawy potoczyły się w nieco innej kolejności.

– Harperze, moje życzenia i preferencje nie mają najmniejszego znaczenia. – Rosalind chwyciła niebieski aster i włożyła do uprzednio wykopanego dołka, a potem szybkimi, wprawnymi ruchami uklepała ziemię wokół sadzonki. – Ważne, czego pragniesz ty i czego chce Hayley. Najistotniejsze zaś jest dobro małej dziewczynki i tego nienarodzonego dziecka.

– Chcę być ojcem dla Lily. Chcę ożenić się z Hayley i oficjalnie adoptować małą. Pragnę tego dziecka, które jest jeszcze dla mnie tajemnicą. Zdaję sobie sprawę, że to wszystko spada na ciebie bardzo nieoczekiwanie. Jakbym wrzucił musującą tabletkę do wody i – pac! oto mam gotową rodzinę, ale... Nie płacz, mamo. Błagam, tylko nie płacz.

– Mam prawo do kilku łez, gdy mój pierworodny oznajmia mi, że uczyni ze mnie babkę. Do diabła, w takiej sytuacji każda kobieta ma prawo do płaczu. Gdzie, do cholery, jest moja chustka?

Harper wyjął chustkę z tylnej kieszeni spodni matki i podsunął jej pod oczy.

– Chyba muszę usiąść. – Klapnęła na ścieżkę, wytarła łzy i wydmuchała nos. – Wiedziałam, że kiedyś nadejdzie ten dzień. Każda matka to wie od chwili, gdy pierwszy raz trzyma swoje dziecko w ramionach. Oczywiście, wówczas o tym nie myśli, ale gdzieś w podświadomości tkwi przekonanie, że oto parki zaczynają prząść nić nowego życia, którym będą rządzić odwieczne cykle. Synku... – Rosalind rozpostarła ramiona. – Zostaniesz tatą, skarbie.

– Uhm. – Wtulił twarz w jej szyję, jak w czasach dzieciństwa.

– Ja natomiast będę babką. – Odsunęła się, ucałowała syna w oba policzki. – Już na swój sposób jestem, bo kocham Lily. Chcę, żebyście z Hayley o tym pamiętali. I bardzo się cieszę waszym szczęściem, mimo że maleństwo urodzi się akurat w czasie największego ruchu w „Edenie".

– Rety. O tym nie pomyślałem.

– Wyjątkowo ci wybaczam. – Zaśmiała się, po czym ściągnęła rękawiczki. – Czy już ją poprosiłeś o rękę?

– Mniej więcej. Choć głównie nakazałem jej, co ma zrobić. Proszę, przestań na mnie patrzeć w taki sposób!

Wzrok matki pozostał jednak twardy i zimny.

– Nie zasługujesz na nic innego.

– Zajmę się tym w najbliższym czasie. – Chwycił dłonie Rosalind i uniósł do ust. – Kocham cię, mamo. I jestem ci wdzięczny, że tak wysoko zawiesiłaś poprzeczkę.

– O jakiej poprzeczce mowa?

Harper spojrzał matce prosto w oczy.

– Nie mógłbym się związać z kobietą, której bym nie kochał i nie szanował tak jak ciebie.

Roz poczuła, że znowu do oczu napływają jej łzy.

– Jeszcze chwila, a będę potrzebować kolejnej chustki.

– Chcę dać Hayley wszystko, co najlepsze. Ale na początek, chciałbym jej podarować pierścionek zaręczynowy babci Harper. Kiedyś powiedziałaś, że jak się będę żenił...

– Mój chłopiec – Ucałowała go z dumą. – Wreszcie odezwał się mężczyzna, na jakiego cię wychowałam. Przyszykuję dla ciebie ten pierścionek i obrączki dziadków.


Do tej pory nigdy nie myślał o tym, jak powinien prosić kobietę o rękę. Jak poprosić tę jedyną, by zgodziła się za niego wyjść. Przy wystawnej kolacji? W trakcie niezobowiązującego pikniku? Czy raczej zorganizować to tak, by w przerwie meczu, na tablicy z wynikami, pojawił się gigantyczny napis: CZY ZECHCESZ ZOSTAĆ MOJĄ ŻONĄ?

Boże, co za banał, pomyślał natychmiast.

I w końcu doszedł do wniosku, że powinien zrobić to w miejscu, w którym oboje czuliby się najlepiej i najswobodniej.

Zabrał więc Hayley na spacer po ogrodzie.

– Głupio mi, że znowu obarczyłam twoją mamę opieką nad Lily. Ostatecznie to tylko ciąża, a nie ciężkie kalectwo.

– Wiesz, że sama tego chciała. A ja marzyłem o godzinie tylko w twoim towarzystwie. Proszę... bardzo proszę, nie wysnuwaj od razu jakichś idiotycznych wniosków. Niemal widzę, co się w tej chwili dzieje w twojej głowie. Przecież dobrze wiesz, że uwielbiam Lily i – szczerze mówiąc – nie zamierzam tracić czasu na wyjaśnianie rzeczy oczywistych.

– Wiem, Harperze. Wiem, że kochasz moją córeczkę. Po prostu wciąż nie mogę pojąć, co się dzieje. Przecież nie puszczam się na prawo i lewo. A tymczasem po raz drugi zaszłam w nieplanowaną ciążę.

– Nie, tym razem wszystko jest inaczej. Widzisz tę śliwę?

– Potrafię ją odróżnić od innych drzew tylko wtedy, gdy kwitnie.

– To właśnie jest ta śliwa. – Harper chwycił w dłoń połyskliwy liść. – Rodzice ją posadzili tuż po moich narodzinach. Takie samo posadzimy dla Lily i dla naszego nowego dziecka. Dzięki temu drzewu, posadzonemu dla mnie niemal trzydzieści lat temu, czuję, że tutaj właśnie jest moje miejsce na ziemi. I nasze dzieci będą dorastać z tą samą świadomością.

Harper wyjął z kieszeni malutkie puzderko, Hayley zaś aż zabrakło tchu z wrażenia.

– O, mój Boże!

– Nie zamierzam przed tobą klękać, bo nie chcę się czuć jak ostatni idiota.

– Klękanie to symboliczne wyrażenie lojalności.

– Mnie będziesz musiała uwierzyć na słowo. Chcę, żebyśmy budowali to, co zaczęliśmy tworzyć – ty, ja i Lily. Pragnę naszego nienarodzonego dziecka, Hayley. Chcę przeżyć z tobą całe życie. Jesteś pierwszą kobietą, którą pokochałem. I będziesz ostatnią.

– Harper... po prostu... zabrakło mi tchu.

Otworzył puzderko i uśmiechnął się na widok oczu Hayley, pełnych zachwytu.

– Ten pierścionek należał do mojej babci. Jest raczej staroświecki, jak sądzę.

– Osobiście... – znów z trudem powstrzymywała łzy. – Osobiście wolę określenie „klasyczny". Rany, Harper! Roz musi...

– Obiecała mi go dawno temu. A teraz wręczyła, żebym podarował tobie – kobiecie, z którą zamierzam przeżyć życie. Chciałbym, żebyś go nosiła. Czy zgodzisz się zostać moją żoną, Hayley?

– Jesteś cudowny, Harperze.

– Jeszcze nie skończyłem.

– Nie wierzę – zaśmiała się nerwowo. – To można dostać jeszcze więcej?

– Chciałbym, żebyś przyjęła moje nazwisko. Chciałbym, żeby także Lily nosiła moje nazwisko. Chcę wszystkiego, Hayley. Nie zadowolę się półśrodkami.

– Czy zdajesz sobie sprawę z tego, co mówisz? – Dotknęła dłonią jego policzka. – Czy ty w ogóle wiesz, co robisz?

– Doskonale. I radzę ci, żebyś jak najszybciej odpowiedziała na moje pytanie. Wolałbym nie psuć tej romantycznej chwili. Nie zmuszaj mnie więc, bym powalił cię na ziemię i siłą wepchnął ci ten pierścionek na palec.

– Nie będziesz musiał się do tego posuwać. – Przymknęła oczy, pomyślała o kwitnącej śliwie i wieloletniej tradycji kultywowanej przez pokolenia. – Wiedziałam, że mnie poprosisz o rękę, gdy ci powiem o ciąży. Bo ty już taki jesteś. Robisz to, co należy. Kierujesz się poczuciem przyzwoitości i honorem.

– To nie...

– Ty powiedziałeś, co zamierzałeś powiedzieć. Teraz wysłuchaj mnie. Czułam się fatalnie, bo wiedziałam, jak postąpisz i bałam się, że nigdy nie będę wiedziała, czym się tak naprawdę kierowałeś. Czy uczuciem, czy jedynie poczuciem obowiązku. Teraz jednak już wszystko stało się dla mnie jasne. Dlatego wyjdę za ciebie i przyjmę twoje nazwisko, Harperze. Zgadzam się też, by nosiła je Lily. Bo wiem, że obie będziemy cię kochać do końca życia.

Harper wyjął pierścionek i wsunął go na palec Hayley.

– Jest za duży – mruknął, unosząc dłoń dziewczyny do ust.

– Już nie dostaniesz go z powrotem.

– Zabiorę go tylko na krótko, żeby jubiler go dopasował.

Hayley skinęła głową, po czym rzuciła się w jego ramiona.

– Kocham cię! Kocham! Kocham!

Zaśmiał się i pocałował ją w usta.

– Miałem nadzieję, że w końcu to powiesz.


Czuła się trochę głupio na myśl, że za chwilę powiedzą oficjalnie o swoich zaręczynach Roz i Mitchowi, a potem będą popijać szampana podanego przez Davida. Ze względu na wyjątkowość chwili, Hayley też będzie mogła dostać pół kieliszka, by wznieść toast z okazji zaręczyn i poczęcia dziecka.

Roz uściskała ją gorąco, po czym wyszeptała:

– Musimy porozmawiać. I to jak najszybciej.

– Naturalnie.

– Może więc zrobimy to od razu? Harperze, pozwolisz, że na chwilę porwę twoją dziewczynę? Chciałabym jej coś pokazać.

Nie czekając na odpowiedź, wzięła Hayley za rękę i poprowadziła w stronę schodów.

– Czy zastanawiałaś się już nad ślubem?

– Ja... Nie. To wszystko dzieje się tak szybko.

– W to nie wątpię.

– Harper... o ile wiem, marzy, żeby uroczystość odbyła się tutaj, w Harper House.

– Miałam taką nadzieję. Jeżeli będziecie mieli ochotę na wielką galę, otworzymy salę balową. Lub urządzimy ślub w ogrodzie, jeśli wolelibyście bardziej kameralną oprawę. Przedyskutujcie to między sobą i dajcie mi znać. Nie mogę już się doczekać, kiedy się zabiorę do planowania i ustalania. Lojalnie uprzedzam, że zapewne będę bardzo uparta i autorytatywna, więc będziecie musieli nieustannie powściągać moje zapędy.

– Ty nie jesteś na mnie wściekła!

– Dziwię się, że mogłaś mnie o to podejrzewać.

– Próbuję cię zrozumieć, Roz, ale naprawdę nie potrafię – wyznała Hayley, gdy ruszyły w górę po schodach.

– Nie przejmuj się. Nie ty jedna. – Rosalind skręciła w stronę swojego skrzydła.

– Nie zaszłam w tę ciążę rozmyślnie.

Roz zatrzymała się w progu sypialni i spojrzała wprost w przepełnione łzami oczy Hayley.

– Uważasz, że mogłabym cię posądzać o zimne wyrachowanie?

– Nie... Niezupełnie. Wiele osób by tak jednak pomyślało.

– Z przyjemnością więc stwierdzam, że nie zaliczam się do większości. Posłuchaj, Hayley. Mało kto zna się tak dobrze na ludziach jak ja – w całym swoim życiu pomyliłam się zaledwie raz. Przyjmij więc do wiadomości, że gdybym widziała u ciebie jakiekolwiek paskudne cechy charakteru, od dawna nie mieszkałabyś w moim domu.

– Pomyślałam... kiedy powiedziałaś, że musimy porozmawiać...

– Och, daj spokój. Dość mam już tego tematu.

Roz podeszła do łóżka i zdjęła pokrywkę z leżącego na nim pudełka, po czym wyjęła ze środka coś, co przypominało bladoniebieski obłoczek.

– To kocyk Harpera. Wydziergany przeze mnie tuż po jego narodzinach. Zrobiłam podobne dla każdego z moich synów i postanowiłam zachować dla przyszłych pokoleń. Jeżeli urodzisz dziewczynkę, wykorzystasz coś, co należało do Lily, lub kupisz jakieś nowe cudo. Mam jednak nadzieję, że jeżeli będzie to chłopiec, zechcesz używać tego kocyka. Tak czy owak postanowiłam ci go podarować.

– Jaki piękny.

Roz przyłożyła miękką dzianinę do policzka.

– Harper jest jedną z największych miłości mojego życia i niczego bardziej nie pragnę niż jego szczęścia. Ty dajesz mu szczęście. Mnie to wystarcza.

– Będę dla niego dobrą żoną.

– Naturalnie. W innym wypadku będziesz miała ze mną do czynienia. Czy chciałabyś trochę tu posiedzieć i poryczeć?

– Uhm. Myślę, że to mi doskonale zrobi.

Hayley leżała w ciemności obok Harpera i wsłuchiwała się w monotonny szum deszczu.

– Nie pojmuję, jak to możliwe, ale jestem nieprzytomnie szczęśliwa i jednocześnie przerażona.

– To zupełnie jak ja.

– Dzisiaj rano miałam wrażenie, że świat zwalił mi się na głowę, a tymczasem okazało się, że zostałam obsypana kwiatami i teraz mogę zachwycać się ich aromatem.

Harper ujął jej lewą dłoń – tę, której kciukiem pocierała nieustannie serdeczny palec. Nie miała już jednak na nim pierścionka – spoczywał bezpiecznie w puzderku stojącym na nocnym stoliku.

– Jutro zawiozę go do jubilera – obiecał.

– Ciekawe, jak będzie wyglądać małżeństwo z człowiekiem, który potrafi czytać w moich myślach. – Przysunęła się bliżej do Harpera i odgarnęła włosy z twarzy. – Ja także czasami umiem czytać w twoich. I zdaje mi się, że w tej chwili chodzi ci po głowie coś takiego.

Zaczęła go namiętnie całować.

Przy nim czuła się piękna i pożądana. A przede wszystkim – gorąco i szczerze kochana.

Wiedziała, że w chwilach strachu czy zwątpienia Harper zawsze ją przytuli, jak robił to teraz, i sprawi, by spłynął na nią spokój.

Był jej przyjacielem i kochankiem. A wkrótce miał stać się mężem.

Przywarli do siebie nagimi ciałami, poruszając się miękko w takt deszczowej muzyki.

– Kocham cię, Harperze. Mam wrażenie, że od zawsze.

– Wszystko, co najlepsze, dopiero przed nami.

Zaczął wodzić koniuszkami palców po jej policzkach, skroniach, włosach. Pomimo ciemności widział wyraźnie kontur jej smukłego ciała i błysk oczu. Tajemnicza, uwodzicielska kobieta. I tak bardzo moja, pomyślał. Kiedy patrzył na nią, otwierał się przed nim urok przyszłości. Gdy dotykał Hayley – doceniał piękno teraźniejszej chwili.

Całował jej usta, szyję, miękką krągłość piersi. A potem delikatnie, niezwykle delikatnie dół brzucha, zachwycony cudem życia, który się tam skrywał.

– Nasze dziecko musi mieć na drugie imię Harper – mruknęła Hayley. – Bez względu na to, czy będzie to chłopiec czy dziewczynka.

– A jak damy mu na pierwsze? Co powiedziałabyś na Cletis? Cletis Harper Ashby.

Hayley zesztywniała z przerażenia, ale Harper – choć z trudem powstrzymywał się od śmiechu – zachował śmiertelnie poważną minę.

– To oczywiście żart? – spytała.

– Mały Cletis albo mała Hermiona – jeżeli urodzi nam się dziewczynka. Uważam, że w obecnych czasach po świecie chodzi zbyt mało Hermion.

Powędrował ustami z powrotem w górę i po chwili znowu przywarł do jej warg.

– Będziesz sobie pluł w brodę, jeśli zachwycę się tymi imionami i rzeczywiście nazwę jednym z nich nasze dziecko. To dopiero byłoby śmieszne, co?

– A może Clemm. Lub Gertruda.

Hayley energicznie dźgnęła go w żebra.

– Widzę, że będę musiała zrobić wszystko, abym to ja sama wypełniła akt urodzenia. Tym bardziej że chcę pozostać przy „kwiatowych" imionach. Obecnie na czele mojej listy widnieje Hiacynt.

– A jeżeli urodzi nam się dziewczynka?

Zaczęła go targać za uszy, po chwili jednak wybuchnęła śmiechem.

I śmiała się jeszcze długo. Śmiała się, gdy w nią wchodził.

Leżała spełniona i szczęśliwa, wtulona w ciepłe ciało Harpera, i odpływała w sen przy akompaniamencie kojącego szumu deszczu.

Oczami wyobraźni ujrzała siebie idącą ku Harperowi w długiej, białej sukni połyskującej w promieniach słońca, z bukietem szkarłatnych lilii w ręku. Harper wyciągał ku niej dłoń, by za chwilę złożyć ślubną przysięgę. Złożyć obietnicę, że zostaną już na zawsze razem.

Póki śmierć nas nie rozłączy.

Nie! Poruszyła się niespokojnie. Nie chce, żeby w tym szczególnym dniu mówiło się o śmierci.

Bo śmierć sprowadza mrok zaćmiewający światło.

Nic nieznaczące obietnice. Wypowiedziane mechanicznie słowa pustej przysięgi. Niespodziewanie nadpłynęły ciemne chmury i przesłoniły słońce, a deszcz, który z nich lunął, zmienił śnieżną biel jej sukni w brudną, ponurą szarość.

Na zewnątrz panował przejmujący chłód, w niej jednak płonął ogień podsycany nienawiścią i furią.

Jakie to niezwykłe, że znów jest żywa – tak niezwykle żywa i zdolna do emocji.

W domu panowały ciemności. Jak w grobie. Jego mieszkańcy byli martwi. Wszyscy – oprócz jej dziecka. Kości innych zgniją i obrócą się w proch, a ono nadal będzie żyło. Aż do końca świata. A ona razem z nim.

Taka będzie jej zemsta.

To dziecko rosło w jej ciele i ona wydała je na świat w bólach, które niemal pozbawiły ją zmysłów. Nie pozwoli go sobie odebrać. Ono musi dorastać przy niej.

Wiedziała, co zrobić, by wraz z synkiem pozostać już na zawsze w tych murach. I stać się prawdziwą panią na Harper House.

Zanim minie ta noc, już żadna siła nie zdoła jej rozdzielić z Jamesem.

Nucąc ulubioną kołysankę, szła przemoczona, wlokąc za sobą dół nocnej koszuli po błocie.

W ciepłe, słoneczne dni ona i James będą się bawić w ogrodzie pośród kolorowych kwiatów. Tylko we dwoje. Będą się śmiać i słuchać śpiewu ptaków. Popijać herbatę i jeść ciastka. O tak, dla jej najukochańszego chłopca nigdy, przenigdy nie zabraknie ciastek.

Już wkrótce, już za parę chwil zacznie się dla nich wieczna wiosna.

Szła uparcie przed siebie, przecinając gęstą mgłę. Niekiedy wydawało jej się, że słyszy jakieś odgłosy – rozmowy, wybuchy wesołości, płacz, nawoływania i krzyki.

Od czasu do czasu kątem oka udawało jej się pochwycić jakiś ruch, zarejestrować dziwne obrazy. Dzieci bawiące się na trawniku, starą kobietę śpiącą w bujanym fotelu na werandzie, młodego mężczyznę sadzącego kwiaty.

Ci ludzie nie należeli jednak do jej świata – nie należeli do świata, którego szukała.

W jej świecie byliby zaledwie cieniami.

Wędrowała po ścieżkach, przechodziła boso przez ścięte zimowym chłodem rabaty.

Dojrzała zarysy stajni. Tam z pewnością znalazłaby to, czego potrzebowała, tam jednak byli także ludzie. Służba – obrzydliwi stajenni, ordynarne, śmierdzące koniuchy.

Przycisnęła palec do warg, jakby nakazywała sobie milczenie, z jej ust wyrwał się jednak niepohamowany śmiech. Może powinna spalić stajnie. Podłożyć pod nie ogień, którego płomień wystrzeliłby po same niebo. Powietrze napełniłoby się dzikim rżeniem koni i pełnymi przerażenia ludzkimi wrzaskami.

Wielki gorący stos w środku lodowato zimnej nocy.

Miała wrażenie, że zdołałaby wzniecić ogień siłą własnej woli. Z tą myślą zwróciła się w stronę Harper House. Mogłaby obrócić w popiół to gniazdo węży. Każdy pokój po kolei trzaskałby od niewyobrażalnego żaru. I wówczas potężny Reginald Harper sczezłby w piekle, które by na niego ściągnęła.

Ale nie dziecko. O nie, tylko nie jej maleństwo. Przycisnęła dłonie do ust i porzuciła swój plan, zanim skrzesała choćby jedną iskrę. Jej synkowi nie jest pisany taki los.

James musi odejść stąd razem z nią. I pozostać już z nią na zawsze.

Ruszyła więc w stronę powozowni. Długie, splątane loki, kapiące od wody, wpadały jej do oczu, jednak szła niespiesznym krokiem.

Żadnych zamków, pomyślała, patrząc na szerokie wrota. Bo i kto by się ośmielił wtargnąć na teren posiadłości?

Cóż, ona się ośmieliła. Jej nie powstrzymała potęga Harperów.

Kiedy otwierała wrota, głośno zaskrzypiały. Nawet w panujących tu ciemnościach widziała, jak idealnie lśnią pojazdy. Wielki pan nie mógł się pokazać w powozie skalanym choćby odrobiną błota. Okazałe landa woziły także tę wiedźmę, jego żonę, oraz płaczliwe córki. Owe kosztowne pojazdy stały gotowe na każde skinienie właściciela.

A tymczasem matka jego syna przyjechała tu dzisiaj skradzioną, zwykłą lorą.

Nadszedł czas, by Reginald za wszystko zapłacił.

Stała w otwartych wrotach, słaniając się na nogach. W jej głowie kłębiły się sprzeczne myśli, a serce pulsowało niepohamowanym gniewem i ogromną miłością. Przez chwilę nie pamiętała, kim jest, gdzie się znajduje i dlaczego. W końcu jednak sobie uświadomiła, po co tu dziś przyjechała.

Czy może zaryzykować i zapalić lampę? Czy się ośmieli? Musi. Nie ma wyjścia. Nie zdoła nic dojrzeć w tak gęstych ciemnościach.

Chociaż cała trzęsła się konwulsyjnie z zimna, wcale nie czuła chłodu, bo w jej sercu nieustannie tlił się ten niesamowity żar. W świetle lampy dojrzała wreszcie zwój sznura i po raz pierwszy tej nocy radośnie się uśmiechnęła.

Dostatecznie długi. Idealny do jej celów.

Po chwili znów wyszła w deszcz, nie zawracając sobie głowy gaszeniem lampy ani zamykaniem wrót.

Harper odwrócił się i wyciągnął ramię, by przyciągnąć do siebie Hayley, ale jego ręka natrafiła jedynie na chłodne prześcieradło. Wciąż oszołomiony snem, sięgnął dalej, przekonany, że teraz już poczuje pod palcami jej aksamitną skórę.

– Hayley?

Raz jeszcze wymruczał jej imię, po czym podparł się na łokciu i rozejrzał po sypialni. W pierwszej chwili pomyślał, że poszła sprawdzić, czy u Lily wszystko w porządku, jednak z monitora stojącego na nocnym stoliku nie dobiegały żadne odgłosy.

Dopiero po kilku chwilach dotarło do niego, co w zamian słyszy aż nadto wyraźnie.

Szum deszczu. Zerwał się gwałtownie i wówczas zobaczył, że tarasowe drzwi są otwarte na oścież.

Błyskawicznie wciągnął dżinsy i ruszył w stronę tarasu, ale ujrzał jedynie ciemność i ścianę deszczu.

– Hayley!

Drobne krople siekły go po twarzy; serce podeszło mu do gardła i wydawało się zmieniać w twardą grudkę lodu. Zdjęty paniką, Harper wbiegł z powrotem do środka i wpadł do pokoju Lily.

Dziecko leżało pogrążone w głębokim, spokojnym śnie. Ale jego matki nie było w pobliżu.

Wszedł raz jeszcze do sypialni, chwycił monitor, wsunął do kieszeni i ruszył na poszukiwanie Hayley.

Wciąż ją nawołując, popędził w dół po schodach. Powozownia, pomyślał. Od bardzo dawna był przekonany, że z takich czy innych powodów Amelia poszła tam za życia. Kiedy ujrzał ją w ogrodzie, gdy był jeszcze dzieckiem, wyraźnie widział, dokąd zmierzała Oblubienica.

Wówczas jej zwiewna biała koszula była zabrudzona błotem i całkiem mokra. Jakby Amelia spacerowała w deszczu.

Pomimo ciemności szedł pewnym krokiem – znał tu przecież na pamięć każdy fragment ścieżki. Zobaczył, że drzwi do domku stoją otworem i zalała go fala wielkiej ulgi.

– Hayley! – Nacisnął na kontakt i wpadł do środka.

Na podłodze ujrzał ślady powalanych błotem stóp, które przecinały pokój i prowadziły do kuchni. Harper zrozumiał, że nie ma tutaj żywej duszy, mimo to z walącym sercem przebiegł wszystkie pomieszczenia, wciąż nawołując Hayley.

Chwycił za słuchawkę, wcisnął guzik szybkiego wybierania i ponownie wybiegł w deszcz.

– Mamo, Hayley zniknęła. Wiem jedynie, że wyszła na dwór, nie mogę jej jednak znaleźć. Ona... o Jezu, widzę ją. Widzę. Jest na drugim piętrze. Stoi na tarasie drugiego piętra.

Odrzucił słuchawkę i popędził przed siebie.

Hayley nie zareagowała, gdy zawołał ją po imieniu, tylko szła przed siebie niczym zaklęte widmo. Harper pośliznął się na mokrych kamieniach, zdeptał kępę kwiatów, gdy zboczył ze ścieżki i przez środek rabaty rzucił się w stronę schodów prowadzących na tarasy.

Dopadł drugiego piętra w chwili, gdy dziewczyna gwałtownym ruchem otwierała szklane drzwi do sali balowej.

Zawahała się, gdy po raz kolejny wykrzyknął jej imię, po czym powoli odwróciła w jego stronę głowę. I uśmiechnęła się – upiornym uśmiechem.

– Śmierć za życie.

– Nie!

Doskoczył do niej i chwycił ją za ramię i wciągnął do środka.

– Nie – powtórzył i otoczył ją ramionami. – Czujesz mój dotyk? Przecież wiesz, kim jestem. I wiesz, kim ty jesteś. Przytul się do mnie.

Próbowała się wyrywać, ale tylko przycisnął ją mocniej do siebie. Nie wypuszczał jej z objęć, mimo że się prężyła, szarpała głową na boki i zaciskała zęby.

– Odbiorę mojego syna!

– Ty nie masz syna. Masz córkę. Masz Lily. Hayley, nie odchodź. Zostań ze mną!

Ponownie przycisnął ją do siebie i poczuł, jak jej ciało zaczyna wiotczeć.

– Jest mi zimno. Och, Harperze, jestem zlodowaciała.

– Już dobrze. Już wszystko w porządku.

Chwycił ją na ręce i ruszył przez salę balową, gdzie przykryte pokrowcami meble przypominały upiorne zjawy.

Zanim doszedł do drzwi, Mitch otworzył je na oścież od strony holu.

– Twoja mama pobiegła sprawdzić, czy z Lily wszystko w porządku. Co się stało?

– Nie teraz. – Niosąc wstrząsaną dreszczami Hayley w ramionach, Harper wyminął Mitcha. – Później o tym porozmawiamy. Najpierw trzeba ją ogrzać i wysuszyć. Wszystko inne musi poczekać.

# 19

$P$ołożył ją na łóżku, opatulił kocami od stóp do głów, po czym przysiadł obok i ręcznikiem zaczął suszyć jej włosy.

– Nie pamiętam, żebym wstawała. Nie pamiętam, jak wychodziłam na dwór.

– Czy już ci ciepło?

– Uhm. – Poza tym, że trzęsło ją jakieś dziwne, wewnętrzne zimno. Hayley zaczęła się nawet zastanawiać, czy jeszcze kiedykolwiek zdoła się rozgrzać tak, by opuścił ją ten mrożący kości chłód. – Nie mam pojęcia, jak długo byłam poza domem.

– Najważniejsze, że już wróciłaś.

Wysunęła rękę spod koca i położyła na jego dłoni. Widziała, że on także potrzebuje ciepła i ukojenia.

– Odnalazłeś mnie.

Przycisnął usta do jej wilgotnych włosów.

– Znajdę cię zawsze i wszędzie.

– Zabrałeś ze sobą monitor. – Jakże wiele to o nim mówiło! – Nie zapomniałeś. Nie zostawiłeś Lily samej.

– Hayley. – Objął ją mocno i przytulił policzek do jej twarzy. – Nigdy nie opuszczę żadnej z was... – Urwał i przycisnął dłoń do jej brzucha. – Ani tego maleństwa. Przysięgam.

– Tak, wiem. Amelia nie wierzy w żadne obietnice. Nie wierzy w szczerość, uczciwość i miłość. Ale ja tak. Ja wierzę w te wszystkie wartości. – Musnęła wargami jego usta. – Wiem, że to, co nas łączy, jest piękne i silne. I nie mogę wyzbyć się przekonania, że ja otrzymałam tak wiele, ona natomiast nie ma zupełnie nic.

– Wciąż jej współczujesz?! Po dzisiejszym wieczorze? Po tym wszystkim, co z tobą wyprawia?

– Nie jestem pewna, co do niej czuję. – Jakże to wspaniałe, że mogła oprzeć głowę na silnym, męskim ramieniu. – Przez moment wydawało mi się, że ją rozumiem. Ostatecznie obie znalazłyśmy się w pewnym momencie naszego życia w bardzo podobnej sytuacji. Obie zaszłyśmy w ciążę i z początku nie chciałyśmy dziecka.

– Nie macie ze sobą nic wspólnego.

– Harper, zapomnij na chwilę o swoim gniewie i osobistych odczuciach.

Spójrz na tę sytuację chłodno i obiektywnie. Obie byłyśmy niezamężne i w ciąży. Żadna z nas nie kochała ojca dziecka, które na dodatek postrzegałyśmy jako nieznośny ciężar, przyczynę kłopotów. A potem obie pokochałyśmy rozwijające się w nas życie. Każda z nas z innego powodu, ale efekt był taki sam – gorąco zapragnęłyśmy wydać na świat nasze dzieci i otoczyć je troskliwą opieką.

– Okoliczności i motywacja dramatycznie się różniły. Ale, owszem, rozumiem, co masz na myśli, Hayley. W czysto zewnętrznej warstwie to powielenie pewnego schematu.

W tym momencie otworzyły się drzwi i do środka weszła Roz z tacą.

– Nie zamierzam wam przeszkadzać. Harper, dopilnuj, żeby to wypiła. – Postawiwszy tacę w nogach łóżka, Roz odwróciła się, ujęła w dłonie twarz Hayley i pocałowała ją w policzek. – Wypoczywaj, skarbie.

Harper chwycił dłoń matki.

– Dziękuję, mamo.

– Jeżeli czegoś będziecie potrzebować, zatelefonujcie.

– Nie było w jej życiu nikogo, kto otoczyłby ją opieką – podjęła Hayley, gdy za Roz zamknęły się drzwi. – Kto by się o nią martwił, interesował jej losem.

– A czy ją ktokolwiek obchodził? Czy ona się o kogokolwiek troszczyła? Obsesja nie jest troską ani miłością – dorzucił, zanim Hayley zdążyła otworzyć usta, po czym wstał i nalał herbaty do kubka. – To, co z nią zrobili, jest bezdyskusyjnie odrażające i niewybaczalne. Ale wiesz co, Hayley? W tej ponurej historii nie ma bohaterów.

– A powinni być. Muszę ci jednak przyznać rację. – Chwyciła podany jej kubek. – W Amelii nie ma nic heroicznego. Ani nawet tragicznego, jak w przypadku Szekspirowskiej Julii. To po prostu zgorzkniała, smutna postać.

– Do tego wyrachowana i szalona – dodał Harper.

– To prawda. Wiesz, ona kompletnie nie umiałaby cię zrozumieć. Myślę, że znam ją na tyle dobrze, by mieć tego pewność. Nie pojęłaby, że mężczyzna może być wielkoduszny i uczciwy. Budziłby jej politowanie.

Harper podszedł do tarasowych drzwi. A więc nareszcie spadł deszcz, o którym tak marzył. Z przyjemnością patrzył teraz, jak spragniona ziemia pije wodę.

– Ona zawsze była pełna smutku. – A jednak zdołał pohamować gniew i znaleźć w sobie współczucie. – Widziałem to nawet w dzieciństwie, kiedy przychodziła śpiewać mi do snu. Smutna, zagubiona istota. A mimo to czułem się przy niej bezpieczny, jakby czuwał nade mną ktoś darzący mnie ciepłym uczuciem. Bo na swój sposób ona się jednak troszczyła – i o mnie, i o moich braci. To zapewne przemawia na jej korzyść.

– Wciąż jesteś dla niej ważny. Czuję to wyraźnie. Tylko że wiele rzeczy często jej się miesza. Wiesz, Harperze... Martwi mnie, że tak niewiele pamiętam.

Spojrzał na nią pytająco i ujrzał łzy.

– Do tej pory każdy incydent pamiętałam dość dobrze. Wszystko, co się działo, przypominało film przesuwający się przed moimi oczami. Nie wiem, jak to lepiej wytłumaczyć. Ale tym razem kompletnie się zagubiłam. Nie pojawiły się żadne obrazy. Czemu poszłam do sali balowej? Co tam robiłam?

Miał ochotę jej powiedzieć, żeby przestała o tym myśleć i spróbowała się zrelaksować. Wiedział jednak, że to niemożliwe. Podszedł więc z powrotem do łóżka i przysiadł obok Hayley.

– Najpierw byłaś w powozowni. Wiem, bo zostawiłaś otwarte drzwi i mokre ślady stóp na podłodze – prowadziły do kuchni.

– Amelia tam poszła owej strasznej nocy, gdy powróciła do Harper House. Z pewnością wówczas straciła życie. To jedyne logiczne wytłumaczenie. Pamiętasz, jak ją swego czasu zobaczyliśmy w drzwiach tarasu? Była mokra i zabłocona. W ręku trzymała sznur.

– W powozowni musiały się znajdować jakieś sznury.

– Dlaczego jednak szukała sznura, jeżeli przyszła odebrać dziecko? Chciała związać niańkę?

– Nie wydaje mi się.

– Jak się nam pokazała, trzymała w drugim ręku sierp. Błyszczący i bardzo ostry. Może zamierzała zabić każdego, kto próbowałby jej przeszkodzić. Znowu jednak powraca sprawa sznura. Po co człowiek bierze sznur, jeżeli nie zamierza nikogo związywać?

Kiedy spojrzała na minę Harpera, oczy rozszerzyły jej się z przerażenia.

– O, mój Boże! Żeby się zabić? Powiesić? Czy to właśnie przyszło ci do głowy? Ale czemu miałaby zrobić coś takiego? I dlaczego, aby się pozbawić życia, jechała aż taki kawał drogi w lodowatym deszczu? Tylko po to, żeby się powiesić w jakiejś głupiej sali balowej?

– W tamtych czasach na drugim piętrze znajdował się również pokój dziecinny.

Rumieńce, które zdążyły już powrócić na jej policzki, natychmiast zniknęły. Hayley znów była blada jak płótno.

– Pokój dziecinny...

Nie, zdecydowała, gdy wyobraźnia podsunęła jej przed oczy okropne obrazy. Już pewnie nigdy nie zdoła się porządnie rozgrzać.

Dni wolne od pracy zazwyczaj mijały w zawrotnym tempie. Wtedy właśnie Hayley zajmowała się praniem, zakupami, porządkami i tysiącem różnych drobnych czynności, które nagle okazywały się bardzo pilne – tak że już zupełnie nie pamiętała, jak wygląda dzień wolny ludzi, którzy nie pracują na pełnym etacie i nie mają na wychowaniu małych dzieci.

Kto by więc pomyślał, że zatęskni do tego młyna?

Teraz, gdy siedziała bezczynnie, ogarniał ją posępny nastrój i niezrozumiały niepokój. Kiedy jednak szefowa nakazuje, żeby wziąć wolne z pracy, nie ma sensu wdawać się w dyskusję. Szczególnie jeśli tą szefową była Rosalind Harper.

I tak Hayley została wyekspediowana do domu Stelli, by tam maksymalnie wypoczęła. Z tego też powodu nie przyjechała z nią Lily. Hayley naprawdę bardzo się starała zastosować do zalecenia, jednak bez rezultatu. Nie cieszyło jej czytanie – choć normalnie było to jej ulubione zajęcie. Nie bawiły filmy na DVD, choć Stella dała jej ich mnóstwo do wyboru. A panująca w domu cisza prowokowała raczej do nerwowego liczenia upływających minut niż do kojącej drzemki.

Przez jakiś czas snuła się po pokojach, które sama pomagała malować. Stella i Logan uczynili z tego domu przytulne, rodzinne gniazdo – gdzie zamiłowanie Stelli do szczegółu pięknie współgrało z upodobaniem Logana do otwartych przestrzeni. Hayley zatrzymała się przed królestwem chłopców. Gavin i Luke mieszkali nadal razem, spali na piętrowym łóżku, a na ich półkach piętrzyły się komiksy i samochodziki. Ten dom został stworzony z myślą o dzieciach – dlatego było tu tak wiele światła i żywych kolorów. I nawet wśród zachwycających ogrodów, stworzonych przez takiego mistrza, jak Logan, znalazło się miejsce na duży plac do zabawy, gdzie swobodnie mogli biegać i chłopcy, i pies.

Hayley wzięła na ręce Parkera – jedynego jej towarzysza tego dnia – i przesuwając policzkiem po miękkiej, krótkiej sierści psa, zeszła ponownie na parter.

Czy zdoła kiedykolwiek stworzyć tak wspaniały, ciepły dom, jaki stworzyła Stella? Czy będzie równie kochająca, mądra i opanowana?

Stella zawsze wszystko planowała. Hayley do niedawna zupełnie nie zawracała sobie głowy planami. Szła przebojem przez życie, cieszyła się pracą w księgarni i z przyjemnością pomagała ojcu zajmować się niewielkim domkiem, który wspólnie zamieszkiwali. Niekiedy dochodziła do wniosku, że dobrze byłoby ukończyć jakiś kurs menedżerski – by przybliżyć się do spełnienia swojego wielkiego marzenia – otwarcia własnej księgarni. Ale nigdy nie wyznaczyła sobie żadnego limitu czasowego, więc wszystko odsuwała w bliżej niesprecyzowaną przyszłość.

Wiedziała, że kogoś pokocha – kiedyś, w przyszłości. Ostatecznie większość dziewczyn zakochiwała się wcześniej czy później. Jej jednak się nie spieszyło. Nie marzyła o stabilizacji, rodzinie, dzieciach. Nie widziała się w roli matki rozwożącej minivanem pociechy na mecze piłki nożnej i inne dodatkowe zajęcia. To wszystko kiedyś miało nadejść – ale dopiero za kilkanaście lat świetlnych.

Tymczasem los zgotował jej niespodziankę. Oto jeszcze nie skończyła dwudziestu sześciu lat, a już była w ciąży z drugim dzieckiem, a do tego zawodowo zajmowała się dziedziną, o której dwa lata temu nie miała zielonego pojęcia.

Na dodatek była nieprzytomnie, do szaleństwa zakochana.

A jakby tego jeszcze było mało, tajemnicza, psychotyczna zjawa od czasu do czasu pożyczała sobie jej ciało.

Parker zaczął się wyrywać, więc postawiła go na ziemi, on zaś natychmiast pobiegł do kuchni i zaczął tęsknym wzrokiem wpatrywać się w drzwi prowadzące do ogrodu.

– OK. OK. Już cię wypuszczam. Zdaję sobie sprawę, że dziś dla nikogo nie jestem najbardziej fascynującym towarzystwem.

Pies jak strzała przemknął przez trawnik i pognał w stronę zagajnika, jakby się spieszył na niezwykle ważne spotkanie.

Hayley też wyszła do ogrodu, bo dzień był wyjątkowo piękny. Upał zelżał, a po deszczu powietrze stało się bardziej rześkie. Może więc przejdzie się wokół rabat i zajmie pieleniem. Albo wyciągnie się na leżaku stojącym na patio i sprawdzi, czy świeże powietrze rzeczywiście pomaga zasnąć.

Obudziło ją głośne chrapanie. Wciąż oszołomiona od snu, szybko zakryła dłonią usta, chrapnie jednak nie ustało. Hayley spostrzegła, że jest przykryta cienką, bawełnianą narzutą, a nad jej głową rozpościera się ogrodowy parasol osłaniający ją od słońca.

Chrapał natomiast Parker, rozłożony na grzbiecie z łapami śmiesznie wyciągniętymi w górę. W tej pozycji przypominał pluszowego pieska, niechcący zrzuconego z półki z zabawkami.

Jej życie ostatnio obfitowało w dziwaczne i niezwykłe wydarzenia, Hayley trudno jednak było uwierzyć, że to pies ustawił nad nią parasol i okrył ją miękką materią.

Ledwo to pomyślała, a na patio pojawiła się Stella z dwiema szklankami mrożonej herbaty.

– Dobrze się spało? – spytała.

– Nie mam pojęcia. Po prostu odpłynęłam. Dzięki. – Wzięła podaną jej szklankę. – Która godzina? Rany... – Z niedowierzaniem zerknęła na zegarek. – Tkwiłam w objęciach Morfeusza prawie dwie godziny.

– I od razu wyglądasz lepiej.

– Mam nadzieję. Gdzie dzieci?

– Logan odebrał chłopców ze szkoły. Uwielbiają jeździć z nim do pracy. Pięknie dziś na dworze, prawda? Wymarzony dzień, by sączyć herbatę na patio.

– Czy w „Edenie" wszystko w porządku? W taką pogodę zazwyczaj zjawiają się tłumy.

– Rzeczywiście, byłyśmy zajęte. Tylko popatrz na ten mirt, Hayley. Boże, jak ja kocham nasz ogród.

– Dokonaliście z Loganem prawdziwego cudu. Doszłam już do tego wniosku, gdy kisiłam się tu we własnym sosie. Tworzycie rewelacyjny duet.

– To prawda. I któż by pomyślał, że obcesowy, lubujący się w chaosie przemądrzalec oraz chorobliwie ambitna pedantka pokochają się i stworzą szczęśliwą rodzinę?

– Jak to kto? Ja! Wiedziałam to od samego początku.

– Wykazałaś się podziwu godną przenikliwością. Czy jadłaś coś w ciągu dnia?

– Nie byłam głodna.

Stella pogroziła jej palcem.

– Ale pewna drobina mogła nieźle zgłodnieć. Zrobię ci kanapkę.

– Nie zawracaj sobie głowy, Stello.

– Mam pyszne masło orzechowe.

Hayley z westchnieniem potrząsnęła głową.

– To nie fair. Zbyt dobrze znasz moje słabości.

– Siedź tu i się nie ruszaj. Świeże powietrze dobrze ci robi. Ja za chwilę będę z powrotem.

Parę minut później Stella zjawiła się nie tylko z kanapką, ale także gałązką ciemnych winogron, serem pokrojonym na małe kawałki – takie akurat na raz do ust – oraz tuzinem mediolańskich ciasteczek.

Hayley zerknęła na ustawiony przed nią talerz, po czym podniosła wzrok na Stellę.

– Zostaniesz moją mamą?

Stella się zaśmiała, po czym usiadła na leżaku naprzeciwko i zaczęła masować stopy Hayley.

– Ciąża miewa swoje przyjemne strony. Jedną z nich jest to, że od czasu do czasu wszyscy cię rozpieszczają.

– Brakowało mi tego w pierwszych miesiącach z Lily.

– Będziesz więc musiała tym razem nadrobić to, co straciłaś. A poza tym, jak się czujesz w odmiennym stanie?

– Dobrze. Co prawda szybko się męczę i od czasu do czasu dopadają mnie paskudne huśtawki nastrojów, ale ogólnie rzecz biorąc – jest całkiem w porządku. A teraz już wprost wspaniale – dorzuciła, odgryzając kolejny kęs kanapki. – Długa drzemka, masaż, pyszne jedzenie mogą zdziałać cuda. Słuchaj, Stello. Obiecuję, że zadbam o siebie i dziecko. Wiesz, jak bardzo uważałam, gdy byłam w ciąży z Lily. Tym razem będzie tak samo.

– Wiem. Poza tym nie pozostawimy ci wyboru. Tylko pomyśl, ile osób ma na ciebie oko.

Hayley wzruszyła bezradnie ramionami.

– Głupio się czuję, gdy wszyscy tak się mną przejmują.

– Trudno. My jednak ci nie popuścimy. W tej sytuacji to niemożliwe.

– Przeżycia ubiegłej nocy... Cóż, już dokładniej nie mogłabym ich opisać: dziwaczne, intensywne, niezwykłe. Ale, Stello... ja nie o wszystkim powiedziałam Harperowi. Nie mogłam.

– Jak to?

– Nie przyznałam się, co w pewnym momencie poczułam. Nie chciałam, żeby zaczął wściekać się i szaleć – no, wiesz, tak jak to faceci potrafią. Mam nadzieję, że ty zachowasz spokój.

– Mów, co się dzieje.

– Odniosłam wrażenie... Nie umiem jednak powiedzieć, czy to wynik stresu, czy też to było naprawdę, ale poczułam, że ona chce mojego dziecka. Tego dziecka. – Hayley przycisnęła dłoń do brzucha.

– Boże...

– W żadnym razie jej się to nie uda. Żadna moc nie jest dość potężna, by przejąć kontrolę nad tą małą istotą. Ty z pewnością to zrozumiesz, bo przecież sama nosiłaś w sobie dzieci. Harper natomiast by tego nie pojął. Wpadłby w panikę.

– Wyjaśnij mi to dokładniej, bo na razie włos mi się jeży na głowie.

– Jej się miesza bardzo wiele rzeczy. Gubi się w czasie. Przenosi się z tu i teraz do przeszłości i z powrotem. Kiedy jest w naszej rzeczywistości, pragnie tego, co mam ja. Mojego dziecka, ciała, szczęśliwego życia. A nawet więcej – bogactwa i przywilejów. Łaknie silnych doznań. Czy rozumiesz?

– Uhm. Mniej więcej.

– Gdy przebywa tu z nami, jest egoistyczna i przerażająca. Kiedy jednak wraca do przeszłości, do tego, co ją spotkało, niekiedy kipi gniewem i pragnie zemsty, ale jest też smutna, godna współczucia i marzy tylko o tym, by wszystko się skończyło. Jest już bardzo zmęczona. Harper sądzi, że popełniła samobójstwo.

– Wiem. Mieliśmy okazję przez chwilę porozmawiać.

– Podejrzewa, że Amelia powiesiła się w pokoju dziecinnym. Tam, gdzie wtedy spało jej dziecko. Wiesz, dużo o tym myślałam. I doszłam do wniosku, że to możliwe. Ona była dość szalona i nieszczęśliwa, by to zrobić.

– Tak, wiem. – Stella podniosła się z leżaka, podeszła do skraju patio i zapatrzyła się w ogród. – Od jakiegoś czasu znowu prześladują mnie szczególne obrazy.

– Co takiego? Od kiedy?

– Nie w tym domu. Nie we śnie. Można powiedzieć, że to widzenia na jawie. W „Edenie", na terenie posiadłości Harperów. Znowu ukazuje mi się dalia. Olbrzymia i przerażająca, o płatkach ostrych niczym brzytwa. Gdyby ich dotknąć, mogłyby skaleczyć. Tym razem ten monstrualny kwiat nie rośnie w ogrodzie. – Stella odwróciła się i spojrzała Hayley prosto w oczy. – Wyrasta z grobu. Nieoznakowanego, zaznaczonego jedynie małym kopczykiem czarnej ziemi. Oprócz tej dalii nic innego tam nie rośnie.

– Kiedy to się zaczęło?

– Kilka dni temu.

– Czy myślisz, że Roz też widzi takie rzeczy?

– Trzeba ją o to spytać.

– Stello, musimy we trójkę pójść do dawnego pokoju dziecinnego.

– Tak. – Stella podeszła do przyjaciółki i chwyciła ją za rękę. – I to jak najszybciej.

Bez najmniejszego problemu pozbyły się towarzystwa mężczyzn – wystarczyło zacząć rozmowę na temat ślubu. Gdy padły słowa: „lista gości" i „główna nuta kolorystyczna", natychmiast rozpierzchli się w popłochu.

Rozsiadły się więc na patio, ciesząc się balsamicznym powietrzem wieczoru, i przekazywały sobie Lily z rąk do rąk lub bawiły się z Parkerem.

– Nie przypuszczałam, że Harper tak szybko się spłoszy. – W tonie Hayley pobrzmiewała nuta zawodu. – Miałam nadzieję, że bardziej się zaangażuje. To ostatecznie także jego ślub.

Stella i Roz wymieniły rozbawione spojrzenia.

– Słodkie, naiwne dziewczę – zawyrokowała Roz i poklepała przyjaciółkę po dłoni.

– To pewnie nie ma większego znaczenia, jeśli wziąć pod uwagę temat naszej rozmowy, Mimo to... – Hayley z irytacją machnęła ręką. – A więc was też zaczęła niepokoić Amelia.

– Mnie dwukrotnie – powiedziała Roz. – Za każdym razem znajdowałam się w cieplarni. W jednej chwili pracowałam, w następnej – byłam całkiem gdzie indziej. W jakimś zimnym miejscu, tak ciemnym, że nie mogłabym go opisać. Wiem tylko, że stoję nad otwartym grobem, a kiedy spoglądam w dół, widzę Amelię, która wytrzeszcza na mnie oczy, ściskając w dłoniach czarną różę. A przynajmniej róża wydaje się czarna w tym wszechogarniającym mroku.

– Czemu nam o tym nie powiedziałaś? – zdenerwowała się Stella.

– Dokładnie o to samo mogłabym zapytać ciebie. Zdałam szczegółową relację Mitchowi i zamierzałam wam o wszystkim powiedzieć, ale przeszkodziło mi w tym kilka ważniejszych wydarzeń. – Roz spojrzała znacząco na Hayley.

Ta wzięła Lily na kolana, po czym powiedziała:

– Pamiętam, że kiedy po raz pierwszy pojawiła się sprawa Oblubienicy, zaproponowałam seans spirytystyczny. Wówczas wszyscy uznali mój pomysł za świetny dowcip, teraz jednak coraz częściej dochodzę do wniosku, że może rzeczywiście powinniśmy tego spróbować. Z nami trzema Amelię łączy coś szczególnego. Jeżeli więc bardzo się postaramy z nią skomunikować, niewykluczone, że sama nam powie, czego od nas oczekuje.

– Nie zamierzam w najbliższym czasie wyciągać kryształowej kuli – oznajmiła stanowczo Roz. – Poza tym podejrzewam, że ona – nawet gdyby chciała – nie umiałaby nam pomóc. To znaczy, wiemy, że chce, abyśmy odnaleźli jej grób bądź też szczątki. Rzecz w tym, że sama nie wie, gdzie one się znajdują.

– Nawet nie mamy całkowitej pewności, czy pochowano ją na terenie posiadłości Harperów – zauważyła Stella.

– To prawda. Mitch robi, co może, by znaleźć jakieś wzmianki o pogrzebie kobiety przypominającej Amelię. Obawia się jednak, że w jej przypadku nigdy nie sporządzono żadnych dokumentów.

– Pochowali ją w sekrecie – wtrąciła Hayley. – Rzecz w tym, że ona wciąż niemal obsesyjnie nam uświadamia, jaka spotkała ją krzywda. Te wspomnienia nadal wywołują w niej wściekłość. Czuję to wyraźnie za każdym razem, gdy mam z nią do czynienia. Jeżeli ją zamordowano lub popełniła samobójstwo, powinna nas o tym jakoś poinformować.

– Dawny pokój dziecinny! – zawołała Roz. – Pełnił jeszcze tę funkcję, gdy się urodziłam.

– Chcesz powiedzieć, że tam mieszkałaś jako małe dziecko?

– Tak mi mówiono. Przynajmniej przez kilka pierwszych miesięcy, razem z niańką. Ale w końcu moja babcia – babcia Harper – stanowczo się temu sprzeciwiła. Wykorzystała wpływ, jaki miała na moich rodziców, i wtedy przenieśli mnie na pierwsze piętro. A moi chłopcy nigdy nie zamieszkali w dawnym pokoju dziecinnym.

– Dlaczego?

Roz zastanawiała się przez chwilę nad pytaniem Hayley.

– Po pierwsze, nie chciałam, żeby byli tak daleko ode mnie. Poza tym... nie podobała mi się atmosfera w tamtym pomieszczeniu. Nie umiałabym jednak tego wyjaśnić – wówczas zresztą nigdy się nad tym nie zastanawiałam.

– Meble stojące w pokoju Lily pochodziły właśnie stamtąd?

– Owszem. Kiedy Mason wyrósł już z kołyski, kazałam wynieść wszystkie dziecinne meble z powrotem na górę. Trzymałam tam też różne zabawki i inne skarby chłopców, gdy dorastali. Praktycznie nie używaliśmy drugiego piętra. Dom stałby się wówczas zbyt kosztowny w utrzymaniu. Poza tym nigdy nie potrzebowaliśmy aż tak wielkiej przestrzeni. Jedynie parę razy otworzyłam salę balową przy okazji jakichś wielkich przyjęć.

– Nigdy nie byłam na drugim piętrze – wyznała Hayley. – I gdy teraz o tym myślę, dochodzę do wniosku, że to bardzo dziwne, bo przecież uwielbiam oglądać stare domy, wyobrażać sobie, jak wyglądały w okresie największej świetności, i tak dalej. Tymczasem nigdy mi nawet przez myśl nie przeszło, żeby wybrać się na górę. A czy ty tam byłaś, Stello?

– Nie. I teraz także ta sprawa wydaje mi się dziwna i zagadkowa. Przecież przez ponad rok chłopcy mogli biegać swobodnie po rezydencji. Logika i rachunek prawdopodobieństwa wskazują, że w pewnym momencie powinnam ich stamtąd wyganiać. Oni jednak nigdy nie weszli na drugie piętro. Gdyby nawet kiedykolwiek zakradli się tam w sekrecie, i tak bym się o tym dowiedziała, bo Luke nie potrafi utrzymać żadnej tajemnicy.

– A więc czas najwyższy, żebyśmy tam się wybrały. – Hayley spojrzała uważnie na przyjaciółki. – Musimy to zrobić.

– Dziś późnym wieczorem? – zaproponowała Stella.

– Nie wiem, czy wytrzymam do tego czasu.

– Jeżeli mamy tam iść, zrobimy to wszyscy razem, w szóstkę – zdecydowała Roz. – Dzieci zostaną na parterze pod opieką Davida. Ty, Hayley, musisz mieć jednak całkowitą pewność, że chcesz i możesz to zrobić. Bo bez wątpienia Amelia właśnie ciebie wybierze na swoje medium.

– Zapewne. Ale nie ja jedna wzbudzam w niej silne emocje. I chcę, żebyś o tym wiedziała, Roz. Chodzi o Harpera. – Hayley energicznie potarła ramiona, bo zdjął ją nagły chłód. – Amelia żywi do niego bardzo mieszane uczucia. Z jednej strony go kocha – jest przecież jej praprawnukiem, potomkiem jej syna. Ale jednocześnie go nienawidzi – widzi w nim Reginalda, bo w Harperze płynie i jego krew.

Hayley spojrzała uważnie na przyjaciółki.

– A zderzenie tak przeciwstawnych emocji wyzwala potężne napięcie. I zwiększa się ono jeszcze, jak mi się wydaje, z powodu naszej wzajemnej miłości, mojej i Harpera.

– Miłość, seks, więzy krwi, zemsta, rozpacz – mruknęła Roz. – I do tego szaleństwo.

– Stosunek Harpera do Amelii jest również ambiwalentny – ciągnęła Hayley. – Nie wiem, czy to ważne, choć z drugiej strony odnoszę wrażenie, że na tym etapie wszystko może okazać się istotne. Czuję, że zbliżamy się do rozwiązania.

– Alleluja! – wykrzyknęła Stella.

– Ja też już nie mogę się doczekać końca. Chcę wreszcie skoncentrować się na ślubie i moim nienarodzonym dziecku. Zastanawiać się z wami, jakie kwiaty wybrać na uroczystość, jaką muzykę, a przede wszystkim sukienkę.

– Niedługo się tym zajmiemy. – Roz poklepała dziewczynę po dłoni.

– Zeszłej nocy, zanim mną zawładnęła Amelia, widziałam siebie w długiej, białej sukni i z bukietem kwiatów w dłoni... Ale to pewnie nie wchodzi w grę. – Wzruszyła ramionami i poklepała się po brzuchu. – Chyba nie mam prawa do dziewiczej bieli.

– Każda panna młoda ma do niej prawo, skarbie – zapewniła ją Roz.

Zasiedli wszyscy razem przy stole i oddali się kojącemu rytuałowi wspólnego posiłku, podczas którego rozlegał się śmiech i szczebiot dzieci. Roz zawsze przywiązywała wagę do takich spraw, a Hayley wreszcie zrozumiała dlaczego.

Jesteśmy wspólnotą – taka była wymowa. Łączy nas silna więź, dzięki której przetrwamy wszelkie burze.

Przybywszy do Harper House, Hayley niespodziewanie zyskała matkę, przybraną siostrę, kochanka, kuzynów i przyjaciół. A jej dziecko rosło otoczone miłością tych wszystkich osób.

Zrobiłaby absolutnie wszystko, by tego bronić.

Na razie jednak cieszyła się rodzinnym posiłkiem, żywo uczestniczyła w rozmowie, pomagała wycierać rozlane przez dzieci soki i rozchlapane sosy. Chłonąc te chwile normalności, próbowała uspokoić nerwy.

W pewnym momencie, ku jej radości, poruszyli temat ślubu.

– Pewnie Hayley wspominała ci już, mamo, że bardzo byśmy chcieli, aby uroczystość odbyła się w Harper House – jeżeli nie masz nic przeciwko temu.

– O niczym innym nie marzę. – Roz odłożyła widelec. – Zdaje się, że myślicie o ogrodzie? Oczywiście, zaczarujemy pogodę, więc będzie świecić słońce, ale na wszelki wypadek rozstawimy też namioty-pawilony. Nalegam także, żebyście pozwolili mi zająć się kwiatami. Zapewne chcielibyście, żeby dominowały lilie?

– Tak, będę miała bukiet z szkarłatnych lilii.

– W takim razie zapomnimy o pastelach, obowiązują żywe, soczyste kolory. Doskonale. Wiem, że nie chcecie zbyt sztywnej uroczystości, a ponieważ w tym roku zorganizowaliśmy już dwa śluby i nabraliśmy sporej wprawy, z pewnością więc uda nam się dopracować wszystkie szczegóły gładko i bezboleśnie.

– Harper, nadszedł czas, żebyś wycofał się z wszelkiej dyskusji – tonem eksperta zawyrokował Logan. – Na każdą propozycję odpowiadaj jedynie: „Doskonały pomysł", a kiedy zostanie ci przedstawiona jakaś alternatywa, w żadnym razie nie daj się złapać w pułapkę. Powiedz, że oba rozwiązania są doskonałe i zostaw wybór Hayley.

– Loganowi się wydaje, że jest bardzo zabawny – rzuciła sucho Stella.

– Dlaczego wszyscy naokoło ciągle się żenią? – spytał naburmuszony Gavin. – I czemu na ślubach musimy nosić krawaty?

– Bo kobiety uwielbiają nas torturować – odpowiedział mu Logan. – To takie ich drobne hobby.

– Same powinny wkładać krawaty.

– W porządku, włożę krawat – powiedziała Stella. – Ty jednak będziesz musiał wystąpić w butach na wysokich obcasach.

– A ja wiem, dlaczego ludzie się żenią – oznajmił Luke. – Żeby mogli spać w tym samym łóżku i mieć dzieci. Czy ty i Mitch też już zrobiliście sobie jakieś dziecko? – zwrócił się do Roz.

– Oboje już dawno temu wykonaliśmy normę. A gdy już o dzieciach mowa... – Roz odsunęła się od stołu – ...myślę, chłopcy, że nadszedł czas, żebyście pomogli Davidowi sprzątnąć po kolacji. Jak się dobrze wywiążecie z zadania, w kuchni będą czekać na was lody.

– No dobrze, żołnierze. W szeregu zbiórka. Ty też, mały szeregowcu. – David uprzedził Hayley i wyjął Lily z wysokiego krzesełka. – Fakt, że jesteś maluchem, wcale cię nie zwalnia od czarnej roboty przy garach. Chętnie pomaga mi załadować zmywarkę – poinformował Hayley. – Oboje nieźle się przy tym bawimy.

– Chciałabym zamienić z tobą kilka słów. Chodźmy razem do kuchni.

– Panowie, wymarsz – zakomenderował David i z Lily na ręku wyszedł z jadalni. – Przygotowałem dla dzieci mnóstwo atrakcji. Nie musisz się martwić – zapewnił Hayley.

– Nie, nie. Nie o tym chciałabym porozmawiać. Wiem, że przy tobie Lily jest całkowicie bezpieczna. Mam do ciebie prośbę w związku ze ślubem.

David usadził Lily na podłodze, dał jej rondel i łyżkę do zabawy.

– W czym mogę ci pomóc, skarbie? – zwrócił się do przyjaciółki.

– Dzień ślubu powinien nam na zawsze pozostać w pamięci, między innymi dlatego, że zaplanowaliśmy go zgodnie z marzeniami, prawda?

– Naturalnie.

– W związku z tym chciałam cię bardzo prosić... zrobiłbyś mi wielką przyjemność... gdybyś mnie poprowadził do przysłowiowego ołtarza.

– Co takiego? – David najwyraźniej był w szoku. – Ja?

– Wiem, że jesteś dużo za młody, aby być moim ojcem i tak dalej, ale jesteś jednym z najbliższych mi ludzi i najlepszych przyjaciół Harpera. Tworzymy coś w rodzaju wielkiej rodziny, a ślub to przecież bardzo rodzinne święto. Mój tata nie żyje, a nikogo z moich dalszych krewnych nie kocham bardziej od ciebie. Gdybyś więc zechciał „oddać" mnie Harperowi... To by dla mnie bardzo wiele znaczyło.

David, z podejrzanie szklistymi oczami, chwycił ją w objęcia.

– To najpiękniejsza prośbą, jaką słyszałem w życiu. Najpiękniejsza.

– A więc zgodzisz się?

Odsunął ją na długość ramienia.

– Będę zaszczycony. – Uniósł jej dłonie i ucałował. – Bardzo zaszczycony.

– Uff... Bałam się, że uznasz mój pomysł za wyjątkowo głupi.

– W żadnym razie. Jestem dumny i bardzo wzruszony. A jeżeli zaraz stąd nie wyjdziesz, skarbie, to pewnie skompromituję się przed moimi podwładnymi.

– Ja też. – Głośno pociągnęła nosem. – Dobra. Później pogadamy o szczegółach. – Przykucnęła, pocałowała Lily w czubek głowy, spotkała się jednak z całkowitą obojętnością. – Bądź grzeczna, córeczko.

– Hayley?

Odwróciła się z ręką na klamce.

– Twój tata byłby z ciebie bardzo dumny.

Skinęła głową i ze ściśniętym gardłem szybko wyszła z kuchni.

Ocierając łzy, ruszyła w stronę salonu, zatrzymała się jednak pod drzwiami, słysząc gniewny głos Harpera.

– Zdecydowanie nie podoba mi się ten pomysł. A jeszcze mniej podoba mi się to, że uknułyście wszystko same za naszymi plecami.

– My, trzy słabe kobietki! – rzuciła Roz głosem aż ociekającym od sarkazmu.

– Nie miałem najmniejszego wpływu na fakt, że urodziłyście się kobietami – odgryzł się Harper. – Natomiast zdecydowanie przyczyniłem się do tego, że moja kobieta jest w ciąży. I nie chcę, aby się narażała z powodu jakichś idiotycznych wymysłów.

– W porządku, argument nie do zbicia. A jak ma wyglądać kolejne siedem czy osiem miesięcy jej życia, mój drogi?

– Będę ją chronił.

– Rzeczywiście, trudno polemizować z takim zamiarem.

– Sprzeczki do niczego nas nie doprowadzą – wtrącił rozsądnie Mitch. – Możemy dyskutować i przerzucać się argumentami, wątpię jednak, abyśmy osiągnęli pełne porozumienie. Nie zmienia to jednak faktu, że musimy szybko podjąć jakieś wiążące decyzje.

Hayley zebrała się w sobie i weszła do salonu.

– Przepraszam, ale trudno było nie usłyszeć waszej rozmowy. Harperze, miałam cię prosić, żebyśmy wyszli do ogrodu, i tam chciałam ci wyłożyć swoje racje, ale uważam, że w obecnej sytuacji powinnam powiedzieć, co mam ci do powiedzenia tutaj, przy wszystkich.

– Dla mnie natomiast nie ulega wątpliwości, że tego, co zamierzam ci powiedzieć, wolałabyś wysłuchać na osobności.

Hayley tylko się uśmiechnęła.

– Będziemy mieli jeszcze mnóstwo czasu, żebyś mógł wydzierać się na mnie bez świadków. A dokładnie mówiąc – całe życie. Wiem, że do tej pory trzymałeś emocje na wodzy ze względu na dzieci. Zanim jednak powiesz coś jeszcze, proszę, żebyś pozwolił mi coś wyjaśnić.

Odchrząknęła parę razy i podeszła do okna.

– Kiedy dzisiaj siedziałam sama u Stelli, zastanawiałam się długo, co mnie tu sprowadziło. Parę lat temu do głowy by mi nie przyszło, że wyjadę z rodzinnego miasta i dorobię się dwójki dzieci. I to zanim zdecyduję, czego tak naprawdę chcę od życia. Małżeństwo, rodzina – to wszystko miało nastąpić kiedyś tam, w bliżej nieokreślonej przyszłości, jak już osiągnę sukces w pracy zawodowej i dobrze się wyszumię. A tymczasem niespodziewanie mieszkam w innym stanie, mam małą córeczkę i jestem znowu w ciąży. Wkrótce mam wyjść za mąż. Zawodowo zajmuję się dziedziną, o której do niedawna nie miałam najmniejszego pojęcia. Co do tego doprowadziło? I co ja tu tak naprawdę robię?

– Jeżeli czujesz się nieszczęśliwa w Memphis...

– Proszę cię, po prostu mnie wysłuchaj. A więc zaczęłam nad tym rozmyślać. I natychmiast uświadomiłam sobie, że przecież człowiek ma zawsze wybór w życiu. Zapytałam więc samą siebie: czy chcę być tu, gdzie jestem, wykonywać dalej swoją pracę i czy podoba mi się moje obecne życie. I na każde z tych pytań odpowiedziałam: tak! – Z dłonią przyciśniętą do piersi nie spuszczała wzroku z Harpera. – Nigdy nie sądziłam, że tak bardzo można kochać dziecko, jak ja kocham Lily. Nigdy wcześniej nawet nie przypuszczałam, że będę zdolna tak głęboko i gorąco pokochać mężczyznę, jak pokochałam ciebie. Gdybym zjawiła się dobra wróżka i powiedziała, ż mogę sobie wybrać dowolne życie w dowolnym miejscu na świecie, nie chciałabym niczego innego niż to, co mam teraz. Ciebie, nasze dzieci, możliwość mieszkania w tym pięknym miejscu. Bo widzisz, Harper, ja na dodatek kocham ten dom i kocham „Eden". Kocham je tak samo jak ty. Za to, co reprezentują, czym będą dla naszych dzieci, a potem ich dzieci.

– Tak, wiem. Ja myślę tak samo. Dlatego mam pewność, że jesteś dla mnie wymarzoną kobietą.

– I dlatego nie umiałabym teraz z tego wszystkiego zrezygnować. Więc nie proś mnie o to, Harperze. Nie proś, abym opuściła was, dom i pracę, która tak wiele dla mnie znaczy. Wiesz przecież równie dobrze jak ja, że abym mogła tutaj zostać, trzeba wreszcie zakończyć sprawę z Amelią. Wynagrodzić jej krzywdy, a przynajmniej się o to postarać. Może tak właśnie było mi pisane. Może los złączył nas ze sobą, ponieważ razem mamy odkryć tajemnicę Oblubienicy. Nie poradzę sobie jednak, jeżeli mnie nie wesprzesz, nie staniesz u mojego boku. – Przesunęła wzrokiem po zebranych w pokoju. – Jeżeli wszyscy mi nie pomożecie.

Po chwili ponownie spojrzała na Harpera.

– Bądź przy mnie, kochany. I zaufaj mi. Uwierz, że we dwoje zdołamy to zrobić.

Podszedł do niej i dotknął czołem jej czoła.

– Zawsze będę przy tobie, bez względu na okoliczności.

# 20

*N*ie mamy gwarancji, że cokolwiek się wydarzy. – Mitch wsunął do kieszeni zapasową kasetę.

– Myślę, że jestem w stanie sprowokować Oblubienicę. To znaczy... – Hayley oblizała spieczone usta – ...sądzę, że zdołam ją tu ściągnąć. Amelia jest rozdarta, z jednej strony chce zaznać wreszcie spokoju.

– A z drugiej? – spytał Harper.

– Pragnie zemsty. Ale gdyby przyszło co do czego, wydaje mi się, że prędzej skrzywdziłaby ciebie niż mnie.

– A wszyscy już wiemy, do czego potrafi być zdolna – zauważyła Roz. – Widzieliśmy to na własne oczy.

– I dlatego właśnie pójdziemy na górę uzbrojeni w kamery i magnetofony? – Logan sceptycznie pokręcił głową.

– Ale z nas szczęściarze – mruknął ironicznie Mitch.

– Cóż, Amelia za każdym razem podbija stawkę. – Logan chwycił Stellę za rękę. – A skoro żadne z nas nie zamierza się wycofać z tej eskapady, ruszajmy na górę.

– Musimy się trzymać razem – powiedziała Roz, gdy wchodzili po schodach – bez względu na to, co się będzie działo. Nigdy do tej pory nie skonfrontowaliśmy się z nią w zwartej grupie. Sądzę, że to nam daje przewagę.

– Do tej pory zawsze działała z zaskoczenia – zauważył Harper. – Więc rzeczywiście, trzymajmy się razem.

Kiedy znaleźli się na drugim piętrze, Roz skierowała się ku sali balowej i otworzyła na oścież dwuskrzydłowe drzwi.

– Swego czasu odbywały się tu wspaniałe przyjęcia. Pamiętam, jak w dzieciństwie zakradałam się pod drzwi i z zachwytem przyglądałam się tańczącym parom.

Sięgnęła do kontaktu i w tym momencie fala światła zalała przykryte pokrowcami meble i klonowy parkiet układany w piękny, kwiatowy wzór.

– Niewiele brakowało, a swego czasu sprzedałabym te żyrandole. – Spojrzała na trzy konstrukcje z kryształowych sopli, jakby opadające ze stiukowych, wymyślnych w formie medalionów. – Ostatecznie jednak nie potrafiłam się na to zdobyć, choć gdybym tak wówczas postąpiła, nie musiałabym się borykać z problemami finansowymi. W dawnych czasach ja też wyprawiałam tu przyjęcia. I chyba nadszedł czas, abym zrobiła to znowu.

– Tamtej strasznej nocy Amelia weszła tu przez taras. Jestem tego pewna. – Hayley mocniej zacisnęła palce na dłoni Harpera. – Tylko nie puszczaj mojej ręki.

– Nie bój się. Nie puszczę.

– A więc weszła tarasowymi drzwiami. Nie były zamknięte. W innym wypadku zbiłaby szybę. Stanęła w tej sali... och... Złocenia i kryształy, zapach pszczelego wosku i olejku cytrynowego. Deszcz wciąż pada, głośno pluszcze w rynnach. A teraz światło.

– Już zapaliłam – powiedziała spokojnie Roz.

– Nie, to ona zapaliła światło. Harper...

– Jestem przy tobie.

– Widzę ją... wszystko widzę...

Tuż za nią przez tarasowe drzwi wdarła się mgła i snuła się zimnym, wilgotnym oparem nad wypolerowanym parkietem. Jej stopy pokrywało błoto i zakrzepła krew, bo pokaleczyła się o ostre kamienie. Kiedy ruszyła przed siebie, zostawiała mokre, błotnisto-krwawe ślady.

Jeszcze żyła. Serce nadal pompowało krew.

A więc tak wygląda rezydencja Harperów. Ogromne pokoje oświetlane kryształowymi żyrandolami, pozłacane lustra na ścianach, długie, idealnie wypolerowane stoły i donice z palmami o tak soczystych liściach, że niemal pachniały tropikami.

Ona nigdy nie była w dalekich krajach. Ale pewnego dnia wybierze się tam z Jamesem – pewnego dnia będą się przechadzać po plażach o czystym, białym piasku, obmywanych ciepłymi, lazurowymi wodami.

Chociaż nie. Nie. Ich miejsce jest tutaj, w Harper House. Wyrzucili ją za drzwi, ale w końcu zawładnie tym domem. I pozostanie tu na zawsze. Będzie wirować w tańcu w pięknej, balowej sali oświetlanej roziskrzonymi, kryształowymi soplami.

Zakołysała się w samotnym walcu, zalotnie przechylając głowę, a ostrze sierpa, który trzymała w dłoni, rzucało groźne błyski.

Jeżeli najdzie ją taki kaprys, będzie tu tańczyła każdej nocy. I popijała szampana, odziana w piękne suknie, strojna w klejnoty. Jamesa też nauczy tańczyć. Jakże pięknie będzie wyglądał z nią w walcu, owinięty w swój błękitny kocyk. Jakże zachwycający to obraz: matka i syn złączeni w tańcu.

Musi więc jak najszybciej iść po niego – jak najszybciej go odnaleźć, żeby już na zawsze mogli być razem.

Wyszła do holu i rozejrzała się wokoło. Gdzie może się znajdować pokój synka? A, naturalnie, w drugim skrzydle. Dzieci i ich niańki trzymano z daleka od wspaniałych sal balowych i eleganckich buduarów. A ten zapach unoszący się w powietrzu! Jak najpiękniejsze perfumy. I to wszystko wkrótce stanie się jej własnością. Jej i Jamesa.

Chodnik w holu był miękki niczym luksusowe futro i chociaż było tak późno, i wszyscy spali, wszędzie paliły się przyćmionym światłem gazowe lampy.

Nikt nie liczył się tu z kosztami. Reginald był tak bogaty, że mógłby palić w piecu pieniędzmi.

Więc tak naprawdę ona powinna ich wszystkich spalić.

Przy schodach zatrzymała się na moment. Piętro niżej spał ten łotr ze swoją wiedźmą. Spali spokojnym snem warstw uprzywilejowanych. Mogłaby zejść na dół i zamordować oboje. Pociąć na kawałki, a potem skąpać się w ich krwi.

W zamyśleniu przesunęła palcem po zakrzywionym ostrzu i na jej skórze pojawiły się czerwone krople. A czy krew Harperów naprawdę jest błękitna? Chętnie by zobaczyła, jak tryska z ich białych gardeł, barwiąc błękitem cienkie, delikatne prześcieradła.

Ktoś jednak mógłby usłyszeć ich rzężenie. Jakaś pokojówka mogłaby narobić krzyku i powstrzymać ją od wypełnienia najważniejszej misji.

Musi więc zachowywać się bardzo cicho. Przyłożyła palec do ust, z trudem tłumiąc śmiech. Cicho jak myszka.

Cicho jak duch.

Przeszła do drugiego skrzydła i zaczęła ostrożnie otwierać drzwi. Po cichutku zaglądała do każdego pokoju. Kiedy położyła drżącą rękę na kolejnej klamce, już wiedziała, że znajdzie tam śpiącego Jamesa. Podpowiedziało jej to nieomylne serce matki.

W pokoju paliło się słabe światło, dostrzegła więc wyraźnie półki z książkami i zabawkami, małe stoliki i komody, a także duży fotel na biegunach.

A potem jej wzrok przesunął się wzdłuż ściany i wówczas zobaczyła kołyskę.

Łzy ciekły jej z oczu, gdy do niej podchodziła. Tutaj leżał jej najdroższy synek o błyszczących, ciemnych włoskach i pulchnych, zaróżowionych policzkach. Przedstawiał sobą okaz zdrowia.

Na całym bożym świecie nie było dziecka piękniejszego niż jej James. Takie słodkie maleństwo należało ciągle tulić, kołysać, śpiewać mu do snu. Śliczne kołysanki dla ślicznego chłopczyka.

W tym momencie zorientowała się, że zapomniała o błękitnym kocyku. Jakże mogła zapomnieć o czymś tak ważnym! Teraz, żeby zabrać ze sobą synka, będzie musiała skorzystać z tego, co kupili mu obcy ludzie.

Delikatnie, bardzo delikatnie zaczęła gładzić miękkie włoski i zanuciła ulubioną kołysankę.

Już na zawsze zostaniemy razem, James. Żadna siła nie zdoła nas rozdzielić.

Usiadła na podłodze i zabrała się do pracy.

Sierpem pocięła sznur na kawałki odpowiedniej długości. Trudno było fachowo zawiązać pętlę, jakoś sobie jednak poradziła. Odłożyła sierp i ustawiła ciężkie krzesło pod żyrandolem, a potem uwiązała sznury do jego ramion.

Pociągnęła z całej siły, by sprawdzić wytrzymałość liny i węzłów, po czym uśmiechnęła się z zadowoleniem.

Wyjęła kulkę ziół zlepionych tajemnymi olejkami z woreczka zawieszonego na szyi. Swego czasu wyuczyła się starannie zaklęcia, za które słono zapłaciła królowej wudu, ale teraz, gdy rozkruszała zioła wokół krzesła, z trudem wywoływała z pamięci magiczne słowa.

Ostrzem sierpa nacięła wnętrze dłoni i skropiła krwią zaklęty krąg, by wzmocnić siłę uroku.

Oto jej krew. Krew Amelii Ellen Connor. Ta sama krew, która płynie w żyłach jej dziecka. Krew matki – niosąca potężną moc.

Wciąż nucąc kołysankę, podeszła z powrotem do kołyski. I pierwszy raz od chwili narodzin synka, wzięła go w ramiona.

Zaplamiła krwią jego kocyk i zaróżowiony policzek.

Och jakie ciepłe jest jej maleństwo, jakże słodkie. Przycisnęła synka do piersi, a kiedy obudził się i zakwilił, zaczęła tulić go jeszcze mocniej.

Cicho, cicho, mój skarbie. Mama jest już przy tobie. I nigdy cię nie opuści. Dziecko odwróciło główkę i zaczęło poruszać ustami, jakby w poszukiwaniu piersi. Kiedy jednak rozpięła koszulę, obnażyła pierś i podała synkowi, on wyprężył się i zaczął płakać.

Cicho, cicho. Nie płacz, nie lękaj się. Moje najdroższe, najukochańsze maleństwo. Kołysząc synka w ramionach, podeszła do krzesła. No już, maleńki. Mama mocno cię trzyma. I już nigdy więcej nie wypuści z objęć. Chodź z mamą, mój słodki. Chodź z mamą tam, gdzie już nigdy nie zaznamy cierpienia ani smutku. Do świata, w którym będziemy wirować w upojnym walcu, a potem raczyć się kremowymi ciastkami w kolorowym, pachnącym ogrodzie. Balansując niepewnie, z szarpiącym się synkiem na ręku, wdrapała się na krzesło. Chociaż synek zawodził głośno, uśmiechnęła się do niego pogodnie i wsunęła głowę w większą pętlę. A potem, wciąż nucąc cicho, włożyła mniejszą na szyjkę syna.

Teraz. Teraz już się nie rozstaniemy!

W tej samej chwili otworzyły się drzwi i na podłogę padł snop jasnego światła. Amelia nerwowo odwróciła głowę, szczerząc zęby jak tygrysica broniąca małego.

Zaspana niańka wrzasnęła przeraźliwie na widok nieznajomej kobiety w brudnej, białej koszuli i z pętlą na szyi, trzymającej w ramionach dziecko i toczącej wokół szalonym wzrokiem.

– On jest mój!

Niańka rzuciła się w jej stronę, Amelia jednak zdążyła kopniakiem przewrócić krzesło.

Krzyki umilkły gwałtownie, a wokół zapanowała lodowata ciemność.

Hayley ocknęła się w pomieszczeniu będącym kiedyś pokojem dziecinnym, zalana łzami, w ramionach Harpera.

Wciąż trzęsła się z zimna, mimo że leżała w salonie pod kocem, a Mitch, nie bacząc na panujący upał, napalił w kominku.

– Chciała go zabić – powiedziała Hayley. – O, mój Boże! Zamierzała powiesić własne dziecko!

– Po to, by go zatrzymać – wtrąciła Roz. – Tego już nie da się usprawiedliwić szaleństwem.

– Gdyby niańka wpadła chwilę później, gdyby nie usłyszała płaczu dziecka i nie zareagowała tak błyskawicznie, Amelia zrealizowałaby swój plan.

– Cóż za straszliwy egoizm!

– Tak. Naturalnie. – Hayley zaczęła rozcierać sobie ramiona. – Ona jednak nie chciała zrobić mu krzywdy. Święcie wierzyła, że dzięki temu będą już na zawsze razem, radośni i szczęśliwi... O, Jezu, wszystko jej się kompletnie pomieszało w głowie. A na końcu, kiedy znowu przegrała, ponownie utraciła synka... – Hayley pokręciła głową. – Wciąż na niego czeka. I widzi go w każdym dziecku, jakie pojawi się w Harper House.

– To gorsze niż piekło, nie sądzicie? – odezwała się Stella.

Nigdy tego nie zapomnę, pomyślała Hayley. Nigdy, przenigdy!

– To niańka uratowała małego – powtórzyła.

– Nie zdołałem odtworzyć jej losów – wtrącił Mitch. – W czasach dzieciństwa Reginalda juniora przewinęło się kilka nianiek, jednak przypuszczalny czas wydarzeń sugerowałby, że chodzi o niejaką Alice Jameson – potwierdzałyby to także wzmianki w liście Mary Havers do Lucille. Alice opuściła Harper House w lutym tysiąc osiemset dziewięćdziesiątego trzeciego roku i tu ślad po niej się urywa.

– Odprawili ją. – Stella zacisnęła powieki. – Wydalili ze służby. Może jej coś zapłacili, a może jedynie zastraszyli.

– Najprawdopodobniej jedno i drugie – uznał Logan.

– Spróbuję odnaleźć naszą Alice, wykorzystam wszystkie znane mi kanały – obiecał Mitch, a Roz uśmiechnęła się do niego z wdzięcznością.

– Bardzo by mi na tym zależało – oświadczyła. – Gdyby nie ona, nie byłoby na świecie ani mnie, ani moich synów.

– Amelia nie to chciała nam pokazać – odezwała się Hayley cichym głosem. – Chciała nam dać do zrozumienia, że nie wie, co się z nią stało. Gdzie ją pochowali. Co zrobili z ciałem. A nie będzie mogła stąd odejść, spocząć w pokoju, przejść na drugą stronę, czy jakkolwiek się to nazywa, dopóki jej nie odnajdziemy.

– Ale jak? – Stella bezradnie rozłożyła ramiona.

– Mam pewien pomysł. – Roz obrzuciła uważnym wzrokiem pozostałą piątkę. – Obawiam się jednak, że podzieli on nas na dwie frakcje. Powinniśmy się zdecydować na jeszcze jeden eksperyment.

– Ale po co? – ostro zaoponował Harper. – Żeby Hayley mogła po raz kolejny popatrzeć, jak Oblubienica wiesza własne dziecko?

– Żeby Hayley lub ktoś inny zobaczył, co się dalej stało. A mówiąc „ktoś inny" mam na myśli wyłącznie Stellę lub siebie.

Po raz pierwszy od wyprawy na górę Harper puścił dłoń Hayley i poderwał się z sofy.

– W życiu nie słyszałem czegoś równie idiotycznego!

– Harperze, nie życzę sobie, żebyś zwracał się do mnie takim tonem.

– Tylko na taki mnie stać, gdy widzę, jak moja matka traci zmysły. Widziałaś, co przed chwilą działo się na górze? Widziałaś, jak wyglądała Hayley, gdy w jakimś upiornym transie przechodziła z sali balowej do dawnego pokoju dziecinnego? Gdy mówiła tak, jakby była uczestniczką tego koszmaru?

– Widziałam bardzo dobrze. I dlatego uważam, że powinnyśmy tam wrócić.

– Tym razem muszę się zdecydowanie opowiedzieć po stronie Harpera. – Logan posłał Roz przepraszające spojrzenie. – Nie wyobrażam sobie, że mam tu siedzieć jak gdyby nigdy nic, gdy trzy kobiety idą tam same, pozbawione męskiej obrony. Może to seksistowska uwaga, nie zamierzam się tym jednak przejmować.

– Czemu mnie to nie dziwi? Mitch? – Roz zwróciła się do męża siedzącego w milczeniu ze ściągniętymi brwiami. – Zdaje się, że kolejny raz w życiu uda ci się mnie zaskoczyć.

– Nie wierzę własnym uszom. – Harper obrócił się gwałtownie w stronę Mitcha i spiorunował go wzrokiem. – Chyba nie zamierzasz mi powiedzieć, że aprobujesz to szaleństwo?!

– Obawiam się, że tak. Nie podoba mi się ten pomysł, ale rozumiem, jakimi racjami kieruje się Roz. A zanim rzucisz się na mnie, by ukręcić mi głowę, rozważ jedno: one i tak to zrobią, tyle że wtedy, gdy żadnego z nas nie będzie w pobliżu.

– A co z naszym hasłem: trzymajmy się razem?

– To mężczyzna wykorzystał i oszukał Amelię, ukradł jej dziecko, a potem ją porzucił, pozostawił na pastwę losu. Oblubienica znowu próbuje dotrzeć do mnie i do Stelli – podsuwa nam niepokojące obrazy. Wam, mężczyznom, nie zaufa. My może jednak zdołamy ją przekonać, że jesteśmy godne zaufania – nie ustępowała Rosalind.

– A może ona was po prostu wyrzuci z tarasu drugiego piętra!

– Harperze – uśmiech Roz był teraz lodowaty – jeżeli ktokolwiek zostanie wyrzucony z tego domu to tylko ona. Solennie ci to obiecuję. Moje współczucie dla Amelii jest już na wyczerpaniu. Rozumiem, że ty się nad nią litujesz. – Spojrzała na Hayley. – Może dzięki temu zdołamy do niej dotrzeć. Ja jednak nie mam już wobec niej ciepłych uczuć. To, co zamierzała zrobić, jest niewybaczalne. Więc w ten czy w inny sposób i tak się jej stąd pozbędę. Hayley, czy czujesz się na siłach, by tam wrócić?

– Owszem. I co więcej, chcę to zrobić. Póki ta historia nie dobiegnie końca, nie zaznam spokoju.

– I chcesz, żebym spokojnie patrzył, jak narażasz życie?

– Nie. – Hayley podeszła do Harpera. – Proszę, żebyś mi zaufał.

– Przypominacie sobie klasyczny schemat horroru lub thrillera? Głupia, zazwyczaj skąpo odziana blondynka słyszy jakieś hałasy, po czym sama jedna schodzi do piwnicy, chociaż po mieście szaleje morderca krojący kobiety na kawałki.

– My nie jesteśmy głupie, Hayley – zaśmiała się Roz.

– I żadna z nas nie jest blondynką – dorzuciła Stella. – Gotowe? Chwyciły się za ręce i ruszyły holem drugiego piętra.

– Widzę w tym wszystkim jeden poważny problem. – W głosie Hayley pobrzmiewała niepewność. – Skoro Amelia nie wie, co się z nią później stało, jak my mamy się tego dowiedzieć?

– Nie przejmujmy się na zapas. – Roz uścisnęła jej dłoń. – Jak się czujesz?

– Serce wali mi jak młotem. Roz, gdy to wszystko się już skończy, czy będziemy mogły znowu otworzyć dawny pokój dziecinny? Zamienić go w, bo ja wiem?, pokój do zabawy dla dzieci, pełen światła i ciepłych kolorów?

– Świetny pomysł.

– Jesteśmy na miejscu – oświadczyła Stella.

Wciąż trzymając się za ręce, weszły do środka.

– Jak ten pokój wyglądał w owych czasach, Hayley? – spytała Roz.

– Hm... Kołyska stała tam, pod ścianą. W pokoju paliła się małym płomykiem lampa gazowa – jak w tym filmie z Ingrid Bergman, w którym Charles Boyers usiłuje doprowadzić ją do szaleństwa. W pobliżu kołyski stał bujany fotel, a kawałek dalej – krzesło z prostym oparciem – to, którego użyła Amelia. Tutaj – półki z zabawkami, a nieopodal...

Głowa jej opadła do tyłu, oczy wywróciły się białkami do góry. Hayley zaczęła się dusić, ugięły się pod nią kolana.

W uszach słyszała dudnienie krwi, przez które przebijał się krzyk Roz, nakazującej, by natychmiast wyszły z pokoju. Hayley jednak zaczęła się zdecydowanie sprzeciwiać.

– Nie! Poczekajcie! Boże, jak ten sznur piecze i rani skórę. Dziecko głośno płacze, a niańka krzyczy na całe gardło. Trzymajcie mnie cały czas za ręce!

– Wyprowadzamy ją stąd – zdecydowała Roz.

– Nie, nie. Amelia umiera... to straszne... i wciąż kipi w niej potworny gniew. – Dziewczyna oparła głowę na ramieniu Roz. – Jest ciemno. Tam, gdzie się znalazła, panują straszne ciemności. Nie ma choćby promyczka światła, nie ma powietrza, nie ma nadziei. Ponownie zabrali jej synka, znowu została sama. I już na zawsze pozostanie. Nic nie widzi i nic nie czuje. Wszystko wydaje się bardzo dalekie, odległe. Wszędzie tylko lodowaty chłód i ciemność. Teraz docierają do niej jakieś głosy, ale ich nie rozróżnia, dochodzi do niej tylko nikłe echo. Czuje się pusta. I opada, opada w dół, ciężka jak głaz. Nic nie widzi prócz gęstego mroku. Nie wie, gdzie się znajduje. Po prostu odpływa.

Hayley westchnęła, nie podnosząc głowy z ramienia Roz.

– Przykro mi, nic więcej do mnie nie dociera. Nawet w tym pokoju. Niemniej bardzo mi jej szkoda. Była z pewnością zimna, wyrachowana i samolubna. To dziwka – w najgorszym tego słowa znaczeniu. Ale zapłaciła za swoje grzechy rozpaczą i zagubieniem trwającym od ponad stu lat, opieką nad cudzymi dziećmi, a przede wszystkim tym – że z wyjątkiem tej jednej, szalonej chwili – nie mogła tulić synka w ramionach. Za wszystko co złe zapłaciła – i to bardzo wysoką cenę.

– Może masz rację. Jak się czujesz?

– Dobrze. Bo wiecie co? Tym razem wszystko wyglądało inaczej. Ona już nie miała nade mną tak wielkiej władzy. Jestem od niej silniejsza. Dla mnie życie przedstawia dużo większą wartość niż dla niej. Amelia czuje się już chyba bardzo zmęczona.

– To niewykluczone, nie wolno ci jednak tracić czujności. – Stella zerknęła na sufit, tam gdzie swego czasu wisiała masywna lampa na gaz. – Ani na moment.

– Wracajmy. – Roz pomogła Hayley podnieść się z podłogi. – Zrobiłaś, co mogłaś, skarbie.

– Mnie jednak się wydaje, że nadal za mało. To była bolesna, straszna śmierć. I powolna. Amelia wyraźnie widziała, jak niańka wybiega z dzieckiem z pokoju. I chociaż się dusiła, wciąż wyciągała ramiona do synka.

– Bez względu na to, co czuła, to nie była tkliwa, matczyna miłość – zdecydowała Roz.

– Nie. Nie była. Ale tylko to jej w życiu pozostało. – Hayley oblizała wargi, marząc o szklance zimnej wody. – Przed śmiercią przeklęła Reginalda. Przeklęła wszystkich Harperów. I postanowiła, że tutaj pozostanie. Ale jest już bardzo wyczerpana.

Hayley uśmiechnęła się promiennie, gdy ujrzała Harpera nerwowo spacerującego po holu.

– Jesteśmy całe i zdrowe – zapewniła go. – Obawiam się, że nie osiągnęłyśmy zamierzonego celu, ale poza tym wszystko w porządku.

– Co tam się stało?

– Widziałam, jak Amelia umiera. Widziałam, jak otacza ją ciemność. Była przemarznięta i czuła się kompletnie zagubiona. – Hayley oparła się na ramieniu Harpera i pozwoliła, by sprowadził ją ze schodów. – Nie wiem jednak, co się z nią stało. Co z nią zrobili. Wiem jedynie, że zapadała się w lodowaty mrok.

– Zakopali ją?

– Nie wiem... Ale to przypominało odpływanie do miejsca, z którego nie można się już wydostać. – Mimowolnie zaczęła pocierać ręką szyję, przypominając sobie uczucie wrzynającego się sznura. – Może to jakaś forma transcendencji, odwrotność świetlistego tunelu?

– Odpływanie, zapadanie? – W oczach Harpera pojawił się twardy błysk. – Może utonęła?

– Hm... tak... to możliwe.

– Staw! Czemu do tej pory nie pomyśleliśmy o stawie?


– To szaleństwo. – W mdłym świetle pierwszego brzasku Hayley stała nad brzegiem stawu. – Taka operacja potrwa wiele godzin, może nawet dni. Możemy przecież ściągnąć kogoś do pomocy. Zawodowych nurków.

Roz objęła dziewczynę ramieniem.

– Harper uważa, że to jego powinność. – Spojrzała na syna, który właśnie wkładał płetwy. – Teraz my musimy się usunąć na bok i pozwolić, by mężczyźni zrobili swoje.

Staw wydawał się strasznie ciemny i głęboki, a nad jego powierzchnią snuły się szare opary. Lilie wodne, pałki tataraku i nenufary, które do tej pory wydawały się tak urocze, nabrały nagle złowrogiego charakteru – niczym obdarzone dziwnymi mocami rośliny z jakiejś przerażającej baśni.

Hayley przypomniała sobie natychmiast Harpera spacerującego po holu drugiego piętra, podczas gdy ona wraz z Roz i Stellą zamknęła się w dawnym pokoju dziecinnym.

– On mi zaufał – powiedziała półgłosem. – Teraz ja muszę zaufać jemu.

Mitch przykucnął obok Harpera i podał mu wodoszczelny reflektor.

– Masz wszystko, co niezbędne?

– Uhm. Minęło kilka lat od czasu, gdy nurkowałem po raz ostatni. – Zrobił kilka głębokich wdechów. – Ale z nurkowaniem jest jak z seksem, wiadomo, co należy robić.

– Mogę ściągnąć kilku przyjaciół mojego syna, którzy też znają się na rzeczy. – Podobnie jak Hayley, Mitch wpatrywał się w ciemną, zamgloną taflę wody. – To całkiem spory staw. Ciężko będzie jednemu nurkowi przeszukać całe dno.

– Bez względu na to, kim była, zawdzięczam jej, że znalazłem się na tym świecie. Może Hayley miała rację wczorajszego wieczoru, gdy powiedziała, że naszym przeznaczeniem jest odnalezienie szczątków Amelii.

Mitch położył dłoń na ramieniu pasierba.

– Patrz na zegarek, pilnuj czasu, wypływaj regularnie co pół godziny. W innym wypadku twoja mama wyśle mnie po ciebie, i to bez akwalungu.

– Jasne. – Harper spojrzał na Hayley, posyłając jej szeroki uśmiech.

– Hej. – Podeszła do niego, przykucnęła, po czym pocałowała go w usta. – To na szczęście.

– Przyda mi się. Ale ty się nie przejmuj. Pływam w tym stawie... – zerknął na matkę i wróciło do niego mgliste wspomnienie: swoimi małymi, dziecięcymi rączkami bije wodę, a Roz podtrzymuje go pod brzuszkiem – ...od niepamiętnych czasów.

– Ja się nie przejmuję.

Pocałował ją raz jeszcze, sprawdził ustnik, potem włożył maskę i wszedł do stawu.

Kąpałem się tutaj niezliczoną ilość razy, pomyślał nurkując, i podążył za wiązką światła reflektora. Wskakiwał do stawu dla ochłody w upalne, letnie popołudnia, a często – pod wpływem impulsu – pływał tutaj rano, przed pracą.

Czasami, po randkach, przyprowadzał tu dziewczyny i namawiał na romantyczną kąpiel nago, w świetle księżyca.

Bardzo często pluskał się też w stawie z młodszymi braćmi. Mama bardzo wcześnie nauczyła ich wszystkich pływać i teraz, gdy wodził światłem reflektora po mulistym dnie, wracały do niego ich radosne chichoty, piski i krzyki.

Czyżby te wszystkie beztroskie igraszki odbywały się nad grobem Amelii?

W myślach podzielił staw na kliny – tak jak dzieli się tort – i postanowił systematycznie przeszukać każdy z nich.

Wynurzył się po półgodzinie, potem po kolejnych trzydziestu minutach.

Usiadł na wysokim brzegu, machając nogami, a Logan pomógł mu wymienić butlę.

– Zbadałem prawie połowę dna. Do tej pory znalazłem tylko puszki po piwie i butelki po coli. – Spojrzał znacząco na matkę. – Nie patrz na mnie takim wzrokiem. Ja nie mam z tym nic wspólnego.

Roz schyliła się i potargała mokre włosy syna.

– Mam nadzieję.

– Dajcie mi jakiś worek, to pozbieram te śmieci.

– Zajmiemy się nimi innym razem.

– To jest dość płytki staw, w najgłębszym miejscu ma najwyżej ze sześć metrów, ale wczorajsza ulewa podniosła muł, więc widzialność jest dość kiepska.

Gdy Hayley usiadła obok niego, Harper szybko się zorientował, że dziewczyna broni się przed zanurzeniem choćby jednego palca w wodzie.

– Chciałabym być tam z tobą.

– Może w przyszłym roku nauczę cię nurkować. – Uśmiechnął się i poklepał ją po brzuchu. Tymczasem opiekuj się Hermioną.

Chwilę później znów znalazł się pod wodą.

To było żmudne, monotonne zajęcie, pozbawione uroków nurkowania w ciepłych morzach. Nieustannie musiał wpatrywać się w muł rozjaśniony niewielkim krążkiem światła i tak wysilać wzrok, że aż rozbolała go głowa.

Nie dochodziły do niego żadne dźwięki poza odgłosem własnego oddechu, zasysania mieszanki z butli – tak monotonnego, że aż irytującego. Miał już dość tego pływania w mętnej wodzie w poszukiwaniu szczątków kobiety, która niejednokrotnie doprowadzała go do furii. Teraz marzył już tylko o jednym – by usiąść w suchej, ciepłej kuchni nad filiżanką mocnej, gorącej kawy.

Do diabła, czemu jego życie od dłuższego czasu musiało się w tak dużym stopniu kręcić wokół szalonej kobiety o skłonnościach samobójczych, która – gdyby to tylko od niej zależało – ochoczo uśmierciłaby własnego syna!

Może Reginald w gruncie rzeczy nie był takim czarnym charakterem. Może zabrał dziecko, by je chronić. Może...

Poczuł ostre pieczenie w żołądku – nie była to jednak żadna fizyczna dolegliwość, a raczej wzbierająca furia. Mogąca zaślepić człowieka na tyle, iż gotów byłby zapomnieć, że znajduje się ponad cztery metry pod wodą.

Z rozmysłem spojrzał więc na zegarek, skoncentrował się na oddychaniu i pilnie podążał za snopem światła

Co też, do cholery, przyszło mu przed chwilą do głowy! Przecież Reginald był bezdusznym łotrem, to nie ulegało najmniejszej wątpliwości. Tak jak Amelia była egoistką i wariatką. A jednak, owoce tego związku okazały się bardzo udane. I tylko to się teraz liczyło.

A także odnalezienie szczątków Amelii.

Chociaż zapewne pogrzebali ją gdzieś w lesie, pomyślał. Z drugiej strony, czemu mieliby kopać zimą głęboki dół w twardej ziemi, skoro mieli pod ręką własny staw? Wrzucenie samobójczyni do lodowatej wody byłoby najlogiczniejszym pociągnięciem. Aż dziw, że wcześniej o tym nie pomyśleli.

Ale może należało na to spojrzeć z innej strony. Ten staw nawet w owych czasach był wykorzystywany do rekreacji. Ludzie tu pływali, łowili ryby. A ciała wrzucone do wody zazwyczaj w końcu wypływają na wierzch.

Czy więc ryzyko nie było zbyt wielkie?

Harper zaczął przeczesywać kolejny klin.

Minęła już niemal godzina od czasu, gdy kolejny raz zanurzył się w zimnej, mętnej wodzie. Czas zakończyć na dzisiaj. Po południu odda butle do napełnienia i jutro od rana znów zabierze się do pracy. Poza tym wkrótce do „Edenu" zaczną zjeżdżać się klienci, a nic nie działa na ludzi bardziej odstraszająco niż wieść, że gdzieś w pobliżu prowadzone są poszukiwania ludzkich szczątków.

Harper skierował światło reflektora na korzenie wodnych lilii. Przyszło mu na myśl, że warto by popracować nad stworzeniem ich szkarłatnej odmiany. Po czym raz jeszcze skoncentrował się na korzeniach i – zadowolony, że są tak zdrowe – postanowił się wynurzyć.

W tej samej chwili na dnie, nieco z lewej strony, zamajaczyły jakieś dziwne kształty. Harper zerknął na zegarek, zorientował się, że oddycha już rezerwą mieszanki, zdecydował się jednak zejść niżej.

I wówczas ją zobaczył – a raczej zobaczył to, co z niej zostało. Kości, oblepione mułem, oplątane wodorostami. Zalała go fala współczucia, gdy zauważył, że szczątki są obciążone cegłami i kamieniami, przywiązanymi – do rąk, nóg, w talii – grubym sznurem, zapewne tym samym, na którym się powiesiła.

Na którym zamierzała powiesić swojego syna.

Mimo to, przecież powinna była wypłynąć po pewnym czasie. I czemu ten sznur nie przegnił, czemu obciążenie się nie przemieściło, chociaż upłynęło tak wiele lat? Tak nakazywałyby prawa fizyki.

Może jednak te prawa nie miały zastosowania w przypadku duchów i klątw.

Harper powoli zbliżał się do szczątków.

Potężne uderzenie odrzuciło go do tyłu, wytrącając mu reflektor z rąk.

Otaczała go teraz ciemność, a w płucach zaczynało brakować powietrza.

Próbował opanować panikę, rozluźnił maksymalnie mięśnie. Dzięki temu opadnie na dno, a wtedy będzie mógł się od niego odbić z taką siłą, by od razu wynurzyć się na powierzchnię.

Kolejna potężna, podwodna fala pokrzyżowała jego plany.

I wówczas ją zobaczył: unosiła się w wodzie, w białej koszuli, wydętej niczym żagiel na wietrze. Jej jasne rozpuszczone włosy były splątane, oczy nienaturalnie otwarte, oszalałe, a palce ręki, którą wyciągała w jego stronę – zakrzywione niczym orle szpony.

Harper poczuł, jak dłoń Amelii zaciska się na jego gardle, chociaż wciąż widział ją parę metrów przed sobą, jakby zawieszoną tuż nad swoimi szczątkami.

Próbował się bronić – ale jak można walczyć z niematerialnym bytem? Usiłował się wynurzyć, jednak Oblubienica go unieruchomiła, i ciągnęła na dno równie skutecznie, jak swego czasu cegły i kamienie, z którymi niegdyś opadła w toń.

Pozbawi go życia. Może na tym właśnie od początku polegał jej plan – zabrać ze sobą do innego świata któregoś z Harperów.

W ostatnim przebłysku pomyślał o czekającej na brzegu Hayley, o swoim nienarodzonym dziecku i o córeczce, którą już dała mu ta cudowna kobieta.

I zdecydował, że tak łatwo z nich nie zrezygnuje.

Zerknął w dół na kości, próbując wykrzesać z siebie choć odrobinę współczucia. A potem spojrzał na Amelię, skazaną na wieczne szaleństwo.

Pamiętam cię, próbował przekazać jej myślami. Pamiętam, jak mi śpiewałaś. I wtedy wierzyłem, że nigdy byś mnie nie skrzywdziła. Spróbuj wrócić do tamtych chwil. Przecież jestem potomkiem twojego syna.

Sięgnął po nóż nurka i zdecydowanym ruchem przejechał ostrzem po dłoni. Tak jak ona owej strasznej nocy. Krople krwi zmieniły się w ciemny obłoczek, który spłynął ku oblepionym błotem kościom.

W moich żyłach płynie twoja krew. Krew Connorów. Przekazałaś ją Jamesowi, James – Robertowi, Robert – Rosalind, a Rosalind – mnie. Dlatego właśnie udało mi się ciebie odnaleźć. Ale teraz pozwól mi stąd odejść. Pozwól, żebym zabrał cię stąd. Już nie musisz tkwić tutaj, skazana na zapomnienie i samotność.

Kiedy ucisk na gardło ustąpił, Harper z trudem się powstrzymał, by natychmiast nie wyprysnąć na powierzchnię. Wciąż jeszcze majaczyła mu przed oczami, nie mógł tylko zrozumieć, jakim cudem – choć są w wodzie – widział wyraźnie, że po policzkach płyną jej łzy.

Wrócę po ciebie. Przysięgam.

Ruszył w górę i wtedy wydało mu się, że słyszy cichy, kojący śpiew – taki sam, jak kiedyś w dzieciństwie. Gdy obejrzał się za siebie, zobaczył światło reflektora, bijące z dna, padające wprost na Amelię, która chwilę później zblakła i rozwiała się niczym dym.

Kiedy się wynurzył, zerwał z twarzy maskę i zaczął łapczywie chwytać ustami powietrze. Wschodzące słońce oślepiło go swoimi promieniami i w tym momencie usłyszał nawołujące go głosy.

Zamrugał parę razy i dojrzał Hayley, stojącą na brzegu, z ręką przyciśniętą do brzucha. Na przegubie tej ręki połyskiwały rubiny szlifowane w kształcie serc.

Powoli płynął w jej stronę wśród kwiatów lilii. Oddalał się od śmierci i zmierzał ku życiu. Logan i Mitch wyciągnęli go z wody, on zaś padł na plecy i wciąż ciężko oddychając, spojrzał Hayley prosto w oczy.

– Znalazłem ją.

# EPILOG

$P$romienie słońca, przesiane przez liście jaworów i dębów, układały się w mozaikę światłocienia na zielonej, soczystej trawie. W gałęziach drzew śpiewały ptaki, a ich trele niosły się echem w balsamicznym powietrzu.

Nagrobki odcinały się od zielonego tła bielą marmuru i szarością granitu. Na niektórych leżały bukiety kwiatów o blaknących płatkach, poruszających się lekko w powiewach ciepłej bryzy.

Harper stał pomiędzy matką a Hayley i spoglądał na opuszczaną do grobu trumnę.

– Nie czuję smutku – oznajmiła Hayley. – Mam świadomość, że stało się coś dobrego. I że ktoś wreszcie okazał jej troskę i serdeczność.

– Amelia zasłużyła sobie na miejsce spoczynku u boku syna. – Roz popatrzyła na nagrobki. Reginald i Beatrice. Reginald i Elizabeth. A nieopodal – jej rodzice. Jej ciotki, wujowie, kuzynostwo – kolejne ogniwa w długim łańcuchu Harperów. – Wiosną położymy tutaj płytę z jej nazwiskiem: Amelia Ellen Connor.

– Najważniejsze już dla niej zrobiłaś, gdy włożyłaś do trumny grzechotkę jej synka i jego zdjęcie. – Mitch pocałował ją w czubek głowy. – Hayley ma rację. Okazałaś jej wiele serca.

– Gdyby nie Amelia, nie byłoby mnie na świecie. Nie byłoby Harpera, Austina i Masona. Ani ich przyszłych dzieci. Dlatego tu właśnie powinna spoczywać.

– Bez względu na to, kim była i co robiła, nie powinien jej spotkać tak straszny los – westchnęła Stella. – Jestem dumna, że razem z wami brałam udział w ustalaniu tożsamości Amelii i mam nadzieję, że kiedy już odkryliśmy jej tajemnicę, odnalazła wreszcie spokój.

– Wrzucili ją do stawu. Potraktowali gorzej niż psa! – Logan pogładził Stellę po plecach. – A wszystko po to, by zachować... co? Reputację?

– W końcu jednak znalazła się tam, gdzie powinna – wtrącił David. – Cieszę się, Roz, że pociągnęłaś za odpowiednie sznurki i zmusiłaś tych tępych urzędników, by wydali zgodę na pochówek w tym miejscu.

– Nazwisko Harper wciąż znaczy wystarczająco dużo, by poskromić biurokratów. Jeśli mam być szczera, zależało mi na tym, by tu spoczęła chyba jeszcze bardziej niż na wyekspediowaniu jej z mojego domu i odseparowaniu od moich bliskich. – Pocałowała Harpera w policzek. – Mój chłopiec. Mój dzielny chłopiec. Tobie Amelia zawdzięcza najwięcej.

– W żadnym razie.

– Wróciłeś po nią – przypomniała mu Hayley. – Mimo że próbowała cię skrzywdzić, zanurkowałeś wraz z innymi, by pomóc w wydobyciu jej szczątków.

– Obiecałem jej, że wrócę. A mężczyźni noszący nazwisko Ashby zawsze dotrzymują danego słowa. – Nabrał garść ziemi, uniósł nad trumnę i przesiał między palcami. – A więc historia Oblubienicy się dopełniła.

– Co można powiedzieć o Amelii? – Roz podniosła z ławki czerwoną różę. – Była szalona, to nie ulega wątpliwości. Zginęła marną śmiercią, a żyła nie lepiej. Ale śpiewała do snu i mnie, i moim dzieciom. Jej krew płynie w naszych żyłach. Spoczywaj więc w pokoju, moja prababko. – Rosalind rzuciła różę na trumnę.

Potem każdy z nich po kolei zrobił to samo.

– Zostawmy ich na chwilę samych. – Roz skinęła głową w stronę Hayley i Harpera.

– Amelia odeszła – powiedziała Hayley z zamkniętymi oczami. – Czuję to bardzo wyraźnie. Wiedziałam, że odpłynęła w nicość, zanim jeszcze wynurzyłeś się na powierzchnię. Wiedziałam, że ją znalazłeś, zanim nam o tym powiedziałeś. W pewnym momencie odniosłam wrażenie, że pęka łącząca nas nić.

– To najszczęśliwszy dzień w moim życiu.

– Wierzę, że wreszcie znalazła to, czego tak bardzo szukała. – Spojrzała na trumnę i leżące na niej róże. – Kiedy byłeś pod wodą, strasznie się bałam, że już do mnie nie wrócisz.

– Jakże mógłbym cię zostawić? – Chwycił ją za ramiona i odwrócił tyłem do grobu, a twarzą ku słońcu. – Przed nami wiele wspaniałych lat. Teraz nadszedł nasz czas.

Wyjął z puzderka pierścionek zaręczynowy i wsunął Hayley na palec.

– Leży jak ulał. Od tej chwili jest twój. – Pochylił się i pocałował ją w usta. – A teraz wreszcie się pobierzemy.

– Cudowny pomysł.

Wzięli się za ręce i, zostawiając za sobą śmierć, ruszyli ku miłości i nowemu życiu.

Tymczasem wielkie hole i eleganckie pokoje Harper House wypełniały promienie słoneczne i wspomnienia. Wokoło panowała cisza.

Nikt już nie śpiewał.

Za to ogrody kwitły równie pięknie, jak zawsze.

# Drogi Czytelniku

Gdy upalne, duszne dni lata wolno odchodzą w przeszłość, z wielką ochotą przynoszę cuda swojego ogrodu do domu. Margerytki i pachnące goździki, radosne pióropusze tawułek, płaskie baldachy krwawników i smukłe, eleganckie lilie. Choć wcześniej zawsze przeżywam chwile rozterki – bo przecież trudno ścinać coś tak pięknego i żywego. Za to gdy nadciągają długotrwałe ulewy lub skwar zmusza mnie do przebywania w chłodzie pokoi, widok ciętych kwiatów – którym pomagałam wzrastać i rozkwitać – od razu poprawia mi humor. Trudno bowiem wyobrazić sobie milszych towarzyszy godzin samotności.

Ilekroć kończę pracę w ogrodzie, siadam w cieniu – na ławce, na huśtawce czy na murku ogrodzenia – i po prostu podziwiam urok rabat i klombów. Lub zabieram wnuczkę na przechadzkę i uczę ją nazw poszczególnych roślin (a wkrótce, mam nadzieję, będę również zabierać na te wyprawy mojego wnuka), podobnie jak to czynili moi rodzice, gdy jeszcze byłam dzieckiem. Mam nadzieję, że zdołam małej Kayli zaszczepić miłość do wszystkiego, co wyrasta z ziemi, tak jak zaszczepiłam ją moim synom. A rodzina to moja kolejna pasja i miłość – drugi niezwykły ogród pełen subtelnych odcieni, kipiący nieograniczonym potencjałem.

Nieodmiennie cieszę się darami wszystkich pór roku: wiosną – sianiem i sadzeniem, latem – bogactwem form i kolorów, jesienią – kwitnącymi cyniami, chryzantemami i drzewami płonącymi barwami ognia.

Podczas długich, zimowych miesięcy – gdy mój ogród pogrążony jest we śnie – myślę o tym, jak wiele mi wkrótce podaruje i zastanawiam się, co ja mogłabym podarować jemu. A gdy tylko pierwsze krokusy dzielnie wychylają się ze ściętej mrozem ziemi, wiem że wkrótce zacznę spulchniać glebę, przeganiać jelenie i sarny, trzebić chwasty i wyprawiać się do lokalnego centrum ogrodniczego, gdzie będą na mnie czekać rozmaite rośliny, których urokowi żadną miarą nie zdołam się oprzeć. A potem z nadzieją zacznę czekać na powrót życia – nowe bogactwo kwiatów i aromatów.

Ogród jest źródłem radości i piękna. Wymaga wysiłku, ale daje nieskończenie wiele w zamian. Mam nadzieję, że i Ty, Czytelniku, stworzysz sobie w pewnym momencie własny, cudowny świat.

Nora Roberts